# 訂正可能性の哲学

東浩紀

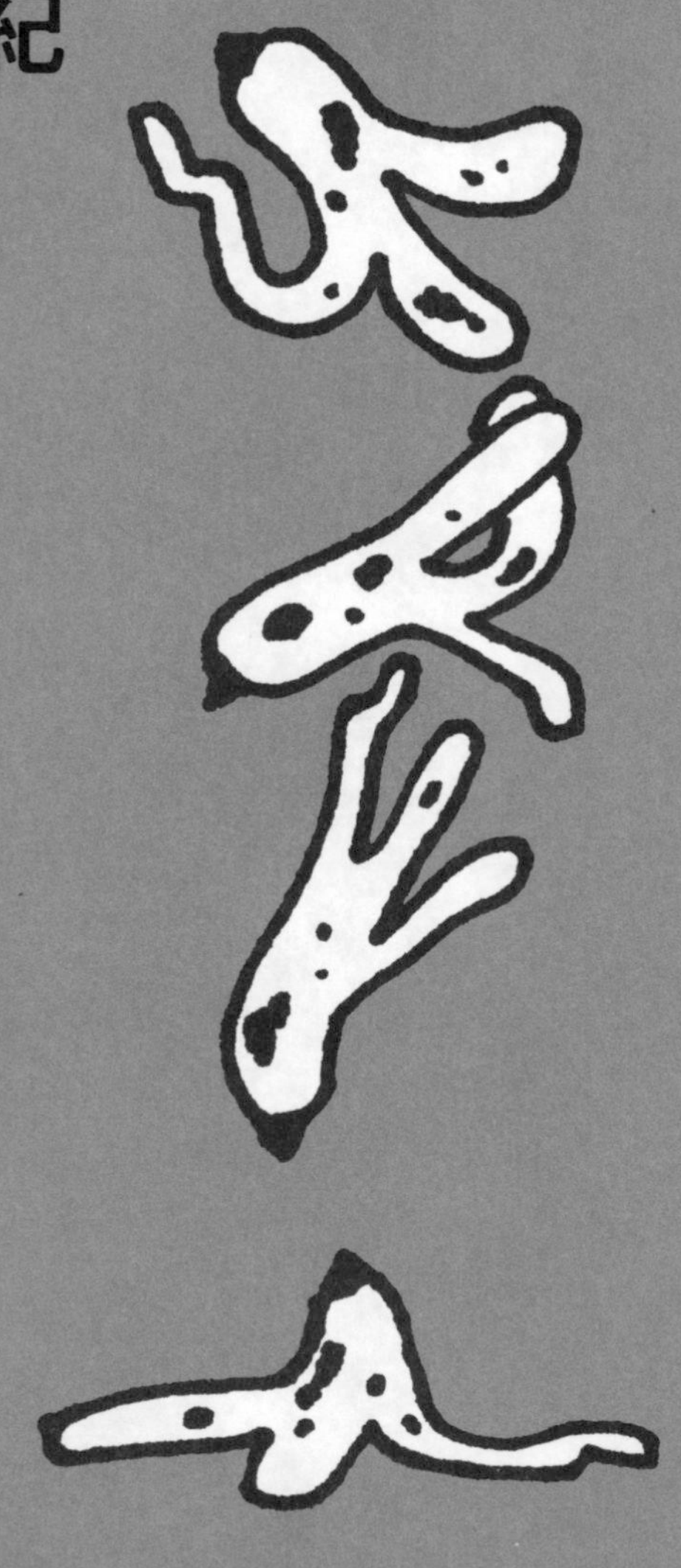

genron

# 訂正可能性の哲学　目次

# 第1部　家族と訂正可能性

## 第2部　一般意志再考

# 第1部　家族と訂正可能性

# 第1章　家族的なものとその敵

この第一部では、保守とリベラルの対立を超え、より柔軟に共同体の構成原理について語るためには、「家族」と「訂正可能性」の概念を新しく設立することが重要であることを示す。独立して読める議論になっているが、問題設定は二〇一七年に出版した『観光客の哲学』という著作を引き継いでいる[★1]。

同書は好評で迎えられ、賞もいただいた。けれども欠陥もあった。第一部は「観光客の哲学」と題され、第二部は「家族の哲学」と題されていたが、両者がきちんと接続されていなかったのである。

ぼくはいまの政治は、世界的にも国内的にも、また古典的な政治においてもネットの争いにおいても、「友」と「敵」の観念的な対立に支配されていると考えている。したがって、その対立を抜け出すことが決定的に重要である。『観光客の哲学』では、その認識のうえで、「観光客的な連帯」こそが脱出の鍵となり、新たな連帯のモデルは「家族」に求められるという主張を展開した。

観光客と家族は、日常的にはかなり隔たりがある言葉である。観光客という言葉には、好奇心に導かれるままあちこちに顔を出す無責任な消費者という印象がある。だからこそ『観光客の哲学』

では、観光客を、友にも敵にも分類できない第三の存在の比喩として用いた。他方で家族という言葉のイメージは対照的だ。家族はむしろ人生や運命の重さを感じさせる。家族をころころと変えることはできないし、成人になって新しい家族を迎えれば責任も生じる。それなのに、ふたつがつながり、連帯のモデルになるとはどういうことなのか。前著ではそのつながりを明確に理論化することができなかった。

そこでぼくは以下、伝統的な哲学を参照しつつ、そのつながりをはっきりと言葉にしてみたいと思う。観光客にしろ家族にしろ、あまり哲学や政治思想で話題になる概念ではない。けれども本論を読んだ読者は、両者の関係への注目が、いま公共性や正義を考えるうえでたいへん示唆に富むものであることを理解するはずである。

観光客と家族について考えることは、本書が出版される二〇二三年には新たなアクチュアリティを帯びてもいる。

六年前に『観光客の哲学』が出版された時点では、それらは哲学的に取り上げるような主題ではなかった。観光客の増加は経済的には注目されていたが、社会のありかたを変える現象だとは考え

---

★1　東浩紀『観光客の哲学』増補版、ゲンロン、2023年。初版は『ゲンロン0　観光客の哲学』というタイトルのもと二〇一七年に出版された。初版と増補版では章番号がずれているが、増補版のもので参照する。

られていなかった。逆に家族の役割に注目すべきだという主張は、たんに保守的で時代錯誤なものだと思われていた。当時は、観光客のテーマは社会の持続性とはあまり関係がない軽いもので、逆に家族のテーマはあまりにも深い関わりがある重いものだと思われていたのである。

ところが二〇二〇年に始まった新型コロナウイルスのパンデミックが、両者をとりまく環境を劇的に変えてしまった。コロナ禍以前は観光客は気軽に歓迎される存在だった。日本だけでなく世界中が観光産業の成長に期待をかけてもいた。それが突然のように、不要不急の移動で感染を広げ市民の安全を脅かす迷惑な存在として、世界中で警戒される対象に変わってしまった。コロナ禍の初期には、留学生や外国人労働者の半ば強制的な帰国も相次いだ。

家族への視線も大きく変わった。コロナ禍以前は、家族や「家」といった言葉は、リベラルの知識人にとってあまり肯定的に語られるものではなかった。彼らは、教育にしろ介護にしろ、家庭から公共へできるだけ責任を移行すべきだと主張していた。

ところがコロナ禍が始まると、突然「家」が肯定的に語られるようになった。みなできるだけ自宅に閉じこもり、教育も介護も自力で行い、仕事はテレワークで済ませ、接触は同居家族とのあいだに限るべきだという主張がおおっぴらに行われるようになった。それまでのリベラルの論調からすれば、それでは世帯間の経済格差が教育や介護の質に反映してしまうし、家族がいないひとは孤独を強いられるので問題だと批判が巻き起こったはずである。けれどもそのような議論はほとんど提起されなかった。二〇二〇年から二〇二一年にかけて、日本では「ステイホーム」や「おうちごはん」といった新語がしきりに語られたが、「ホーム」にしろ「おうち」にしろ、本来は排除的で差別的な含意をもちうる言葉である。それがこれほど手放しで肯定される状況を、コロナ禍のまえだれが想像することができただろう。

二〇二三年現在、パンデミックによる政治や経済の混乱はようやく収束しつつある。今後はさまざまな対策のうちなにが有効でなにが混乱を招くだけだったのか、各国で検証が進むことだろう。

この三年間、日本に限らず世界各国は、観光客に象徴される軽さ＝開放性を否定し、家族に象徴される重さ＝閉鎖性に回帰することで「感染症に強い」社会を構築しようと試みてきた。それはいっけん避けられない選択だったようにみえる。けれども、開放性を捨て閉鎖性に戻るという論理は、あまりにも単純すぎなかっただろうか。観光客的なものと家族的なものは、それほどはっきりと対立するものだったのだろうか。否、そもそもそれ以前に、開かれているものは危険で、閉じられているものこそ安心といった二分法は、どこまで哲学的に妥当なものだったのだろうか。この第一部の議論は、以上のような点で、コロナ禍のイデオロギーを原理的に再検証するものにもなっている。

## 1

それでは議論を始めるとしよう。ぼくはさきほど、家族の役割はコロナ禍のまえには肯定的に捉えられていなかったと記した。そこで思い浮かべていたのは、現代日本のリベラルを代表する社会学者、上野千鶴子の「おひとりさま」肯定論である。

上野は二〇〇〇年代の半ば、日本の既婚女性は夫や子どもにあまりにも束縛されているので、老後は離婚し、独居老人＝「おひとりさま」として公的なサービスに頼るべきだし、行政もその生きかたを支援すべきだと問題提起を行い、大きなセンセーションを巻き起こした[★2]。この主張はフェミニズムの文脈で受け取られることが多いが、本質的には男性にも適用されるものだろう。上野は、家族は個人の自由を奪い、社会の改善も阻む厄介な存在だと考えている。家族という小さな単位への執着は、大きな公共の実現にとっては障害になるというわけだ。

このような主張は一般の読者をぎょっとさせる。実際に上野は「家族の破壊」を企てる過激な論者として批判されることが多い。けれども家族と公共を対立させる発想そのものは、彼女固有のものでも、また日本のリベラルに固有のものでもない。それはむしろ、リベラル、というよりもさらに広く、ある種の社会思想で通奏低音であり続けてきたものである。

建築史家の本田晃子は、ソ連時代の住宅建築史を扱った『革命と住宅』で興味深い指摘をしている[★3]。本田によれば、革命後のソ連では、労働者を家庭から解き放ち、家事や育児などを国家によるサービスに置き換えるため、住居の設計が根本的に見なおされていた。彼女は一九二五年にモスクワで行われたある集合住宅の設計コンペを例に挙げている。そのコンペでは、共同食堂や共同浴室、保育園やリクリエーション・ルームなどの整備が要件に入っていた一方、ひとりあたりの居住面積を六平方メートルにまで切り詰めることが求められていた。それらの指定からは、発注者が「住民は睡眠以外の時間は基本的に共有スペースで過ごすものと想定」していたことが読み取れるという[★4]。革命後のソ連においては、いまふうにいえば、「ステイホーム」とはまったく逆の、なるべくホームにはいない生活様式が推奨されていた。それは上野の「おひとりさま」論にまっすぐ通じている。

本田の論考は「革命は「家」を否定する」という一文で始まっている。共産主義は私的所有を否定する。家族は私的所有の場そのものである。家族とは、「わたしの父」「わたしの母」「わたしの子」と、それぞれが私的な関係で呼びあう場所のことだからだ。共産主義が家族を壊し、個人と公共を媒介なく直結しようと試みたことは、論理的な必然でもあった。

本田はそのような集合住宅の理想の起源を、一九世紀の社会主義者、ニコライ・チェルヌイシェフスキーが記した『何をなすべきか』という長編小説に求めている。同書は一八六三年に書かれ、革命前のロシアで広く読まれた。若い女性が一念発起して裁縫工場の経営に乗り出す小説で、労働者が男女入り混じって生活をともにし、共同で工場を運営するさまがたいへん理想的に描かれてい

---

★2　上野千鶴子『おひとりさまの老後』、法研、２００７年。
★3　同論考は電子雑誌『ゲンロンβ』に連載されていたもので、二〇二三年秋にゲンロンより単行本として刊行予定。以下では連載時の出版情報で参照する。
★4　本田晃子「革命と住宅」第１回、『ゲンロンβ57』、２０２１年。

る。改革の過程で女性の主人公が伝統的な結婚観や家庭観に疑いを抱く物語になっており、フェミニズムの歴史において注目されることも多い。

このような家族の否定の歴史は、社会主義や共産主義を超えてさらに古く遡ることができる。哲学史的にはそれはプラトンにまで遡る。プラトンは『国家』というたいへん有名な著作を書いている。同書には「正義について」という副題があり、理想の国家像や人間像が論じられている。書かれたのは二四〇〇年ほどまえのことだが、その議論はいまの思想にまで絶大な影響を与えている。そこではすでに、家族の存在が、私的所有や集団生活の問題と連動して否定的に議論されている。

プラトンの議論はこうだ。人間は多様であり、能力が異なっている。それゆえ集団で生活し、生産物を交換して、相互の欠落を補うのが好ましい。そのようにして国家が生まれるが、それが大きくなると、こんどは国家を運営することに特化した人々、プラトンがいうところの「守護者」が求められるようになる。彼らをいかに選び育てるかが、国家の命運を決めることになる。

プラトンはこの前提のうえで、そんな守護者に公徳心を与えるにはどうしたらよいのか、その方法について議論した。プラトン自身の言葉を引用すれば、「国家の利益と考えることは全力をあげてこれを行なう熱意を示し、そうでないことは金輪際しようとしない気持が見てとれるような者たち」を育てるにはどうしたらよいか、という問題だ[★5]。その議論は『国家』の第三巻から第五巻にかけて行われている。そしてそこで提案されるのが、守護者たちはすべてを公共に捧げるべきなので、自分のものと国家のものを区別しない環境で生活しなければならない、具体的には、財産をもってはならないし、固有の住居ももってはならないし、食事もひとりでとってはならないといった数々の禁止事項なのである。

禁止事項には家族をもつことも含まれている。プラトンは、守護者は世襲であってはならず、すべての市民のなかから、階級やジェンダーの分け隔てなく、資質のみに基づいて選ばれるべきだと考えた。これは現代の視点でみても先進的な提案だが、だとすれば守護者には男性も女性もいることになる。では彼らは性交し子どもをつくってもよいのであろうか。むろんよい。けれども家族をつくってはならない。守護者は特定の子の父母としてふるまってはならず、生まれた子どもは国家全体の子どもとして育てられねばならない。ふたたびプラトンの言葉を引用すれば、彼は、「これらの女たちのすべては、これらの男たちすべての共有であり、誰か一人の女が一人の男と私的に同棲することは、いかなる者もこれをしてはならないこと。さらに子供たちもまた共有されるべきであり、親が自分の子を知ることも、子が親を知ることも許されないこと」と明確に婚姻や家族を否

★5　412E。藤沢令夫訳。『プラトン全集』第11巻、岩波書店、1976年、246頁。全集では同じ巻のなかでも収録作品によって訳者が異なることがある。以下、全集からの引用は、参照している作品の訳者名のみを初出時に書名の前に記載している。

★6　457D。同書、354頁。

定している[★6]。守護者は、財産をもつべきでないように、家族ももつべきでないのである。念のために付け加えておけば、ここで議論されているのは、あくまでも支配層のあるべきすがただ。プラトンはあらゆる家族を解体すべきだと主張したわけではない。そんなことをしたら人間は滅んでしまう。

けれども、プラトンの哲学においては、彼ら守護者こそが、欲望や快楽に打ち克ち正義を体現する人々だとみなされている。『国家』は、それ以外の市民の生活についてはほとんどなにも語っていない。したがって、ここに記された家族の否定や私的所有の否定が、プラトンにおいて、特定の職業にとどまらない人間一般の理想として考えられていたこともまたまちがいない。ひとは公共的であるためには、家族を否定しなければならない。ひとことでいえばプラトンはそう考えていたわけだ。

プラトンの提案はあまりに過激で、常識で考えるなら実現できそうにない。けれどもそれだけに、その理想は後世の思想を規定し続けた。

近代の理想社会論の起源といわれるトマス・モアの『ユートピア』を見てみよう。一六世紀の著作で、架空の「ユートピア島」への訪問記というかたちをとって、あるべき社会像が議論されている。

モアのユートピア島には家族がある。結婚は神聖だとも記されている。それはプラトンと異なる社会像のようにみえる。けれども、ではそこで家族が素朴に肯定されているかといえば、必ずしもそうはいえない。モアはカトリック信徒で、当時のイギリスではプラトンのように婚姻を正面から否定することはできなかった。彼はその制限のなかで、伝統的な家族観を読み替え、世俗的な公共性に奉仕する新しい家族像を提案しようと試みている。その点に注目すると、『ユートピア』の記述はまた別のすがたを現してくる。

たとえば、ユートピア島の家族には、プラトンの守護者と同じく財産の私有が認められない。住居も占有できないし、食事もほかの家族と一緒にとらなければならない。家族だけの生活は許されていない。

ではなにが許されているのかといえば、家族の意義はなによりもまず職業の継承にあることになっている。子は親の職業を継ぐ。その教育の単位が家族だ。だから職業を継ぎたくない子は、年少期に家族を離れ、別の職業の別の家族の養子にならなければならない。人数も決まっている。ユートピア島の家族は少人数の親密な空間ではない。都市部であれば成人が一〇人以上一六人以下、農村部ではもう少し多数と定員が定められ、それ以上に増えれば強制的に分割されることになっている。モアが理想として描き出しているのは、確かに結婚や血縁で結ばれたまとまりではあるけれど、ぼくたちが知る家族とはまったく異なった機能をもつ存在である。

家族の存在は、時代が下り、キリスト教の圧力が弱くなると、ふたたびはっきりと否定されるようになる。一八世紀半ばには、ルソーが『人間不平等起源論』で、人間は自然状態では特定の配偶者も固定した家族ももたなかったはずだと記している[★7]。ルソーは社会状態が人間を不幸にしたと説いた思想家だったが、否定すべき社会にはじつは家族も含まれていた。

一九世紀に入ると、チェルヌイシェフスキーにも影響を与えた空想的社会主義者、シャルル・フーリエが現れる。彼は独特の夢想的な世界史を構想したことで知られ、人類の婚姻は、単婚から多婚へ、そして「全婚」（オムニガミー）へと進化すると主張した[★8]。単婚とはいわゆる一夫一婦制を、全婚とは、男女の双方がともに複数の配偶者をもつ婚姻形式を意味する。そこではみなが家族的なしがらみなく性的に自由に結合し、生まれた子どもは社会の共有物となる。これはプラトンが『国家』で理想とした性関係と家族形態に近い。

ルソーやフーリエの家族の否定はあくまでも抽象的な問題提起だったが、一九世紀半ばにマルクス主義が現れると、家族の忌避は現実の政策論にも影を落とすようになる。フリードリヒ・エンゲルスは住宅不足を論じた一八七〇年代の論文で、労働者ひとりひとりに個別の住居を与えることは「反動的」であり、「家とかまどからの労働者の駆逐」こそが「労働者の精神的解放の第一条件」になると宣言している[★9]。労働者は、「家とかまど」を失わなければ公共の使命に目覚めないというのだ。本田が指摘したような革命後の集団住宅への志向は、このような主張の延長線上に必然的に現れたものだといえるだろう。

そして二〇世紀に入ると、以上のような家族否定＝理想国家論を逆手にとった理想国家批判、いわゆるディストピア小説が現れ始める。

二〇世紀のディストピア小説は、オルダス・ハクスリーが一九三二年に刊行した『すばらしい新世界』とジョージ・オーウェルが一九四九年に刊行した『一九八四年』に代表されるといわれる。ハクスリーの『すばらしい新世界』はいまでいえばSFである。物語は、人間が工場で生み出され、精神状態を薬物で管理できるようになった遠い未来を舞台としている。そこでは性的な快楽の追求が肯定され、奨励されてすらいるが、出産とは完全に切り離されている。人間関係はすべて社会全体の利益を損なわないように合理的に配分され、「父」や「母」といった私的で家族的な関係は倒錯的なものだとみなされている。他方でオーウェルの『一九八四年』は主流文学に近い作風である。舞台は近い未来（それが一九八四年）で、ハクスリーの小説のように夢想的な技術が登場するわけではない。人間は人間から生まれているし、家族も残っている。けれどもこんどはこちらでは、

★7　「この原初の状態では、家も小屋もいかなる種類の所有物もなく、各人は、偶然に、しばしばたった一晩の宿りのために住居を定め、雄と雌は出会いと機会が生ずるに応じ欲望のままに偶然に結びつ」く。原好男訳。『ルソー全集』第4巻、白水社、1978年、215頁。

ルソーを家族を否定する哲学者として捉えるこの記述には、違和感を覚える読者が多いかもしれない。実際、彼は『新エロイーズ』や『エミール』といった著作では家族の価値を高らかに謳い上げている。けれどもルソーは複雑な人物で、問題はそれほど単純ではない。とりあえずここでは、ルソーが上記の引用のように、自然状態では家族も私有財産もなかったはずだと記述していたことを重視した。この思想家については、のち第二部で主題的に扱う。

★8　石井洋二郎『科学から空想へ』、藤原書店、2009年、170頁以下。

★9　フリードリヒ・エンゲルス『住宅問題』、村田陽一訳、国民文庫、1974年、36頁。

全体主義的監視が私的領域を覆い尽くしている。家にはカメラが設置され、家庭内の行動はすべて国家に報告されている。『一九八四年』は、その結果として家族のあいだの愛や信頼が完全に損なわれた世界を描いている。

このふたつの小説は、一般には対照的な未来像を描いた作品として評価されている。実際に読後感もかなり異なる。けれども、いまの要約でわかるとおり、ともに公的な領域が私的な領域を完全に呑み込み、家族の親密性が否定される世界を舞台としている。ハクスリーもオーウェルも、近代の思想のはてには家族の否定があると考えた。そのうえで、男女の私秘的で非公共的な恋愛を軸にして、そんなディストピアが揺るがされる物語を記したのである[★10]。

## 2

以上のように、家族の否定は、けっして現代日本に特有なものでも、また近年になって発明されたものでもない。それは古代から長いあいだ受け継がれてきたひとつの強い思想である。

本論ではのちにハンナ・アーレントの『人間の条件』という著作に触れる。彼女はそこで、ひとことで要約すれば、私的な欲望を満たし、私的に行動するだけでは人間は人間であることができないと主張している。人間は公的な領域に関わるからこそ人間でいられる。私的な領域に閉じ込められていたのでは動物と変わらない。だから哲学者は公について考えねばならない。のちにぼくはそれとは異なる読解の可能性を提示するが、とりあえず一般的な理解としては彼女はそう考えていた。

★10　性愛あるいは恋愛がディストピアを揺るがすという構図はこの二作に共通している。少し詳しく紹介しておく。まず『すばらしい新世界』の世界では複数の性的パートナーをもつことが奨励されている。小説前半の男性主人公「バーナード」と女性主人公「レーニナ」はともにその常識に違和感を抱いており（最終的には受け入れるのだが）、その感覚が後半の物語を動かす重要人物「野蛮人ジョン」を呼び寄せる原動力となっている。他方で『一九八四年』の世界ではより明確に恋愛が物語の鍵になっている。男性主人公「ウィンストン」は反体制的な思想を抱く人物として導入されているが、その志向は若い女性「ジュリア」と出会うことで先鋭化する。そのうえで小説は、全体主義的な権力がふたりを拘束し、相互に裏切らせ、愛を打ち砕くことで精神的支配を取り戻すというかたちで進んでいく。同作で権力者は、「これまでわれわれは親子間、個人間、男女間の絆を断ち切ってきた［……］将来は、妻や友人といったもの自体が存在しなくなるだろう」と語っている。ジョージ・オーウェル『一九八四年』新訳版、高橋和久訳、ハヤカワepi文庫、2009年、414頁。以下、［ ］は引用者による補足を、［……］は省略を示す。本文内の引用も同じ。

ちなみに二〇世紀前半の重要なディストピア小説としては、もうひとつ、この二作に先行して一九二〇年から二一年にかけて共産主義体制下で書かれたエヴゲニー・ザミャーチンの『われら』がある。同書はソ連では発表できず、はじめは英訳で出版された。興味深いことにこの小説も似た構造を備えている。全体主義国家は、そこでも家庭と性を完全に管理する存在として描かれている。男性主人公「Д（デー）-503」はある女性との出会いがきっかけでその支配から外れ、物語が動き出す。つまりは、ハクスリーもオーウェルもザミャーチンも、みなそろって性愛をディストピアに対する懐疑や抵抗の拠点として描いているのである。

とはいえこの特徴は、二一世紀の視点で読みなおすと、男性小説家の都合のいい女性幻想にみえなくもない。本書第一部の議論は公共（ポリス）と家族（オイコス）の分割を疑うことを主題としている。本文ではほとんど触れていないが、その分割はいうまでもなく性差別と結びついている。西洋の知的な伝統においては女性は長いあいだポリスの外部に排除され、オイコスに閉じ込められていた。だからこそハクスリーもオーウェルもザミャーチンも、女性の登場人物を国家への抵抗の拠点として無造作に導入できたのだろう。

アーレント以外にも、似た主張を展開した哲学者は数多くいる。

家族を公共と対立させる思想。これは確かにわかりやすい。家族とは常識で考えれば、「私」のエゴに満ちた、閉鎖的で排除的な人間関係の代名詞だ。そして哲学とは、まさにそのようなエゴからひとを解放する営みだ。だとすれば、哲学者が家族を否定するのは当然のように思われる。

けれども、本当に家族とは閉鎖的で排除的な人間関係でしかないのだろうか。否、そもそもそれ以前に、閉鎖的で排除的な人間関係とはなにを意味し、開放的で包摂的な人間関係とどのように違うのだろうか。ぼくはふたたびそこから原理的に考えなおしてみたいと思う。そうすると、家族という言葉とイメージのなかに、ここまでの駆け足の要約には収まりきらない、もっと複雑で、厄介で、ねじれた性質が宿っていることが見えてくるからである。

もういちど『国家』に戻ってみよう。ぼくはさきほど、プラトンの国家論は後世の思想に大きな影響を与えたと記した。

批判がなかったわけではない。プラトン批判は多岐にわたるが、二〇世紀においてもっとも有名なもののひとつが、カール・ポパーが一九四五年に出版した『開かれた社会とその敵』である。ポパーはオーストリア出身の哲学者で、一般には科学哲学の業績で知られている。同書は二部構成で、第一部はずばり「プラトンの呪文」と題されている。

ポパーのプラトン批判は基本的には単純である。彼の批判は「閉ざされた社会」と「開かれた社会」の対立のうえに組み立てられている。

閉ざされた社会とは「呪術的ないし部族的ないし集団主義的な社会」のことである。そこでは個人は社会の一部でしかなく、全体がまとまりをもった「有機体」として捉えられている。それに対して、開かれた社会は、社会全体の有機的なまとまりを欠いた、けれどもそれゆえに逆に「諸個人が個人的決定に直面する社会」のことである。それはいまふうにいえば「自由主義的」で「個人主義的」な社会だが、必ずしも近代に生まれたものではない。ポパーの考えでは、その起源は前五世紀のアテナイに遡る。その誕生を体現するのがソクラテスだ。ポパーは、「閉ざされた社会から開かれた社会への移行は人類が通過してきた最も深遠な革命の一つ」だと記している。

そして、プラトンはまさにその革命を否定する哲学者だった。これがポパーの主張の要である。ソクラテスの言行はおもにプラトンの記録で知られる。けれども彼以外による記録もある。両者を照合したとき、プラトンが師の精神を「裏切」っていたことは明らかだとポパーは主張する。プラトンは『国家』でソクラテスの思想をねじまげて記録し、古代の部族社会をモデルに全体主義的な国家像を再構築しようとした。プラトンは開かれた社会の到来を拒絶し、閉ざされた社会に戻ろうとした反動の哲学者だったというわけだ[★11]。

---

★11　カール・R・ポパー『開かれた社会とその敵　第一部　プラトンの呪文』、内田詔夫、小河原誠訳、未來社、1980年、172、174、191頁。以下断片的な引用については、段落の最後の注などにまとめてページ数を示すことがある。

この批判には領けるところがある。プラトンがソクラテスの真意を歪めたかどうかはわからないとしても、『国家』の国家論は確かに全体主義的である。さきほど紹介したように、守護者には私的な意志や欲望は認められない。ただ公共への奉仕だけが求められる。これをふつうは全体主義的という。

そして確かに復古主義的でもある。さきほどの紹介では割愛したのだが、プラトンはじつは『国家』を著したあと、晩年に『ティマイオス』と『クリティアス』という短い対話篇を残している。両篇で展開される対話は『国家』の続きという設定になっている（専門家のあいだでは続きではないという議論もあるらしいが、とりあえずふつうにはそう読める）。そこではソクラテスが、『国家』で提示された過激な提案が実現不可能な夢物語ではない証拠として、『国家』の会話が交わされた翌日、ティマイオスとクリティアスとヘルモクラテスという三人の人物に、古代アトランティスと古代アテナイの物語をしてくれと頼むことになっている。

物語は本当は、三部作で語られるかなり長いものになる予定だったらしい。『ティマイオス』と『クリティアス』はその未完の三部作の二作だと考えられている。だから残された議論は断片的である。第一作の『ティマイオス』は大部分が宇宙生成をめぐる神話的な議論に占められ、あまり社会の話は出てこない。第二作の『クリティアス』でようやくアトランティスの政治体制の話が始まるが、途中で放棄され、第三作の『ヘルモクラテス』は書かれなかった。それゆえプラトンの構想の全貌を知ることはできない。けれども残された部分を読むだけでも、プラトンが、『国家』で語った家族や私有財産の禁止について、自分独自の提案ではなく、過去に存在した理想状態への回帰だと想定していたことは明らかだ。

プラトンの国家論は全体主義的で復古主義的であり、危険である。ポパーのこの批判は現実の政治とも密接に関係している。じつはプラトンの著作は、戦前のドイツ語圏で、ナチスの支持者によって積極的に読まれていた[★12]。実際『国家』には、ナチスの政策に近い主張が含まれている。たとえばプラトンは守護者の子どもについて、「種族」の優秀性を保つため、能力の劣った子を選別し破棄すべきだと記している[★13]。これは優生学の主張にほかならず、ナチスのアーリア神話や人種主義と親和性がある。ナチス的想像力とプラトンの近接性は、ハイデガーのような高名な哲学者のテクストにも表れている。ハイデガーには一九三三年に「ドイツ大学の自己主張」という有名な講演があり、研究者のなかではナチスへの接近を示すものと位置づけられることが多い。この講演はまさに『国家』の引用で終わっている。

ポパーの祖父母はユダヤ人だった。彼は迫害を恐れて、ナチスによる併合直前の一九三七年にオーストリアを脱出している。『開かれた社会とその敵』は、まさにそのナチスの勢力拡大を眺め

---

★12　佐々木毅『プラトンの呪縛』、講談社学術文庫、2000年、137頁以下。
★13　459A以下。『プラトン全集』第11巻、357頁以下。

ながら移住先の南半球で書かれ、第二次大戦終戦直後に出版された書物である。ポパーのプラトン批判は、そんな時代状況が要請したものでもある。

さて、以上を要約すれば、ポパーはまず開放性と閉鎖性を対置し、開放性が善だと前提したうえで、プラトンの国家観は閉鎖的だから悪だと批判したのだということができる。ポパーの立論はそのかぎりでとても単純だが、現実にプラトンの著作が全体主義に親和的なものとして読まれた歴史的な経緯を考えれば、だからといって軽視してよいものでもない。

とはいえ、ここではそのような背景を離れ、ポパーの論理そのものを抽象的に検討してみることにしよう。そうすると気になってくるのが、彼の議論に潜む、家族あるいは「部族」のイメージをめぐるねじれである。

ポパーは『国家』に描かれた理想国家のすがたを、繰り返し「部族的」という言葉で形容している。そして、部族的だからだめなのだと批判している。部族は家族に近い言葉である。ポパー自身も両者を区別なく使っており、部族的な国家像を「一大家族」とも形容している[★14]。けれども実際には、ここまで見てきたように、プラトンはむしろ家族的な組織原理を否定していたと捉えるべきである。『国家』は守護者に家族をもつことを禁じている。すなわちポパーは、家族を捨てた人々が建設する国家の構想を、それ自体が部族的=家族的だと批判していることになる。これはいったいどういうことなのだろうか。

このねじれの存在は専門家によっても指摘されている。ギリシア哲学の研究者である納富信留は、プラトンを主題とした著書の一章をポパーによる批判の検討にあてている。そこで彼は、プラトンの理想が古代の部族国家にあったこと、そして部族が一般的に血縁集団で構成されることを認めつつも、「プラトンのポリス論は反対に、血縁や家族の役割を徹底的に削ぐ提案を行って」おり、そのなかでは「集団よりもむしろ個人の素質や能力が重視され」るはずなので、ポパーの批判はあたらないと反論している[★15]。まったく妥当な反論である。

ちなみにそこで納富が傍証に引いているのが、『国家』の第一〇巻に登場する輪廻論である。プラトンは、ひとの魂は不滅で、身体が死んだあとは別の人間や動物のなかに転生すると考えていた。転生先は、前世の血縁や社会階層などとはいっさい関係なく、各人が積み上げた徳や転生時の偶然だけで決まる。この世界観に示されているように、プラトンの哲学は本質において個人主義的であり、ポパーはその性格を捉え損ねているというのが納富の考えである。だとすれば、『国家』の理想国家論も、血縁に頼る古代的な部族への回帰ではなく、むしろ個人と個人の関係をもとに再構築される「新しい部族」の提案だったと理解するのが正解だったのかもしれない。その場合は、ポパーの批判はたんに的外れだったということになろう。

---

★14　『開かれた社会とその敵　第一部　プラトンの呪文』、64頁。
★15　納富信留『プラトン　理想国の現在』、慶應義塾大学出版会、2012年、35頁。

けれども、ぼくはここではもう少しそのねじれそのものにこだわりたいと思う。というのも、ぼくはその混乱に、ある関係を「開かれたもの」だとみなし、別の関係を「閉ざされたもの」だとみなす、その区別そのもののむずかしさが表れているように感じるからである。

開放性と閉鎖性は、本当はそれほどはっきりと区別できるものではない。だからポパーの批判はねじれを抱えてしまう。ぼくはむしろそう考えたい。『開かれた社会とその敵』からもうひとつ例を挙げてみよう。

前述のように同書は二部構成になっている。第一部がプラトン批判にあてられ、第二部ではヘーゲルとマルクスが批判の対象になっている。とりわけ強く批判されているのはヘーゲルだ。そこで展開されるヘーゲル批判は、プラトンへの批判よりさらに激しい。同書によれば、ヘーゲル哲学は、古くさい有機的な国家観を「大言壮語する言葉の魔術と隠語の力によって」強引に正当化した「部族主義のルネッサンス」にすぎず、まったく内容がない。にもかかわらずそれが一九世紀から二〇世紀にかけてのヨーロッパの知的世界で成功を収めたという事実は、「文明の敵に対するわれわれの文明の抗争史上最大の詐欺」であり、「道徳的無責任の時代」の幕を開きファシズムを用意するものだったと、ポパーは口を極めて罵っている[★16]。一事が万事、こんな調子で進んでいく。

このような表現はあまりに強烈で、哲学的な批判というよりプロパガンダを思わせる。けれども全面的に首肯できないわけではない。ヘーゲルの著作が抽象概念のオンパレードで、同語反復ばかりなことはよく知られている。

全体主義を準備したとの批判にも妥当性がある。たとえば、一八二一年に出版され、ヘーゲルの主著のひとつとみなされている『法の哲学』には、「なんびとにとっても、国家のうちにあるということは絶対的に必然」であり、「国家が存在するということが人間世界における神の歩み」だという強い表現がある[★17]。ヘーゲルは、ひとは国家の一員にならなければ「主体」として完成しないと考えた。だから彼は、はじめにばらばらな個人がいて、それが集まり、相互の安全を確保するために契約して国家を設立するといった、いわゆる社会契約論を認めなかった。人間は主体であるためには国家に所属しなければならない。国家に所属しない個人なるものは、そもそも主体になっておらず、責任ある人間になっていない。だから契約もできない。ヘーゲルの哲学においては、国家は個人よりもまえに存在するのだ。

けれども、少しでも『法の哲学』を読めばわかるように、ヘーゲルの国家論を「部族主義のルネッサンス」と捉えるのはやはりむずかしい。ポパーの議論はここでも似たねじれを抱えている。

---

★16 カール・R・ポパー『開かれた社会とその敵 第二部 予言の大潮』、内田詔夫、小河原誠訳、未來社、1980年、34、36、78頁。

★17 第75節、第258節。ヘーゲル『法の哲学』、藤野渉、赤沢正敏訳、中公クラシックス、2001年、第I巻、231頁、第II巻、223頁。

ヘーゲルの国家論はつぎのような論理のうえに組み立てられている。彼は人間と人間の関係を「人倫」と呼ぶ。それは「家族」「市民社会」そして「国家」の三つの段階を通って発展するとされている。「家族」は愛に支えられた関係で、自己と他者が一体になっている。つぎに「市民社会」が現れる。そこでは自己と他者の一体性は破壊され、他者は自分の目的を実現するための手段にすぎなくなってしまう。

ヘーゲルはここでいちど、親密な「家族」と個人主義的な「市民社会」をはっきりと対置させている。そのうえで『法の哲学』は、いままでの哲学は両者の対立を乗り越えられなかったという認識を示し、つぎに「国家」をそれを乗り越えるものとして再導入している。その過程は、ヘーゲル自身の言葉を借りれば「個人の自立性と普遍的な実体性とのとてつもなく大きな合一がそこで起きるところの精神」となるが[★18]、ここでは彼の難解な表現につきあう必要はない。肝心なのは、ヘーゲルの哲学において、国家が、家族と市民社会の対立、ポパーの言葉でいえば「閉ざされた社会」と「開かれた社会」の対立を止揚する存在として考えられているということだ。にもかかわらず、ポパーはそれを閉ざされた社会の回帰として批判しているのである[★19]。

## 3

以上のふたつの例は、開かれた社会と閉ざされた社会、市民社会と家族、公的領域と私的領域といった対立そのものが、哲学的に考えるとあまりにも単純なものであることを示唆しているように思われる。

ぼくはさきほど、哲学は公について考える営みなのだから、家族を否定するのは当然かもしれないと記した。それはポパーの言葉で表現すればつぎのようになる。哲学は開かれた社会について考える営みである。社会を閉ざすものは批判しなければならない。家は閉じている。だから家は批判

★18　第33節。『法の哲学』第Ⅰ巻、137頁。ところで、ここでは触れるにとどめておくが、興味深いことに、ヘーゲル自身もじつはプラトンの『国家』について、私的所有の廃止を条件とするその国家像は家族的なるもの（「兄弟的団結」）への後退にすぎず、「精神の自由と法ないし権利との本性を見そこな」っているので乗り越えなければならないと記している（第46節。第Ⅰ巻、164頁）。つまりは、プラトンが家族を批判して開かれた国家像を語り、ヘーゲルはその国家像が家族的だと批判して別の開かれた国家像を語り、ポパーもまたその国家像が家族的だと批判して別の開かれた国家像を語るという連鎖が生じているのである。

★19　本文ではポパーの『開かれた社会とその敵』しか参照することができず、それゆえこの哲学者には否定的な役割しか与えることができなかった。けれどもそれは本当はフェアではない。というのも、彼は、『開かれた社会とその敵』に先行する仕事において、本論にとってもきわめて示唆的な「反証可能性」という概念を提出しているからである。補足しておきたい。

反証可能性の概念は、ポパーの科学哲学の仕事で提案されたものである。二〇世紀はじめのヨーロッパでは、相対性理論や量子力学、集合論の出現などの革命が相次ぎ、哲学者たちの関心は真理や科学性をどのように定義しなおすかという問題に集まっていた。まだ三〇代の若者だったポパーも同じ問題に取り組み、『科学的発見の論理』という著作を一九三四年に発表した。

同書の主張は、ひとことでいえばつぎのようなものである。ある理論が科学的と呼ばれるためには、論理的な体系性

され解体されねばならない。

　けれども実際にはそのような批判はうまくいかない。ポパーは閉ざされた社会を批判しようとした。それは確かに成功した。けれども彼は同じ論理で、閉ざされた社会の外に出ようとしたはずのプラトンも、さらには閉ざされた社会と開かれた社会の対立そのものを乗り越えようとしたヘーゲルも、同じように閉ざされた思想として批判せざるをえなくなってしまっている。

　その事態はつぎのようにも表現できる。プラトンは家族の外に出ようとした。ヘーゲルも家族の外に出ようとした。にもかかわらず、結果として構想された社会は、ポパーにはともに家族的なものにしかみえなかった。**家族の外にも家族しかいなかった**。この逆説はいったいなにを意味しているのだろうか。


　哲学と異なる視点も導入しておこう。ぼくはここまで、プラトンもヘーゲルもロシアの共産主義者も日本のリベラルも、みな同じ「家族」なるものについて語ってきたかのように話を進めてきた。けれども現実には家族のかたちは時代と地域によって異なる。家族とひとことでいっても、古代ギリシアと近代ヨーロッパと日本とでは、それぞれかなり形態が異なっている。そしてその多様性は、社会構造や思想にも大きな影響を与えていることが知られている。

　家族の多様性について考えるとき、必ず参照されるのがエマニュエル・トッドである。トッドは哲学者ではない。人類学者で歴史学者である。けれども彼の仕事は、ポストモダニズムが影響力をや経験に基づいた実証性だけでは不十分である。科学が科学であるためには、そのテストによって理論全体の正しさが検証されるような、なんらかの具体的な予測が導き出されることが必要不可欠だ。たとえばアインシュタインの相対性理論からは、重力は光を曲げるので、太陽近くに見える星は本来の位置からずれて見えるはずだという予測が導き出される。この予測は現実に一九一九年の皆既日食を利用した観察で正しいと確認された。もしそこで異なった観察結果が出ていたら、すなわち「反証」されていたら、相対性理論はその時点で放棄されただろう。このようなテスト可能性＝反証可能性こそが科学の科学性を支える。ポパーはそう考えた。

これはいっけんあたりまえのことをいっているようだが、哲学的にはじつはかなりラディカルな帰結を導く。というのも、反証可能性による判断は、その定義上理論の「誤り」しか教えてくれないからである。反証が失敗したとしても、理論全体の正しさが証明されるわけではない。さきほどの事例であれば、なるほど確かに、星の見かけの位置が予測と異なってずれていなかったとしたら相対性理論は放棄されるしかない。けれども逆に予測どおりずれていたとしても、それはこの個別の事例で予測の正しさが確認されたことを意味するだけである。いつか新しい事例で反証が成功し、理論が誤りだとみなされる可能性は残り続ける。

つまりは科学の科学性を反証可能性によって定義することは、理論そのものの正しさはけっして証明できないという、原理的な不能性を受け入れることを意味するのである。ポパーによれば、経験科学、すなわち数学や論理学と異なり世界の観察を必要とする物理学のような学問においては、そもそも正しさなるものは具体的な予測について確認できるだけであり（専門用語でいえば単称命題のかたちで証明できるだけであり）、理論全体については成立しない（帰納による一般化は機能しない）。ひらたくいえば科学の正しさなるものはつねに暫定的なものでしかない。いくら盤石にみえても、いつひっくり返るかわからないのだ。

本文を読み進めてくれるとわかるように、この「正しさ」をめぐる認識は、のち第二章で明らかにするウィトゲンシュタインとクリプキの言語哲学ときわめて近いものになっている。そもそも本論の鍵となっている「訂正可能性」は、反証可能性に語感がたいへん似ている。それゆえ第一部の最後ではもういちどポパーに戻るべきだったのだが、議論の展開上どうしても叶わなかった。ぼくが本論でいいたかったのは、自然科学が反証可能性によって定義されるのだとすれば、人文学は訂正可能性によって定義されるということでもある。

失ったあと、もっとも注目すべき社会思想のひとつだと考えられている。そのトッドによれば、人類の家族は大きく三つに分類される。「核家族」「直系家族」「共同体家族」である。

核家族とは、日本の都市部でいま一般的にみられるような、夫婦がいて子どもがいるだけの小さな家族のことである。この形態においては、子どもは成人し、結婚したら別の世帯をつくって家を離れなければならない。だからひとつの家にはつねに二世代（親と子）しか住んでいない。

直系家族は、子どものひとりが跡取りになり、結婚後も同じ世帯に残り続ける家族のことである。だからひとつの家に三世代が同居するときがある。日本で戦前の旧民法で制度化されていたのがこの形態で、それゆえトッドの著作では日本は直系家族が支配的な地域に分類されている。

そして最後の共同体家族とは、男女で役割が異なり、女子が結婚したら夫の世帯へ移る一方、男の兄弟すべてが結婚後も同じ世帯に残る家族形態を意味する言葉である。そこでは、ひと組の夫婦のもと、複数の息子の妻子が同じ屋根のしたに暮らすことになる。いわゆる大家族を想像すればよいだろう。

この分類そのものは一九世紀まで遡るもので新しいものではない。ただし、かつては共同体家族がもっとも原始的で、産業革命が起きて近代化が進み、社会の流動性が高まった結果、いまでは核家族が目立つようになったのだと信じられていた。そのようなイメージは、古代人の社会を狩猟民の大家族として描く娯楽作品にいまでも継承されている。ところがトッドの研究は、そんな常識に反して、核家族こそがもっとも古く普遍的な形態であることを明らかにした。共同体家族は、歴史上のある時点でユーラシア大陸の中央部に誕生し、急速に拡散した新しい形態であるらしい。日本が直系家族の地域なのは、地理的に辺境で、家族形態の革新が届かなかったためだと考えられている。同じように、ユーラシア大陸のほかの周辺部にも核家族や直系家族の地域がところどころ残っている。ヨーロッパのほうを調べると、イングランドでは核家族が、ドイツでは直系家族が支配的であることがわかる。

共同体家族がいつ生まれたかはわかっていない。ただしトッドはある著作のなかで、中国北部において、直系家族から共同体家族への転換が、紀元前後の数世紀、秦漢帝国の成立とほぼ同時期に起きたという仮説を提示している。

トッドによれば、漢の封建制度は「長子相続の廃止」と「兄弟間の平等」を原理としており、共同体家族の特性を反映している。他方で秦漢以前の殷や周の制度は直系家族の特性を反映しており、その性格は残された法や文書から読み取れるという。日本では一般に、殷周期は共同体家族に近い「氏族」が統治する都市国家の時代で、続く春秋戦国期になって氏族制が崩れ、封建制度に移行するのだと教えられている。それゆえ、殷周こそ直系家族の時代だというこの仮説が歴史学的にどれほど妥当なのか、ぼくには判断することができない。

ただ、家族形態と社会制度を比較して検討するトッドのこの視線は、中国史のさまざまな問題に新たな光をあててくれるようにはは思う。それは思想の読みかたも変える。たとえばトッドは同じ著作のなかで、「周時代に創設され最初の成功を収めた儒教は、典型的な直系家族イデオロギーである」と指摘している[★20]。孔子は直系家族の思想家だった。もしその位置づけが正しいのだとすれば、儒教がのち形骸化し、儀礼化し、官僚国家の道具へ変化していくのは、思想的な是非以前に、単純に人々が直系家族の時代を忘れていったからだという説明もできるだろう。家族の変化は、人々の社会の捉えかたそのものを変えてしまうのである。

さて、そんなトッドは、本論のここまでの議論に関わるつぎのような指摘も行なっている。

前述のように家族には三つの類型がある。そのなかでは共同体家族がもっとも新しいものなのだが、さらにそのなかで「外婚制」という特殊な性質をもつ家族形態の分布を調べるとおもしろいことがわかる。トッドによれば、じつはそれは、二〇世紀に共産主義国家が成立した、あるいは共産主義が政治的に大きな力をもった地域の分布とぴたりと重なっている。具体的には、ロシア、中国、旧ユーゴスラヴィア、ブルガリア、ハンガリー、モンゴル、ヴェトナムといった国であり、またフィンランド北部やイタリア中部といった地域である。

トッドの考えでは、この一致はつぎのような理由で生じている。共同体家族は、特定の跡継ぎを指定せず、ひとりの父のもとで兄弟が平等に暮らす家族である。したがって、政治的な権威主義と経済的な平等主義が受け入れられやすい。ひらたくいえば、「偉大な父」の庇護のもと、みなが平等な条件で暮らす社会という理想が共有されやすい。それゆえ共産主義が根づいたというのだ。共産主義の分布がある特定の家族形態の分布と重なっている。この発見は単純だが、それだけに衝撃的である。なぜならばそれは、共産主義による家族の否定そのものが、共同体家族という特定の家族が生み出したイデオロギーでしかなかった可能性を示唆するからだ[★21]。

革命は家の否定から始まった。革命後のソ連では、労働者が家庭に滞在する時間をできるだけ少なくし、共同生活の場にひきずりだすような住宅の改革が試みられていた。にもかかわらず、もしその家の否定が、それ自体特定の家族形態によって支えられる価値観でしかなかったのだとすれば、これはどのように考えればいいのだろう。だとすれば、プラトンやヘーゲルによる家族の否定もまた、同じように別の家族形態に支えられていたのかもしれない。もしそうだとすれば、ポパーがそれらをみな「部族主義」と称したこともあながち誤りではなかったことになるが、同じ疑念はむしろんポパー自身の「開かれた社会」の思想にも向けることができる。

実際にトッドは、共産主義だけでなく、ほかの政治思想もそれぞれ特定の家族形態に支えられて現れているのだと主張している。彼は「二〇世紀の歴史を決定したイデオロギー分布の源には、家族の存在があったのである」と断言している[★22]。たとえば彼の分析によれば、フランス革命の理

---

★20 エマニュエル・トッド『家族システムの起源Ⅰ ユーラシア』上巻、石崎晴己監訳、藤原書店、2016年、185頁。

★21 同書、56頁参照。ここの訳注で邦訳者は、トッドの思想を「共産主義とは、共同体家族の価値観の近代イデオロギー的再編ないし復興に他ならない」と要約している。

★22 エマニュエル・トッド『世界の多様性』、荻野文隆訳、藤原書店、2008年、292頁。

念は、パリ盆地で支配的だった「平等主義核家族」と切り離せない関係にある。平等主義核家族とは、親子のあいだに束縛がない核家族の性格を維持しつつ、兄弟のあいだの財産の平等にも配慮した家族形態のことである。自由と平等の理念は、その特徴のイデオロギー的な表現にほかならない。またトッドは、ドイツと日本で直系家族が支配的だったことが、ともに近代の一時期、極端な民族中心主義を展開したことと関係しているのではないかと推論している。跡継ぎをひとりだけ指定し、ほかの兄弟を世帯から追い出してしまう直系家族は、支配者の権威を高め、市民間の不平等を受け入れる土壌を育むからである[★23]。

トッドは、ポパーが「開かれた社会」の特徴だと考えた個人主義と自由主義についても似たような考察を展開している。詳しい論証はトッドの著作にあたってほしいが、彼の調査によれば、イングランドはもともと「絶対核家族」が支配的な数少ない土地のひとつだった。絶対核家族は、親子のあいだに束縛がないだけでなく、兄弟のあいだの財産の平等にもほとんど関心を向けない、いわば核家族の純粋種である。そのような家族形態を基礎として育まれた、たがいに束縛もなければ関心も低いいわば「ドライ」な人間関係のありかたが、個人主義と自由主義を生み出し、のちに産業革命と結びついて全世界に広がることになった。それがトッドが考える近代リベラリズムの歴史である。もしもこの仮説が妥当なのだとすれば、ポパーの「開かれた社会」の構想もまた、しょせんは特定の家族類型のイデオロギーであり、もうひとつの「部族主義」でしかないということになるだろう。

したがって、家族の外にも家族しかないというのはたんなる哲学的な逆説ではない。それはトッドにしたがえば人類学的な真実なのだ。

プラトンも共産主義者もポパーもみな、家族を否定し、自由な個人が集う開かれた社会を構想しようとした。にもかかわらず、みな別の家族のイデオロギーのなかでしか動けなかった。家族という言葉には、そのようなとても強い支配力がある［★24］。

家族は狭い。そして小さい。だからぼくたちは家族を超えて社会をつくる。公共をつくる。多くのひとがそう信じている。

けれども、ここまでの議論が示唆するのは、もしかしたらそんなのはすべて幻で、ぼくたち人間はしょせんは家族をモデルにした人間関係しかつくれないのではないかという疑いである。家族のかたちが異なるだけで。

---

★23　フランス革命と平等主義核家族の関係については、同書、52-53頁、463頁参照。直系家族と民族中心主義の関係については同書、「第三惑星」第3章参照。そこでは直系家族は権威主義家族と呼ばれている。

★24　家族の外にも家族しかなく、家族の否定が家族の再提示になってしまうというこの歪みは、個人の単位でみれば精神分析的な現象でもある。議論が複雑になるのを避けるため、ぼくは本論では精神分析の話題は避け、フロイトもラカンも参照しなかった。とはいえ、本論はそもそも家族論でもあり、本当はあちこちに精神分析の影響が顔を覗かせている。

## 4

哲学は家族を否定し続けてきた。一方に家族的で私的で閉ざされた領域があり、他方には家族を超えた公共的で開かれた領域があると信じてきた。

けれども、前章の議論で示したように、家族的なものと家族的でないものの区別はそれほど明確なものではない。しかもその曖昧さは、たんなる論理的な不備ではなく、人間の思考そのものの限界を示している可能性がある。社会は確かに家族よりも広い。にもかかわらず、ぼくたちはその社会なるものについて、結局のところ特定の家族形態に頼ることなしには想像したり議論したりすることができないのかもしれない。もしも共産主義が共同体家族のイデオロギーでしかなく、自由主義もまた絶対核家族のイデオロギーでしかなかったのだとすれば、二〇世紀の長い冷戦はしょせんはふたつの「家族」の争いでしかなかったことになる。そのような可能性について、哲学はいままでなにも考えてこなかった。

それゆえ、ここからさきは、家族という言葉について、いままでのような二分法に頼って語るのをやめることにしよう。すなわち、家族という言葉を、開放的で公共的な領域と対置された、「親密」で「閉鎖的」で「私的」な領域を名指すものとして使うのをやめて、むしろ、閉ざされたものと開かれたもの、私的なものと公的なもの、親密なものと親密ではないものの対立を横断して規定するような、より柔軟な関係概念として捉えなおしてみよう。

ぼくたちは家族についてしか語れない。家族の外に出ることができない。いくら家族から離れても、そこにもまた家族を見出してしまう。だとすれば、そのさきに進むためには、家族の概念そのものを再定義する必要があるのではないか。

あらためて家族とはなにか。この章では同じ哲学でも、プラトンやヘーゲルやポパーとは異なるタイプの哲学を参照して考えてみたい。

ウィトゲンシュタインは二〇世紀でもっとも有名な哲学者のひとりである。そしてもっとも謎めいた哲学者のひとりでもある。

彼は一九二二年に三〇代前半の若さで『論理哲学論考』という著作を発表した(雑誌初出は前年)。この本はまるで論理学の教科書のようなスタイルで記されている。そこで披露されているのは、自然言語の文(命題ともいわれる)は、詩など特殊なものをのぞいてすべて世界の事象と対応して真偽が決まるべきであり、哲学はその対応の基礎づけとしてあるべきだとの信念である。ひとことでいえば、ウィトゲンシュタインは、世界の謎は、言葉をちゃんと論理的に使えばほとんどが解消されると主張した。この著作は同時代の哲学者に絶大な影響を与え、いまでも古典として読まれている。ウィトゲンシュタインの名前は、この『論理哲学論考』だけでも十分哲学史に残っただろう。ところが彼はそのあとふしぎなキャリアを歩む。

ウィトゲンシュタインは『論理哲学論考』を書き上げたあと、哲学から離れると宣言して周囲を驚かすことになる。そして実際に出版を待たずにオーストリアの田舎に引きこもり、小学校教師になってしまう。彼はじつはヨーロッパでも有数の資産家の息子であり、たいへんな財産をもっていたのだが、それもすべて放棄してしまう。けれどもそんな教師生活も五年ほどで破綻し、一九二〇年代末には大学に戻ることを余儀なくされる。しかしそのあとも少数の学生に向けて講義するだけで、著作や論文はいっこうに発表しない。最終的に一九五一年に六二歳で亡くなるが、生前に発表した文章は、『論理哲学論考』のほかは、教師時代に著した子ども向けの小さな辞典と短い論文ひとつが知られているだけだ。

なぜそんなふしぎなキャリアを歩んだのか。研究者のあいだでは、彼の何十年もの沈黙は、ある時期以降、かつての自分の思想に懐疑を抱き、そこから決別したことに起因すると考えられている。その懐疑による断絶はきわめて深いので、この哲学者について語る場合は、ふつう『論理哲学論考』のころの「前期」とその思想を疑い始めて以降の「後期」に分けることが多い。

後期のウィトゲンシュタインは、前期とはまったく異なる言語観に基づいた、まったく異なるタイプの哲学を模索し続けた。その歩みは、学生が残した講義ノート、口述のタイプ原稿のほか、一九三〇年代から一九五一年の死まで、二〇年間にわたって断続的に執筆された大量の草稿に記録されている。ほとんどは未完成の断章だったが、ウィトゲンシュタインは一九四〇年代にいちどだけ刊行を試みたことがあった。彼はそのとき草稿の一部をまとめ、序文まで用意して出版社と交渉を行なっている。結局それは実現しなかったのだが、彼の死のあと、刊行を予定されていた部分が弟子の手で『哲学探究』という題名をつけて公刊された。そしてこちらもまた二〇世紀の哲学に、『論理哲学論考』と同じか、あるいはそれ以上の衝撃を与えることになるのである。

さて、そんなウィトゲンシュタインをここで呼び出したのは、まさにその後期の『哲学探究』に、「家族的類似性 Familienähnlichkeit」というたいへん重要な、そして印象深い表現が現れるからである。

家族的類似性そのものは理解がむずかしい概念ではない。たとえば、父がいて、母がいて、息子がいて、娘がいたとする。父と息子は背恰好が似ている。父と娘は目もとが似ている。母と息子は口もとが似ている。母と娘は話しかたが似ている。彼らはそれぞれ似ていて、明らかに同じ家族だとわかる。けれども全員に共通の特徴を取り出すことはできない。そういうことはよくある。これが家族的類似性である。

なぜこの言葉が重要なのか。そこをきちんと理解するためには、もうひとつ「言語ゲーム

Sprachspiel」という概念について知る必要がある。言語ゲームは後期ウィトゲンシュタインを代表する概念で、彼の哲学に興味がなくても、多くの哲学入門書に登場するので聞いたことがあるかもしれない。

前期のウィトゲンシュタインは、言葉は世界を記述するためにあると考えた。だからすべての文＝命題は、その構造をしっかり分析し、世界との対応関係を定めれば真偽が決まるはずだと主張した。

対して後期の彼は、ひとは言葉を使ってゲームをしているだけだと考える。たとえばあなたのまえに石板があるとしよう。横にはまったく言葉の通じないひとがいる。そのとき相手が、石板を指さしてなにかを叫んだとする。あなたはそれをどのように解釈するだろうか。聞こえるのは耳慣れない音声だけだ。だから解釈にはさまざまな可能性がある。相手は言葉を教えてくれているのかもしれない。その音声は石板という意味の名詞なのかもしれない。けれども「それをもってこい！」という意味の命令文かもしれない。あるいは単純に怒りや喜びの発露なのかもしれない。そのいずれの解釈が正しいかは、音声そのものをいくら分析しても決まらない。正しいかどうかがわかるのは、そのあとのあなたの行動に対して、相手が新しい返答を返してきてからだ。むろんそれでもなにもわからないかもしれない。

発話の意味は、発話そのものをいくら分析しても明らかにならず、発話外の状況によってしか決まらない。ウィトゲンシュタインはそのような状況を「言語ゲーム」と呼び、それこそが自然言語の原初的な条件だと考えた。ひとは辞書と文法書で言葉を学ぶのではない。チェスやサッカーをプレイしながら学ぶように、実際に発話を繰り返しながら、試行錯誤でその規則を学んでいくしかないのである。

## 5

これそのものは驚くほどの指摘ではない。にもかかわらず言語ゲームの概念が哲学的に注目を浴び続けているのは、ウィトゲンシュタインがそこにつぎのような逆説的発見を付け加えていたからである。

ひとは言葉を使ってゲームをしている。そう聞けばふつうは、発話者つまり「プレイヤー」は、自分がなんのゲームをプレイしているか、いかなる規則に従っているかぐらいは理解しているはずだと考える。チェスのプレイヤーが、目のまえの盤面がチェスのものであることを認識し、チェスの規則に照らして駒を動かしているように。

けれどもウィトゲンシュタインは、そのような常識に反し、言語ゲームにおいては、プレイヤーは自分がなんのゲームをプレイしているか理解することができないし、またどんな規則に従っているかも理解することができないと主張したのである。つまり、いったいなんのゲームをプレイしているのかわからないまま、ただプレイだけを続けている、それこそが言語の本質だと主張したのだ。

この発見が多くの哲学者を驚かせた。

なぜそのような発見が導かれるのだろうか。さきほどの例に戻ってみよう。ただしこんどは、あなたが声を出すと仮定してみる。

あなたが「石板！」と叫ぶ。あなたはそれをどのような意図で発したのだろうか。むろん相手に石板の名前を教えるためだったかもしれない。けれども「もってこい」という意味で「石板！」と叫んだのかもしれない。きれいだとか大きいだとかの理由で、感嘆を込めて「石板……！」と叫んだ可能性だってあるだろう。相手からすればすべて同じ叫びである。発話が「教える」というゲームのものなのか、「命令する」というゲームのものなのか、どちらとも異なるものなのか、それを定めることができるのはあなただけだ。

けれども、そこで自分がいかなるゲームをプレイしていたのか、どこまで確実に定めることができるだろうか。たとえば最初に「石板！」と叫んだとき、あなたは名前を教えることを意図していたとする。にもかかわらず相手は石板を手に取り、あなたのもとに運んできた。つまり命令として機能してしまった。あなたは面倒なので、しばらくのあいだ訂正せず、あとになって「さきほどの発声は名前を教えるものだった」と説明したのだとしよう。相手はそれで納得した。けれどもそこに第三の人物が現れて、でも実際は相手は石板を運んでいたのだし、あなたはその行動を訂正しなかった、だから最初の発話はそもそも命令だったに違いない、いまになって石板の名前だと言いだすのはごまかしだと告げられたら、反論できるだろうか。

ウィトゲンシュタインが『哲学探究』で示したのは、じつはこのような指摘に反論することはとてもむずかしい、というよりも原理的に不可能だということである。ぼくたちはふつう、自分の意図は自分がいちばんよくわかっていると考えている。けれども、その意図は現実には見ることも触ることもできない。だからいくらでも他者によって遡行的に再解釈可能なのだ。

近代ヨーロッパの哲学は、自分が自分の考えをいちばんよくわかっていることを前提にしている。一七世紀のデカルトの「我思うゆえに我あり」から二〇世紀のフッサールによる超越論的現象学の構想まで、その自明性はほとんど疑われていない。ウィトゲンシュタインの主張は、その前提にまっこうから挑戦している。だから多くの哲学者に驚きを与えた。

けれどもそれは哲学の世界を離れれば、逆説でもなんでもない、ありふれた現実の再発見にすぎないともいえる。ぼくたちは言葉を発しているとき、自分がなんのゲームをプレイしているかわかったつもりになっている。たとえば恋人にむかって愛の言葉を囁いているときは、恋愛のゲームのなかにいると思い込んでいる。けれども、現実にはそこにはつねに、第三者がやってきて、じつはおまえはいままでずっと別のゲームをプレイしていたのだ、相手は本当は恋人ではなく、おまえを愛しておらず、したがっておまえの言葉も愛の言葉としては機能しておらず、おまえはずっとハラスメントをしていたのだと指摘される可能性がつきまとっているのだ。そこで、いや、自分としてはずっと恋愛のつもりだった、ハラスメントの訴えはおかしいと反論したとしても、それはもはや有効な反論にならない。ウィトゲンシュタインの発見は、そのような事例に引きつけると理解しやすい。

ぼくたちはみな言葉を使ってゲームをしている。そこでは複数のゲームが重なりあっている。そのため、あるゲームをプレイしていたつもりが、いつのまにか別のゲームのなかに入り込んでしまうことがある。それがウィトゲンシュタインが考える言語ゲームの世界である。

それでは、それら複数のゲームはたがいにどのような関係にあるのだろうか。いいかえれば、言語ゲームにはどれほどのタイプがあり、共通する本質はいったいなんなのだろうか。その本質が解明されれば、愛のゲームとハラスメントのゲームがどのように違うのか、なぜ一方から他方に移行してしまうのか、答えが導けるかもしれない。

けれども、ウィトゲンシュタイン自身はけっしてそのような探究を行わなかった。彼はむしろ、言語ゲームにはそもそも共通の本質なるものがなく、その本質の欠如こそが重要なのだと主張していた。

前述の家族的類似性という言葉はまさにここで登場する。ウィトゲンシュタインは『哲学探究』でつぎのような議論を展開している（第六六節から第六七節）。そもそもゲームにはさまざまな種類がある。ボードゲームもあるしカードゲームもある。チェスもあればテニスのようなスポーツもある。子どもの遊戯もある。ぼくたちはそれらをすべてゲームと呼んでいるが、ではそこに共通の本質を取り出すことができるだろうか。特定のふたつだけを取り出せば、ボールを使う、ふたりで遊ぶ、勝ち負けがあるなどなど、共通の特徴をもろもろ指定することができるかもしれない。けれども明らかに、上記の例すべてに共通する特徴はない。

そのうえで彼は続ける。「わたしはこのような類似性を、「家族的類似性」という言葉によってより以上によく特徴づけることができない。なぜなら、ひとつの家族の構成員のあいだで成立しているさまざまな類似性、体格、容貌、目の色、歩きかた、気質などなども、同じように重なりあい、交差しあっているからである。——だからわたしは、「ゲーム」はひとつの家族を形成しているといおう」[★25]。

ぼくたちはみな言葉を使ってゲームをしている。そこでは複数のゲームが重なりあっている。そしてそれら複数のゲームは「家族」を形成している。ゲームは相互に家族のように似ており、交差しあっている。だから発話者は、教育のゲームから命令のゲームへ、あるいは愛のゲームからハラスメントのゲームへと、自分でも気がつかないまま移動してしまうことがあるのだ。

以上のように、『哲学探究』においては「家族」という言葉が核心的な場所で現れている。その言葉は、言語ゲームの厄介な性質を包括的に記述するための、ほとんど唯一の比喩として登場して

---

★25 第67節。藤本隆志訳。『ウィトゲンシュタイン全集』第8巻、大修館書店、1976年、70頁。訳文は原文を参照し一部変更している。

いる。

そしてここで注目してほしいのが、ウィトゲンシュタインのこの家族の比喩が、第一章で検討した哲学者たちのそれとは対照的な含意をもつものとして使われていることである。

プラトンやヘーゲルやポパーにおいては、家族とはまずは共同体の閉鎖性を意味していた。ある共同体に属するとは、ウィトゲンシュタインが好む言葉でいいかえれば、その共同体を支える「規則」に従い、固有の「ゲーム」に参加することを意味している。プラトンたち哲学者は、家族という共同体においては、そのゲームが固く閉じられていると考えた。家族にはそれぞれ固有の慣習（規則）がある。それはぼくの家とあなたの家では異なるし、あなたの家とあなたの友人の家でも異なる。ひとは、生まれ落ちた家にとどまるかぎり、特定のゲームの外に出ることができない。だからこそ、彼らは、開かれた社会をつくるために、まずは人々を家から引き離さねばならないと考えたのである。

けれどもウィトゲンシュタインの「家族」は、それとはまったく別のありさまを意味している。ゲームには本質がないので、発話者はあるゲームから別のゲームへいつのまにか移動してしまう。それが言語ゲーム論の中核の主張だったが、ウィトゲンシュタインはそこで、その移動の不可避性を根拠づけるためにこそ「家族的類似性」という言葉を提案している。つまりは彼は、家族の比喩を、共同体が閉じているさまではなく、むしろ閉じることができないさまを意味するものとして使っているのである。

ぼくはさきほど、家族を、開放性と閉鎖性を横断して規定するような、より柔軟な関係概念として捉えなおしたいと記した。その企てにおいて、このウィトゲンシュタインの用法はよい出発点になる。

というわけで、ここからさきはウィトゲンシュタインのその家族の用法の可能性を最大限に展開し、新たな概念へと育てたいのだが、じつはそのためにはウィトゲンシュタインの言葉そのものからあるていど離れる必要がある。

というのも、じつは後期ウィトゲンシュタインの哲学はたいへん変わったスタイルで記されており、要約や応用がきわめてむずかしいものだからである。ここまでの説明もかなり無理をしている。

そもそもこの哲学者については、専門家のあいだでは、特定の理論や体系を取り出すこと、それそのものが誤りだと指摘されることが多い。たとえば古田徹也は『はじめてのウィトゲンシュタイン』という著作で、「ウィトゲンシュタイン自身の議論の企図はむしろ、ひとつの理論だけで多様な物事をまとめ上げようとする硬直化した思考を解すことにある」のであり、特定の理論の構築にはなかったと注意を促している[★26]。その警告に照らせば、「家族的類似性」の「家族」に注目し、新しい家族論の基盤にしようという本論の狙いは、まさにウィトゲンシュタインの意図を読み違え

---

★26 古田徹也『はじめてのウィトゲンシュタイン』、NHKブックス、2020年、230頁。

た「硬直化した思考」ということになる。

ぼくはそのような批判の可能性を承知している。けれどもそのうえで、本論の目的はウィトゲンシュタインの忠実な読解にはなく家族の概念の再検討にあるのだから、そのような読み替えを進めてよいと割り切っている。ここからさきは、ソール・クリプキという別の哲学者を導きの糸として議論を進めることにしよう。

## 6

クリプキは一九四〇年生まれで、日本の思想家でいえば柄谷行人と同世代の哲学者である。若くして伝説的な論文を記し、アメリカの哲学界では大きな影響力をもっている。けれども著作は長いあいだ二冊しか存在しなかった（七〇歳を越えてから論文集と講演集が一冊ずつ出版されている）。影響力のわりに著作が少ない点は、ウィトゲンシュタインに通じるところがある。

その二冊のひとつが、一九七六年の講義をもとに、一九八二年に単行本として出版された『ウィトゲンシュタインのパラドックス』である。クリプキはそこで、後期ウィトゲンシュタインの言語ゲーム論を再検討することで、とても興味深い共同体論に辿りついている。そしてぼくは、その共同体論こそが新しい家族の概念の基礎になると考えている。

どういうことだろうか。ウィトゲンシュタインは、人間の言語的なコミュニケーションのなかに、「自分がなんのゲームをプレイしているのかわからないまま、ただプレイだけを続けている」という厄介な性格を発見した。クリプキは同じ性格をあらゆるコミュニケーションのなかに見出している。クリプキは、ひとことでいえば、ウィトゲンシュタインの直感的な洞察を論理学的に緻密な理論に変えた人物だ。

具体的に紹介しよう。クリプキは著作のなかでたいへん印象深い思考実験を展開している。たとえば加算という基礎的な算術を考えてみる。あなたはいままで、「＋」という記号を用いてその算術を支障なく遂行してきた。

そこでいま「68＋57」という数式に出会ったとする。それはあなたが出会ったことのない数式だった。むろんこの例どおりのことはありえないだろうが、あなたがいままで行なった計算は有限のはずだから、初見の数式は必ず存在する。その数式に置き換えればこの架空の状況は成立する。とにかく、そのような「はじめての計算」でも、あなたはなんらかの答えを返すことができる。それが加算の「規則」を知っているということだからである。

というわけで、あなたは「125」と答えを返す。ところがここでクリプキはつぎのような懐疑論者を連れてくる。

懐疑論者はあなたに対して、「125」ではなく「5」と答えるべきだったと主張する。あなたはなぜと問うだろう。そうすると相手はつぎのように答える。

あなたはどうやら、自分がいままでどのような規則に従ってきたか、わかっていなかったようだ。あなたは「+」という記号は加算を意味すると信じてきた。そして実際、それで正しい答えを出してきた。けれどもその「+」という記号は、じつは加算(プラス)ではなく、それにそっくりな「クワス」という別の演算を意味していたのだ。クワス算の答えはあるところまでは加算と同じだが、「125」以上に大きくなると「5」になる。あなたはいままで「+」を使って、「125」より小さい結果が出る計算しか行なったことがなかった。だからあなたは、加算とクワス算の差異にたまたま気がつかなかった。けれども本当は、自分では気づかなかっただけで、いままでもずっとクワス算を行なってきたのだ。だから今回も、加算ではなくクワス算に従い「5」と答えを返すべきなのだと。

この主張は直感的にはバカげている。にもかかわらず、クリプキの検証によれば、じつはこの主張に反論することは原理的に不可能である。反論のためには、あなたが「+」という記号で、それまでずっとクワス算ではなく加算を意味していたことを証明しなければならない。けれどもそれができないのだ。

加算とはなにか、別の方法で説明すればいいと考えるかもしれない。たとえば、自分にとって「+」の記号は、片方の数について指を折りながら1からその数になるまでを数え(つまり68まで数え)、続けてもうひとつの数をそれに加えるかたちで最後まで数えて(つまり69に始まり125まで数え)、それで最後に到達した数を答えとすることを意味していた、自分はいままでそうやって答えを出してきたのであり今回も同じ規則に従った、そうしたら結果は「125」になったのであり、だからこの答えでいいのだと説明を試みるかもしれない。ところがクリプキによれば、懐疑論者はそのような反論に対しても、さきほどとまったく同じ理屈で再反論を返すことができる。いわく、あなたがいままで行なってきたのはじつは数えること（カウント）ではなく、それとそっくりな「クワウント」という別の作業で、それはあるところまではカウントと同じ結果を返すが、答えが「125」以上になるとすべて「5」になるというものだったのだ、あなたは自分で指を折り曲げていたにもかかわらず、自分がカウントではなくクワウントの作業を行なっていることに気がついていなかった、だから今回の答えはやはり「5」になるべきなのだと。

クリプキの懐疑論者は、このようにして、およそあらゆる反論を再反論で論破することができる。それゆえぼくたちは原理的に、自分がいま加算を行なっているということを証明することができない。示すことができるのは、せいぜい、「＋」という記号を使い、なにか計算らしきものをやっているという事実だけなのだ。

繰り返すが、このような懐疑論者の主張はまったくバカげており、典型的な屁理屈である。それはクリプキもわかっている。

にもかかわらずこの思考実験が重要なのは、それによって、ウィトゲンシュタインが発見した「自分がなんのゲームをプレイしているのかわからないまま、ただプレイだけを続けている」という性格が、けっして自然言語の曖昧さに起因するものではなく、数学や論理学を含む科学的な知一般の条件であることが示されてしまったからである。ぼくはここでは説明をかなり単純化しているので、納得できないひとはクリプキ自身の著作にあたり、厳密な論証を追ってほしい。ぼくたちは、自分がある言葉や記号でなにを意味しているか、じつは自分でもわかっていない。その無知は、日常の言語だけではなく、自然科学も覆っている。

クリプキはつぎのように記している。「なにかの言葉でなにかを意味するといったようなことはありえない。新しい言葉の適用ひとつひとつが暗闇のなかの跳躍であり、どのような現在の意図も、これから選択するかもしれないいかなる行為とでも調和するように解釈することができるのである」[★27]。

この主張はおそろしく破壊的である。なぜならばそれは、規則も意味も本当は実在せず、現在の行為を支えているはずの規則や意味は、未来の行為に照らしていくらでも論理的に遡行的に書き換えることができるということを意味してしまっているからだ。いままでと同じ規則に従って行動している、いままでと同じ意味で発話しているといった主張は、もはやいかなる実質的な意味ももたない。それは未来の「いかなる行為とでも調和するように解釈することができる」。これがクリプキのいう「ウィトゲンシュタインのパラドックス」である。

とはいえ、現実には規則も意味もしっかり実在している。クワスを主張する懐疑論者が現れることはないし、現れたとしても排除される。少なくとも、ぼくたちはそう信じて言葉や数式を使用している。

だからこそ、クリプキはこの発見を「パラドックス」と呼んだわけである。懐疑論者の問題提起は論理的には正しい。それに従えば規則も意味も成立するわけがない。けれども実際には、その逆説は日常においてあっさりと回避されている。いったいなぜそんなことが可能なのか。

これはとても重要な問いである。クリプキはまさにこの謎を解こうとして、共同体をめぐる議論に向かうことになった。

彼がまず提起したのは、規則や意味という概念は、特定の行為が成功したのか失敗したのか、その成否を判定する他者がいなければそもそも成立しないのではないかという疑いである。

---

★27 Saul A. Kripke, *Wittgenstein on Rules and Private Language*, Harvard University Press, 1982, p.55. ソール・A・クリプキ『ウィトゲンシュタインのパラドックス』、黒崎宏訳、産業図書、１９８３年、１０８頁。訳文は原文を参照し一部変更している。以下も同じ。

たとえば、あなたが「わたしはいま「＋」で加算を意味している」と考えたとする。そして実際にそう計算していたとする。けれどもその命題は、あなたがひとりでそう考え、ひとりで加算を行なっているかぎり、じつはまったく実質的な意味をもっていないのではないか。それは空虚な命題だから、真偽を定めることができず、したがって懐疑論者を退けることもできない。そのように理解すれば「パラドックス」は回避できる。「わたしはいま「＋」で加算を意味している」といった命題が意味を獲得し、真偽の判定が可能になるのは、あなたが加算結果を他者と共有し、あなたの「＋」と他者の「＋」が本当に同じものなのか、比較して確認したあとでのことだと考えるわけである。クリプキはつぎのように記している。「あるひとのいまがその過去の意図と調和しているのかどうか、それを決めることができる真理条件や事実は存在しない」。したがって「もしひとりの人間が孤独のなかで考えられるのであれば、規則とはそれを受け入れる人間を導くものなのだという考えはなんら実質的な内容をもたないのである」［★28］。

規則や意味の成立は、原理的に他者を必要とする。ぼくたちは他者がいてはじめて、規則や意味について有意味に語ることができる。

これはあたりまえの主張に聞こえるかもしれない。けれどもクリプキの仕事の重要性は、なんども繰り返しているように、そのようなラディカルな他者依存性が、加算のような算術においてすら排除できないと論証したことにある。

ぼくたちはふつう、さすがに加算ぐらいは、普遍的な数学の原理に従い孤独に遂行可能なはずだと信じている。けれどもクリプキによれば可能ではない。人間は加算においてすら、原理に頼ることができない。現実に人間が行なっているのは、こいつは加算を理解している、あいつは加算を理解していないという、個々の事例についての具体的な成否判断でしかないというのだ。

あらゆる規則、あらゆる意味の一貫性は、それが生み出した行為に依存して、未来の他者の判断によって遡行的に産出されるものにすぎない。クリプキはウィトゲンシュタインの言語論を読みなおすなかで、そのような認識に辿りついた。これは別の視点でいいかえれば、規則や意味の一貫性なるものが、ひとがだれを仲間だと思い、だれを仲間だと思わないか、それぞれの共同体の境界を決める判断と不可分に結びついているということを意味している。

実際冷静に考えてみると、まさにそれこそが、前記の「パラドックス」を回避するために人々が日常で行なっていることである。ぼくたちはみな加算を行なっている。いいかえれば加算の共同体に属している。ところがそこに、「＋」とは加算ではなくクワス算を意味する記号であり、「68＋57」の答えは「5」であるべきだと主張する変な人物がやってくる。それがクリプキの懐疑論者である。

クリプキは哲学者として、そんな懐疑論者の主張にはけっして完全には反論できないことを示した。その結論は学界に衝撃を与えた。けれども現実においては、ぼくたちはそもそもそんな屁理屈

---

★28 ibid., p.89. 同書、173－174頁。

に耳を傾けたりはしない。ただたんに、おまえは「＋」の意味さえわからないのか、それならば出なおしてくれとゲームからの退場を促すだけである。いいかえれば、その人物を「＋」をめぐる価値観を共有する仲間だとみなさず、プレイヤーの共同体から追い出すだけの話だ。ふたたびクリプキを引用すれば、「もし問題の個人が、特定の状況において、共同体が行うであろうことと一致しないことをするのであれば、共同体はもはやそのひとに概念［の理解］を帰属させることができなくなる」だけであり、したがって懐疑論者に反論できなくてもなんの問題も起こらないのである［★29］。

ぼくたちはみなゲームに参加している。けれどもなんのゲームに参加しているのかはわからない。どんな規則に従っているのかもわからない。ただプレイし続けている。自分がなんのゲームに参加し、どんな規則に従っていたのかがわかるのは、個別のプレイ行為をめぐって、それは正しい、それはまちがっていると第三者によって判定されたあとでのことだ。

だから、あらゆるゲームは必ず、プレイの成否を判定するプレイヤーや観客の共同体を必要とする。さきに規則があり、それを理解するプレイヤーが共同体をつくるのではない。さきに共同体があり、それがプレイヤーを選別することで規則が確定するのだ。クリプキは、ウィトゲンシュタインが提示した逆説を、このような裏返った共同体論をつくることで解決したのである［★30］。

以上駆け足ではあったが、クリプキがウィトゲンシュタインの逆説を規則をめぐる一般的な理論に発展させたこと、そしてそれに付随して興味深い共同体論を提案していたことを確認した。それでは、このような議論が新しい家族論の構想にどう関係するのだろうか。

## 8

ここまでのクリプキの紹介には、じつは家族という言葉がまったく登場しなかった。それは偶然ではない。そもそも『ウィトゲンシュタインのパラドックス』に家族が出てこないのである。後期ウィトゲンシュタインを扱っているにもかかわらず、この著作では家族的類似性がいっさい触れら

★29 ibid., p.95. 同書、186頁。

★30 クリプキの『哲学探究』解釈とその「解決」は、じつはウィトゲンシュタイン研究者のあいだでは正確ではないとみなされているらしい。ウィトゲンシュタインはクリプキが抽出したような「パラドックス」を提示しておらず、したがって解決をそもそも必要としなかったというのが標準的な評価のようだ。とはいえ、クリプキが解釈したウィトゲンシュタイン（業界用語で「クリプケンシュタイン」と呼ぶ）が単純な誤読の産物というわけではない。哲学者の飯田隆によれば、クリプケンシュタインは、それはそれで哲学的な懐疑論の伝統に基づいて重要な問題提起をしている。けれどもウィトゲンシュタイン自身はそもそも哲学の重要性を信じておらず、したがって問題提起すらしていないと考えるべきであるようだ。飯田はその齟齬を「スタイルの問題」と形容している。飯田隆『クリプキ　ことばは意味をもてるか』、NHK出版、2004年、112頁以下。だとすれば、クリプケンシュタインをウィトゲンシュタインを使って補おうという本論の試みは、学問的にはますます倒錯しているということになるのかもしれない。

れていない。

　ぼくはその回避が意図的かどうかを判断できるほどクリプキの仕事に詳しくない。けれども興味深い欠落だということはできる。というのも、ウィトゲンシュタインの家族的類似性の視点には、ここで紹介している共同体論を大きく揺るがし、さらに拡張する可能性が秘められていると思われるからである。


　どういうことか。クリプキは、規則とプレイと共同体の関係についてつぎのように記している。「そのようなテストに合格した個人は、加算するひととして共同体に受け入れられる。［……］逸脱した答えを出すひとは、訂正され、彼らはまだ加算の概念を理解していないと（ふつうは子どもに対してだが）告げられる。そして、十分に多くの点で訂正不可能なほど逸脱しているひとは、共同体の生活とコミュニケーションにたんに参加できないのだ」［★31］。

　ここで「訂正」という言葉が現れていることに注目しよう。「＋」を加算ではなくクワス算を意味する記号として使用しているプレイヤーは、ゲームの共同体からいったんは排除される。しかしそこで、それはクワス算ではなく加算を意味する記号だ、だから「68＋57」の答えは「5」ではなく「125」なのだと共同体の成員から告げられたとき、聞き入れて答えを訂正するのであれば、プレイヤーは共同体に受け入れられる可能性がある。クリプキはそう記している。対して「訂正不可能なほど逸脱しているひと」は、どうあっても共同体に受け入れられることはない。それが前述の懐疑論者である。

　訂正という言葉は『ウィトゲンシュタインのパラドックス』で重要な位置を占めているわけではない。けれどもこの一節は、クリプキの共同体論を発展させるうえで欠かせない視点を提出している。ここで「訂正」と呼ばれているものは、共同体の内部と外部の境界を揺るがし、その成員を拡大する契機のことにほかならないからである。いかなる共同体も、内部の正しさに閉じこもり、外部からの参加を排除したままでは滅びる。クリプキはここで、プレイヤーの誤りを「訂正する」というかたちで、外部を内部に取り込む論理について語っているのだ。

　だとすれば、ぼくたちはここで、クリプキ自身はいっさいその可能性に触れていないものの、その「訂正」は共同体からプレイヤーへ向けられるだけでなく、逆にプレイヤーから共同体へ向けられることもあると考えるべきではないだろうか。

　ゲームの規則は永遠ではない。規則そのものも移り変わっていく。本来は排除されるはずのラフプレイやルール違反やハッキングが、時代の移り変わりに従ってプレイヤーの共同体に認められ、正規のプレイに変わることがある。ぼくたちは確かにふつうは、「＋」がクワスだと主張する突飛なプレイヤーを相手にしないだろう。けれどもときには、なるほど、きみの解釈のほうがおもしろいかもねといって、規則そのものを遡行的に変えてしまう、つまりは最初から「＋」をクワスだっ

---

★31 *Wittgenstein on Rules and Private Language*, p.92.『ウィトゲンシュタインのパラドックス』、179-180頁。

たことにしてしまうこともありうるのではないか。というよりも、ゲームや共同体が持続するとは、そもそもそのような遡行的訂正の連続でしかないのではないか。

さきに規則があり、それを理解するプレイヤーが共同体をつくるのではない。さきに共同体があり、それがプレイヤーを選別することで規則が確定する。クリプキはそう結論づけた。

けれどもぼくの考えでは、その結論もまだ静的すぎる。現実には規則は移り変わっていく。共同体も移り変わっていく。ゲームそのものが変わっていく。規則が共同体を生み出すわけでもなければ、共同体が規則を生み出すわけでもない。むしろ、プレイヤーたちが繰り出すプレイについて下される毎回の成否判断、そしてそれに付随する「訂正」の作業こそが、規則と共同体をともに生み出し、ゲームのかたちを動的に更新していくと考えるべきではないだろうか。

ウィトゲンシュタインの「家族」という言葉は、まさにそのような、クリプキが触れなかった動的に訂正され更新される共同体を意味するものとしてふさわしいように思われる。なぜならば、彼がわざわざ家族の比喩を使って造語した「家族的類似性」は、全体を支配する強い同一性はないものの、部分と部分のあいだでは小さな共有された特徴があり、それらが重なりあうことでひとつの広がりをつくるような、ゆるやかな同一性を意味する言葉として提出されていたからである。そのイメージは、規則が変わり、プレイヤーも入れ替わり、あらゆる細部が訂正されつつも、それでもいつまでも「同じゲーム」であるような、いまここで論じている共同体のありかたとぴたりと一致している。

言語ゲーム論を展開するにあたり、『哲学探究』はなんどか子どもの遊びを例に出している。遊びとゲームはドイツ語では同じSpielだ。

だれもが幼いころに経験するように、子どもの世界では、しばしばある遊びがいつのまにか別の遊びに変わってしまうことがある。鬼ごっこをしていたと思ったらケイドロになり、ケイドロをしていたと思ったらかくれんぼになる。はっきりした始まりや取り決めがないまま続いている遊びも多い。規則だけでなく参加者も曖昧だ。子どもはすぐに仲良くなる。そしてすぐに飽きてしまう。だから、ずっと同じ子どもたちが同じ場所でひとつの遊びを続けているようにみえたのに、よくみるといつのまにか最初の子どもたちはいなくなり、すっかり参加者が入れ替わって、遊びの内容もべつものに変わっているということもめずらしくない。

ぼくがここからさき「家族」と呼ぶのは、そのような子どもの集団をモデルとする共同体のことである。そこでは、みながずっと同じ遊びを続けているはずなのに、なにもかもが柔軟に「訂正」され続ける。

プラトンやヘーゲルやポパーは、家族を閉ざされた共同体だと考えた。それは長い哲学の歴史に規定されたものでもあった。けれどもウィトゲンシュタインとクリプキから引き出した本論の枠組みにおいては、家族はもはや閉ざされた共同体だとはみなされない。かといって開かれているわけでもない。

　なぜそういえるのか。新しい「家族」を、ウィトゲンシュタイン的な意味での言語ゲームに参加する、プレイヤーの共同体として定義しよう。規則は変わる。伝統や習慣や価値観は時代に応じて変わる。プレイヤーも入れ替わる。古い世代は死に新しい世代が生まれる。けれども、なにもかもが変わっていくにもかかわらず、参加する家族＝プレイヤーたちは、なぜかみな「同じゲーム」に参加し続けていると信じている。その矛盾したダイナミズムが家族の本質である。

　だから家族は、閉じているとも開かれているともいえる。家族は遊びを共有する親密な共同体であり、その規則を理解できない参加者は、クリプキの懐疑論者のようにあっさりと排除される。だから閉じている。けれども、さきほども記したように、ときにそんな遊びに参加する他者が現れ、思いもかけぬ行動によって規則を遡行的に「訂正」してしまうこともある。だから完全に閉じているわけでもない。その点では開かれているともいえる。家族とゲームの概念は、開放性と閉鎖性の二項対立よりも上位にある。開かれたものと閉ざされたものを対立させる発想は、人間のありかたを考えるうえではそもそもあまりにも粗雑なのだ。

　ぼくは『観光客の哲学』で、これからの時代に必要な「観光客的な連帯」について論じ、それは「家族的」でもあると形容していた。同書には多くの感想が寄せられたが、なかにはその議論を、親子や兄弟姉妹のような密な人間関係が大事なのだとか、最後に頼りになるのは血縁なのだといった情緒的な主張として理解する向きもみられた。

けれどもここまでの説明で明らかになったように、ぼくがそこで「家族」という言葉で考えたかったのは、むしろきわめて論理的な問題だったのである。はっきりしたアイデンティティがあるわけでもなく、参加者が固定しているわけでもなく、新しい状況にあわせてすがたを変えていきながら、それでも「同じなにか」を守り続けていると主張する組織や団体。政党にしても企業にしても結社にしても、あるいは国民国家そのものにしても、世界にはそのような存在が溢れているが、その強さの源泉はなんなのか。ぼくはそれについて考えたいと思った。そしてもしこれから新しい政治的な連帯がありうるとしたら、それもまたこの不可思議な柔軟性を手に入れなければならないだろうと考えた。それゆえぼくは、いまだ生煮えであることは知りつつも、『観光客の哲学』に家族についての章を挿入したのである。

家族的類似性と訂正可能性のうえに設立される新しいつながりの概念。次章以降では、その哲学の政治的な意味についてあらためて考えることになる。

## 9

社会思想の話に戻るまえに、もう少し「訂正」の概念を練り上げておきたい。

ぼくはいま、家族を、成員も規則もなにもかもが変わっていくにもかかわらず、参加者たちはなぜかみな「同じゲーム」を行い「同じなにか」を守り続けていると信じている、そのような共同体なのだと記した。そのダイナミズムを担う鍵が訂正の概念だというのがぼくの主張だが、しかしそれは具体的にどういうことだろうか。なにもかもが訂正されるというなら、たんになにも守っていないだけではなかろうか。鬼ごっこがケイドロになりケイドロがかくれんぼになるのだとすれば、もう同じゲームではないのではなかろうか。

すべてが訂正されうるにもかかわらず、なお同じものが残り続けるという逆説。その構造をより明確にするために、クリプキのもうひとつの著作、『名指しと必然性』を紹介しよう。同書は一九七〇年の講義をもとに、一九八〇年に単行本として出版された著作である。

こちらはウィトゲンシュタインを主題にした仕事ではない。言語ゲーム論も扱われていない（家族的類似性はいちどだけ言及されている）。しかしそこには、共同体と訂正可能性の関係を考えるうえできわめて重要な洞察が含まれている。

クリプキが『名指しと必然性』で挑んだのは、固有名についてのある謎だった。どのような謎だろうか。

固有名というのは、じつは哲学的にかなり厄介な性質を備えている。固有名ではない一般名、たとえば「三角形」のような数学的な概念や「中性子」のような物理学的な実体といったものは、定義があるていどはっきりしている。少なくともふつうはそう理解されている。

定義がはっきりしているというのは、いいかえれば、特定の名詞に頼らなくても、定義をきちんと並べれば同じ対象を過不足なく指示できるということである。たとえば「三角形」というかわりに、「同一直線上にない三点と、それらを結ぶ三つの線分に囲まれた図形」と記しても、表現は冗長になるが、同じ対象を指すので問題は起こらない。名前と定義のあいだのそのような置換可能性を、論理学の用語では「一般名はそれを含む命題の真理値を変えることなく、確定記述の束で置き換えることができる」と表現する。命題とは文のことで、確定記述とは定義のことで、真理値とはその文が真か偽か分析した結果のことだ。

一般名は定義の束に置き換えることができる。一九世紀から二〇世紀にかけて、論理学が整備されてそのようなことがわかってきた。

そこまではよかったのだが、つぎに、それならば人名や地名などの固有名についても同じ操作が可能なのではないかと考える人々が現れた。たとえば「ソクラテス」という名詞であれば、「Xは哲学者である」「Xは男性である」「Xはアテナイ市民である」「Xは書物を書かなかった」「Xはプラトンの師だった」などで定義される「X」を指定し、定義を十分に増やせば、固有名とそのXは完全に置換可能になるのではないか。前期ウィトゲンシュタインもまた、おおざっぱにいえばそのように考えた哲学者たちのひとりである。

けれどもこの構想には大きな欠陥があった。「三角形」や「中性子」といった一般名の意味あるいは指示対象は[★32]、確かに定義によって過不足なく定まると考えることができる。しかし、だとすれば、定義そのものを否定する命題は、真偽以前に意味をもちえないことになる。

たとえば「三角形がじつは三辺で構成されていなかった」「中性子がじつは電荷をもっていた」といった文を考えてみよう。ここで「三角形」と「中性子」を定義に置き換えれば、両者は「三辺で構成されているものがじつは三辺で構成されていなかった」「電荷をもたないものがじつは電荷をもっていた」といった文になる。これらは内部で論理的に矛盾しており、そもそも意味のある文として成立していない。一般名を定義の束に置き換えるとは、定義そのものを否定できなくなることを意味するのだ。

ところが厄介なことに、固有名を主語にするときは、そのような定義の否定を含んだ命題が、問題なく意味をもって成立してしまう。こんどは「ソクラテスはじつは男性ではなかった」や「ソクラテスはじつは書物を書いていた」といった文を考えてみよう。ソクラテスという名がかりに「Xは男性である」「Xは書物を書かなかった」といった条件を満たすXとして定義されていたのだとすれば、ふたつの文は「男性であるXがじつは男性ではなかった」「書物を書かなかったXはじつは書物を書いていた」という文と等しいということになる。これらは上記の例と同じく、内部で論理的に矛盾しておりそもそも意味をもたない。

けれども、実際にはぼくたちはけっしてそのようには感じない。「ソクラテスは**じつは**男性ではなかった」や「ソクラテスは**じつは**書物を書いていた」といった文は、日常においては完璧に意味が通る。むしろそのような文は、なんらかの歴史的発見があり、ソクラテスについての従来の認識が訂正されるときによく使われているものである。自然科学では、定義そのものの否定には意味がないと定めてもよいかもしれない。けれども歴史学のような人文科学では、定義そのものを否定することができないとそもそも研究自体が成立しないのである。一般名と固有名は、この点においてまったく挙動が異なっている。

固有名は定義の束に還元することができない[★33]。だとすれば、固有名の指示対象はいったいどのようなメカニズムで定まっているのだろうか。それがクリプキが挑んだ謎だった。

この問題設定は、のちに彼が『ウィトゲンシュタインのパラドックス』で展開する共同体論とも不可分につながっている。なぜならば、両者はともに、「じつは……だった」という定義の揺らぎについて考察する議論だからである。

クリプキが『名指しと必然性』で問うたのは、要は、「ソクラテス」という記号がいままでずっ

---

★32 言語哲学における「意味」の意味は、じつは日常的な日本語の語感としてはたいへんわかりにくいものになっている。言語哲学の歴史では、ゴットロープ・フレーゲが一九世紀の末に記した「意義と意味」という論文がたいへん重要なものとされている。そこで「意味」と訳されているのはBedeutung、「意義」と訳されているのはSinnというドイツ語である。フレーゲは同論文で「明けの明星」と「宵の明星」というふたつの言葉を例に挙げ、両者はともに物理的には金星を指し、それゆえ同じBedeutungをもつが、使われる文脈は違うのでSinnは異なると論じた。だとすれば日本語の語感としてはBedeutungは「指示対象」と訳し、Sinnこそ「意味」と訳したほうがよいと思われるが、なぜかいまもこの訳が定着している。それゆえここでは「意味あるいは指示対象」と等値で記している。なお、フレーゲの英訳では、Bedeutungはreference、Sinnはsenseと訳されており違和感はない。

と男性の哲学者を指示するものとして定義されてきたのに、「ソクラテスはじつは男性ではなかった」といった命題が有意味に成立してしまうのはなぜかというものである。それは『ウィトゲンシュタインのパラドックス』の議論では、つぎのような状況に相当するだろう。ある共同体において、「ソクラテス」という記号はずっと男性の哲学者を指示するものとして使われてきた。そしてそれにだれも疑問を挟まず、議論は続いてきた。ところがそこに新しい参加者が現れ、ソクラテスはじつは女性だった、あなたたちはいままでずっと「ソクラテス」が男性の哲学者を指示すると考えていたようだが、それは誤りで指示していた人物はじつは女性だったのだと告げたとする[★34]。固有名の定義の訂正はまさにそのような新しい参加者の出現によって可能になるのだが、これはまさに前述のクワス算をめぐる問いそのものである。そのような提案がなぜ成立し、受け入れられてしまうのか。それがクリプキの一貫した問いなのだ。

訂正という言葉は、『ウィトゲンシュタインのパラドックス』と同じく、『名指しと必然性』においても重要なものとして提示されているわけではない。けれどもぼくはそれこそが、クリプキのふたつの仕事を貫く鍵概念だと考えている。

クワス算の逆説と固有名の逆説は、ともに記号の遡行的な訂正可能性に関わって生じている。ぼくたちは日常的に、なにかを意味していると信じて言葉や記号を用いている。けれどもその意味はひとりでは確定できない。自分ではある言葉であることを意味したと確信していても、あとからおまえはじつは同じ言葉で別のことを意味していたのだと言われたら、原理的に反論できない。クリプキは、その同じ問題をふたつの理論で検討しているのである。

ぼくはさきほど懐疑論者によるクワス算の主張は屁理屈だと記した。けれども、以上のソクラテスの例に照らすとわかるように、遡行的な訂正可能性そのものはありふれたものでもある。

ソクラテスはじつは女性だった。ここではその命題は思考実験の例として導入されているが、現実にそのような発見がないとはいえない。今後、どこかの時点で、古代アテナイに彼に相当する男性の哲学者は存在せず、そのかわり、いままで彼に帰されてきたすべての活動を行い、なぜかソクラテスという男性名で活躍した女性がいたという考古学的な事実が発見される可能性もないとはいえない。その発見はいままでのソクラテスについての理解を根底から覆すだろう。多くのひとが想

★33 議論をわかりやすくするためこのように記しているが、じつは固有名と一般名の境界は明確ではない。一般名も本質的には固有名と同じ性格を備えている。つまり定義が訂正可能である。たとえば単位の例を考えてみよう。メートル(長さの単位)が一八世紀末に地球の子午線弧を基準に定義されたことはよく知られている。けれどもいまでは光速度を基準に定義されている。したがって、かつての一メートルはいまでは一メートルではない。同じように秒(時間の単位)やキログラム(質量の単位)も当初の定義は破棄され、いまでは物理定数を基準に定義されている。「一メートル原器がじつは一メートルではなかった」というのは、論理的にはありえない命題である。けれどもぼくたちは自然にそれを受け入れているし、だからこそ物理学も進歩しているのである。なお、一般名も固有名と同じ逆説を抱えているという問題については、クリプキ自身が『名指しと必然性』の最終講義の主題としている。Saul A. Kripke, *Naming and Necessity*, Harvard University Press, 1980, p.116f. ソール・A・クリプキ『名指しと必然性』、八木沢敬、野家啓一訳、産業図書、1985年、137頁以下。

★34 ここでは話を単純にするため、男性でなければ女性だとみなしている。

像してきたソクラテスのすがたは、どこにも存在しなかったということになるだろう。

にもかかわらず、それでも多くのひとは「ソクラテスはいなかった」とは考えないだろう。「ソクラテス」という名が指示してきた対象が現実には存在しなくなったにもかかわらず、あいかわらず同じ名を利用し続け、ただ「ソクラテスはじつは女性だった」とだけ語り、むしろ定義のほうを訂正してしまうだろう。ぼくたちはここにこそ、すべてが訂正可能であり、なにもかもが変わりながらも、それでもなお「同じなにか」を守っているとアクロバティックに主張し続ける、家族なるものの構成原理の論理的基盤を見出すことができる。

それゆえ、本論が導入したい新しい「家族」の概念は、特定の固有名の再定義を不断に繰り返すことで持続する、一種の解釈共同体だと定義することができる。実際国家にしても企業にしても、あるいはブランドにしても、長く続く共同体なるものはみな「わたしたちは……だった」という、遡行的な気づきの連続によって持続しているのだ。


固有名は、その定義を遡行的に訂正することができる。だから一般名とは異なる論理的な挙動をする。この固有名の奇妙な性格こそが、開かれているものでも閉じているものでもない、「家族」という第三の共同体の構成原理となる。それがこの第一部の核となる主張である。

それにしても、固有名にはなぜこのような奇妙な性質があるのだろうか。最後にクリプキの答えを見てみよう。

クリプキの考えでは、固有名の指示対象はそもそも定義により決定されていない。「多くの話し手にとって、名前の指示対象は、記述によってよりもむしろコミュニケーションの「因果的」な連鎖によって決定されている」と彼は記している[★35]。ここで「因果的な連鎖」とは、話し手が特定の固有名の意味をだれからどのように教わり、またそのひとがだれからどのように教わったのかという、きわめて具体的な言葉の伝達の連鎖を意味している。

クリプキは、固有名の指示対象は、そもそも定義ではなくこの言語外的な連鎖によって決まるので、逆に定義をいくらでも訂正できるのだと考えた。彼の仮説によれば、ぼくたちは固有名を使うとき、たとえ無意識にではあったとしても、そのような連鎖の存在を前提としている。そしてその連鎖を辿ることで、あらゆる固有名について、起源にある名指しに遡ることができるはずだと想定している。たとえば「ソクラテス」という名を使うときは、かつて二五〇〇年近くまえ、だれかがその名によって、男性であれ女性であれ特定の人物を名指す行為があったはずであり、言葉の定義が怪しくなったときはいつでもそこに戻ることができる、そのような想定があるからこそ定義の遡行的な訂正が可能になるのだというのである。クリプキは、その名指しへの信頼を「伝統」という言葉でも形容している[★36]。

★35 ibid., p.59. 同書、212頁。訳文は原文を参照し一部変更している。以下も同じ。
★36 ibid., p.106. 同書、128頁。

この議論には批判も多い。あまりに荒唐無稽に響くからだ。「ソクラテス」という名を使うたび、あなたはじつは二一世紀の日本から前五世紀のアテナイまで長い言葉の連鎖を辿り名指しの原場面に遡っているのだと言われても、納得するひとは少ないだろう。

けれども、そのような批判はいささか的を外している。クリプキはおそらく、名指しへの遡行が現実に可能だと主張したかったわけではない。人々がそれが可能だと信じていると主張したかったわけでもない。ただ、固有名の奇妙なふるまいを観察すると、人々がそう信じていると仮定するほかなくなってしまう、そのような背理法にも似た論理を展開したにすぎないのである[★37]。起源への遡行、「伝統」なるものは、現実には存在しないかもしれない。にもかかわらず、ぼくたちはあたかもその存在を信じているかのようにふるまっている。そこが大事なのである。

固有名の定義もゲームのルールも、いくらでも変わりゆくものでしかない。にもかかわらず、ぼくたちは同じ名を使い続け、同じゲームをプレイし続けていると信じている。少なくとも、そう信じているかのようにふるまっている。クリプキはコミュニケーションの不確定性という現実から出発して、最終的に幻想の分析に辿りついた。『名指しと必然性』と『ウィトゲンシュタインのパラドックス』は、この点において、いっけん専門的な言語哲学にみえるけれども、政治思想や社会思想にもたいへん大きな示唆を与えてくれる書物なのである。

★37　クリプキはつぎのように記している。「わたしのおもな主張は、わたしたちは名前が固定的であるという直接的な直観をもっており、それは特定の文の真理条件についての理解のなかに現れているということなのである」。ibid., p.14. 同書、15頁。

# 第3章　家族と観光客

## 10

家族とは閉じた共同体だと考えられてきた。けれども本論では、家族を、閉ざされた人間関係ではなく、訂正可能性に支えられる持続的な共同体を意味するものとして再定義したい。

この提案はけっして哲学の言葉遊びではない。「家族」という言葉の日常的な用法に立ち返ってみよう。日本語の辞書類を引くと、「家族」とは、同じ家に住み、生活をともにする配偶者および血縁の人々を意味する言葉だとある。英語やほかの言語でも似た定義が書いてある[★38]。

つまり「家族」という言葉には、辞書のうえでは同居と血縁が結びつけられている。家族の範囲をそのように定義するのは、過去の社会構造の名残りだろう。

現実にはその定義はすでに失効している。多くのひとは家族と同じ家に住んでいないし、生活もともにしていない。

たとえばぼくは東京に住んでいる。ぼくの両親は一〇〇キロほど離れた伊豆に住んでいる。それ

★38　二〇二三年二月現在、グーグルの日本語辞書は「家族」を「同じ家に住み生活を共にする、配偶者および血縁の人々」と定義している。日本の出版物における規定はつぎのとおりである。小学館の『日本国語大辞典』第2版（2001年）は「夫婦・親子を中核として、血縁・婚姻により結ばれた近親者を含む生活共同体」と定義している。同社の『日本大百科全書』第2版（1994年）は「夫婦・親子を中心とする近親者によって構成され、成員相互の感情的絆に基づいて日常生活を共同に営む小集団」と定義している。すべて血縁と共同生活を条件としている。平凡社の『世界大百科事典』改訂新版（2007年）には「近親関係を中心に構成される最小の居住集団を〈家族〉とか〈世帯〉とか呼んでいる」との記述があり、「家族」と「世帯」が同一視されている。ただし同じ項目には「英語におけるfamily（家族）という語にしても、従来この語がもっていた使用人を含めた世帯、あるいはこの語に含まれていた財産、血統などの意味が落ち、一つの家に住む少数の親族という今日的意味が定着したのは、近々19世紀初めのことにすぎない。この変化の背後にはこの小集団を賃金労働によって扶養される単位に単純化した、産業革命以後の新しくて強力な社会関係が横たわっているのである」との記述があり、家族の概念はもともとはより広かったことが示唆されている（「家族」、執筆者は村武精一）。

　日本語以外ではつぎのとおりである。英語ではfamilyは、古い用例と断りつつも、血縁だけでなく召使いなども含む言葉として定義されている（"A group of people living as a household, traditionally consisting of parents and their children, and also (chiefly in early use) any servants, boarders, etc.; any household consisting of people who have long-term commitments to each other and are (usually) raising children; such a group as a fundamental social unit or institution.," *Oxford English Dictionary*, oed.com, last modified in July 2023. URL=https://www.oed.com/dictionary/family_n）。フランス語の辞書ではfamilleは「血縁関係で結ばれている、生者あるいは死者の個人の集合」と定義され（*Larousse, Dictionnaire de français*, 1996、訳は引用者、以下も同じ）、ドイツ語の辞書ではFamilieは「両親もしくは片親、そして少なくともひとりの子からなる（生活）共同体」と定義されている（*Duden, Deutsches Universalwörterbuch*, 2015）。ともに英語よりも血縁を重視している。ロシア語のオンライン事典では、法律用語としてのsemiya（семья）を、「婚姻、血縁、姻戚あるいはそのほかの関係（たとえば養子）によって設立された社会的制度で、その構成員は共通の家計と相互扶助によって結び合わされている」と定義している（*Большая российская энциклопедия* 2004-2017, URL=https://old.bigenc.ru/law/text/3547965）。「そのほかの関係」が明記され「社会的制度」と記されている点が興味深い。

ではぼくと両親は家族でないのかといえば、ふつうは世帯は異なっても家族だというだろう。あるいはぼくには娘がいる。彼女はいつか家を出る。そのとき彼女が家族でなくなるのかといえば、変わらず家族だと多くのひとが考えるのではないか。「同じ家に住み、生活をともにする」ことは、もはや家族の必要条件ではなくなっている。

血縁も必須ではなくなりつつある。日本は欧米に比べて養子に消極的だといわれている。それでもいまや六〇〇〇人を超える子どもが里親家庭で生活しており、近年の調査によれば、里親制度に関心をもつ夫婦は一〇〇万組にのぼるという[★39]。彼らの家族がほんものではないとはだれもいえまい。現代人は「家族」という言葉をかなり柔軟な意味で使い始めている。最近はペットでさえ家族の一員だとみなされることがある。家族のかたちは急速に変わり、多様化しつつある。

この第一部の議論は、そのような現実の変化に対する哲学からの応答でもある。家族という言葉は、辞書のなかでも、哲学の議論においても、おそろしく古いまま残されている。だから家族について議論しようとすると、その言葉を記すだけで復古主義的に響き、新しい現実に対応できない。その罠を逃れるためには、まずは家族という言葉そのものをアップデートしなければならないのだ。

冒頭で記したとおり、本論は『観光客の哲学』の問題設定を引き継いでいる。同書の第六章には、家族の構成原理には「強制性」と「偶然性」と「拡張性」の三つの性格が認められるという記述があった。

そこで展開したのはつぎのような議論である。ぼくたちはみな家族に属している。いま家族に属していないひとも、かつては家族に属していたはずである。生みの親から捨てられた、施設で育てられた、子どもたちだけで路上で集団生活をしていたといった事例でも、人間は一定の年齢まで育つためにはだれかの庇護が必要で、そのかぎりで庇護者という家族がいたということができる。人間はひとりでは大人になれず、したがってすべてのひとに家族は存在する。

けれどもその家族は選ぶことができない。生まれるにしろ、育てられるにしろ、家族の構成員は一方的に押しつけられる（強制性）。そしてその選択に必然的な理由はない（偶然性）。父と母が別の人物だったら、ぼくはそもそもぼくではない。だから両親の組み合わせは必然といえるが、とはいえふたりが「このぼく」を生み出したことにはなんの理由もないので、その点では偶然だともいえる。

そしてひとは大人になる。大人になるとは、子の立場から親の立場に移行するということである。たとえ生物学的に子どもをつくらず、ずっと独り暮らしだったとしても、社会人として生きているかぎり、組織をつくったり後輩を育てたり、なんらかの家族的な人間関係に入り、それを運営する立場に立たざるをえなくなる。そのときぼくたちは、家族の境界がじつに柔軟なものであることに

---

★39　日本財団ジャーナル編集部「潜在的な里親候補者は１００万世帯！　なぜ、里親・養子縁組制度が日本に普及しないのか？」、「日本財団ジャーナル」、２０１９年２月12日。URL=https://www.nippon-foundation.or.jp/journal/2019/17667

気づく（拡張性）。子どもが生まれれば家族のありかたは変わる。ペットを飼うようになればまた変わる。家族は、ある視点からみれば閉鎖的で抑圧的な共同体だが、別の視点でみれば開放的で自由な共同体でもある。家族の構成原理には、このようにたがいに調和しない三つの性格が共存している。『観光客の哲学』ではそう記した。

同書では三つの性格を列挙しただけで、その奇妙な共存を可能にするメカニズムまでは検討できなかった。けれども、ウィトゲンシュタインとクリプキを導入したことによって、家族という共同体がなぜ強制的で偶然的で、にもかかわらず拡張性に満ちているように感じられるのか、あるていど説明が可能になったように思う。

家族とは、成員も規則もなにもかもが変わっていくにもかかわらず、参加者たちはなぜかみな「同じゲーム」を行い、「同じなにか」を守り続けていると信じている、そのような共同体のことである。ぼくたちはみな、そんな家族のゲームのなかに、いかなる同意もなく新しいプレイヤーとして生まれ落ちる。ゲームはすでに存在しているのだから、参加は強制的で、いかなる必然性もないように感じられる。

にもかかわらず、規則はつねに遡行して訂正可能なので、家族というゲームは拡張可能性に開かれてもいる。家族の参加者は、「同じ家族」の体裁を保ったまま内実をいくらでも変更することができる。養子を迎え入れることも、別の国に移住して別の家族と融合することも、あるいは一族と決別して新しい集団を立ち上げることもできる。そして、それでもずっと、自分たちは「同じ家族」であり、伝統を守り続けているのだと主張することができる。

このように、家族の構成原理の三つの性格は、人間のコミュニケーションの本質からまっすぐ導き出されたものだと考えることができる。言語ゲームは逆説によって成立しているので、家族もまた逆説によって成立している。たとえば、ふつうは伝統を守ることと伝統を変えることは対立するものだと考えられている。けれども家族においては、伝統を守ることと伝統を変えることは結局は同じことなのであり、むしろその二重性こそが「同じ家族」の持続可能性を支えるのである。

## 11

もう少しだけ『観光客の哲学』の話を続けさせてもらおう。本論はそもそも同書のふたつの主題、「観光客」と「家族」をつなぐために書かれたものだった。

ぼくは『観光客の哲学』でつぎのように記している。二〇世紀前半のドイツの法学者、カール・シュミットは、政治とは本質的に、「友」と「敵」の対立を基礎として敵を殲滅する行為なのだと主張した。友と敵の対立は、共同体の内と外の対立といいかえてもよい。シュミットは要は、政治とは、共同体の境界を定め、外部を排除する行為なのだと規定したわけだ。

ぼくはそれを批判し、友でも敵でもない第三の立場を考えるのが重要だと主張した。観光客とはその第三の立場のことだ。たとえば古い小さな村を考えてみる。シュミットに従えば、住民は

「友」で、よそものは「敵」となる。ふつうはその分割で事足りる。しかしそこが観光地に変貌し、毎年住民の数倍の数の観光客が訪れるようになったとしよう。観光客は村を通り過ぎていくだけだから、友とはいえない。ともに村の未来をつくるわけではないし、ゴミなどで迷惑を蒙ることもある。けれども敵でもない。経済的には恩恵を与えてくれるし、新しい住民も連れてきてくれるかもしれない。いままでの政治思想は、そのような「中途半端」な参加の意味についてあまりに考えてこなかったのではないか。それがぼくの問題提起だ。

背景には、きわめて具体的に、コロナ禍以前、日本だけでなく世界中で市民の国境を越えた移動が急増しており、社会や政治参加のありかたに影響を与え始めていたという観察があった。けれどもそれだけでもない。

現代は政治に溢れた時代である。地球規模の環境問題から国家間の紛争、個人間のハラスメントまで、毎日のように新しい政治的な問題が提起され、当事者や専門家がそれぞれの立場から正義を叫んでいる。あらゆる問題が論争の対象となり、人々は友と敵に分かれ争っているが、マルクス主義のような大きな枠組みはもはや存在しないので、現実は調べれば調べるほどわからなくなる。それゆえ多くの人々は、すべてを単純な陰謀論で切り取り心の平安を保つか、あるいはすべてに無関心になって麻痺するか、どちらかの状態に陥っているように思われる。それがポピュリズムとフェイクニュースに溢れた現代社会の基本的な条件だ。

したがってぼくは、なにかについて断片的な情報しか入手できないまま、友にもならず敵にもならず「中途半端」にコミットすることの価値を、あらためて肯定する必要があると考えた。それが『観光客の哲学』の核となる執筆動機である。そのような肯定がなければ、現代人はまともに政治に向きあうことができない。ぼくたちはどうせすべての問題に中途半端にしか関わることができないのだから、まずはその限界をきちんと認め、そのうえで新たな社会思想を立ち上げなければならないのだ。

ぼくたちはすべての問題に中途半端にしか関わることができない。これはけっして冷笑主義の表明ではない。本論をここまで読んできた読者は、それがすべてのコミュニケーションの条件であると理解できるはずだ。

ぼくたちは加算の規則すら完璧に提示できない。ソクラテスの名前すら完璧に定義できない。そのような単純な例においてすら、原理的に他者からの訂正可能性に曝されている。

だとすれば、もっと複雑な事例だったらどうか。沖縄について、福島について、憲法改正について、あるいは慰安婦や性差別やレイシズムについて、だれが完璧に「正しく」言葉を使い、「正しく」現実を認識できているだろうか。ぼくたちはむしろ、あらゆる事例について、つねに想定外の発見や新たな被害者が現れることを折り込み、理解の訂正が必要となる可能性を意識しておくべきではないだろうか。自分こそ被害者であり当事者だと思っていても、いつなんどき、あなたはじつは当事者ではない、あなたこそ加害者だったと言われてしまうかわからない、それが現代の政治的発言や活動の条件なのであり、それこそを避けられないものとして受け入れるほかないのではないだろうか。そして逆にその裏返しとして、すべてのひとが、自分が当事者ではなく、被害者でもなく、完璧には語れない問題についても、中途半端なコミットメントに乗り出す勇気をもつべきではないだろうか。ぼくたちはどうせいつもまちがい、いつかは訂正される、そのような諦めとともに。

このように、前章でウィトゲンシュタインとクリプキの言葉を使って明らかにした条件は、家族的な複雑な構成原理を生み出すとともに、また観光客的な中途半端さを生み出すものでもある。

ぼくたちは常識に従うかぎり、共同体は閉じているか開かれているかのどちらかであり、ひとは友か敵かのどちらかだと考えてしまう。けれども現実には、共同体は閉じていて同時に開かれているということがありうるし、ひとも友でもなければ敵でもないということがありうる。多くの哲学者はその二面性を理解することができなかった。だから彼らは家族についても観光客についても思考できなかった。

観光客は共同体の内にも外にも属さない。ゲームの内にも外にも属さない。ふたたび子どもの遊びの例で示せば、鬼ごっこがケイドロになり、ケイドロがかくれんぼになるとき、ふらりとやってきていつのまにか遊びに加わり、そしてまた去っていく、そんな名も知れぬ子どもたちが「観光客」である。彼らはゲームの規則を知っていたとも知らなかったともいえる。ゲームに参加したともいえるし、参加していなかったともいえる。

さきほどの事例に引きつけていえば、観光客とは、沖縄について、福島について、憲法改正について、あるいはそのほかさまざまな問題について、政治的な意志表明を行う運動の共同体に加わり、そしてまた去っていく、そのような一般市民のことである。彼らの存在は当事者や活動家からすれば迷惑かもしれない。ともに運動の未来をつくるわけでもなく、本気でないならば出て行ってくれといいたくなるかもしれない。けれども、そのような中途半端な人々の関与を認めることなしに、あらゆる共同体は持続的なものになりえない。運動も持続的なものになりえない。それがウィトゲンシュタインとクリプキの言語哲学から導かれる、実践的な結論のひとつである。

もうひとつ『観光客の哲学』を補足する論点を加えておきたい。同書にはところどころで「誤配」という言葉が登場する。

誤配はぼくがむかしから好んで使っている言葉である。メッセージが届くべきひとに届かないこと、逆に届くべきでないひとに届いてしまうこと、届いたとしても想定外のタイミングで届いてしまうことなどを意味する。そのようなコミュニケーションの「失敗」は、じつは公共性や創造性の源泉にもなりうるものであり、政治やビジネスから完全に排除してはならない。

ぼくは『観光客の哲学』で、その誤配の概念を、ネットワーク理論あるいはグラフ理論と呼ばれる数学的な理論に関連づけて説明している。そこではつぎのような議論を展開している。

グラフ理論とは、ものともの、ひととひとの関係のかたちを数学的に捉える理論のことである。たとえばたいていのひとは、見知らぬ人間といきなり友人になるよりも、友人同士もまた友人であるような、閉鎖的な人間関係を強化することを好む。それはグラフ理論の言葉では「クラスター係数が大きい」と表現される。ところが現実の人間関係を調査すると、人々の交友は意外なほど広がってもいて、意外な場所で友人の友人に出会ったりする。そちらはこんどは「スモールワールド性」と呼ばれる。人間は一方では明らかに閉鎖的なコネ社会を好む傾向があるのに、他方ではとても開放的な共同体もつくっているようにみえる。

なぜそんなことが可能なのだろうか。グラフ理論はこのような謎に数学的な回答を与えてくれる。グラフ理論によれば、閉鎖的でありつつも開放的であるというその二面性は、「つなぎかえ」と呼ばれる操作を仮定することで実現可能になる。つなぎかえとは、たくさんの頂点（ノード）が線分（枝）でつながることによってつくられているネットワークにおいて、各頂点を始点とする線分の終点を、特定の確率でランダムに選ばれたほかの頂点につけかえる操作を意味する専門用語である。人間関係に対応させれば、あるひとが友人として関係する相手を、特定の確率でぜんぜん知らない他人に置き換えてしまうような操作のことだと考えればいい。現実においてもそういう操作が無意識に行われていると仮定すると、みなが親しいひととばかりつきあおうとしても、それなりに開放的な世界が実現する。

ぼくの考えでは、この「つなぎかえ」こそが、誤配の数学的な実体である。誤配＝つなぎかえがなければ、ひとはみな親密な世界に閉じこもり、社会は無数の閉鎖的な世界（クラスター）に分解してしまう。けれども実際には誤配＝つなぎかえがあちこちで起こっているからこそ、ぼくたちの世界は、そこそこ他者に開かれながらも、ひとつのまとまりでいられるのだ。

そして、この誤配＝つなぎかえは、前章まで考察してきた訂正可能性の概念とも深く関係している。加算の共同体に懐疑論者がやってきて、規則がクワス算に変わる。あるいはソクラテスを名指す共同体に新事実の発見者がやってきて、指示対象が女性に変わる。そこで起きているのは、まさに、それまで共同体内で伝承されてきた規則や意味の「つなぎかえ」だからである。共同体は、それまでプレイヤーのあいだで共有されていた意味や規則のネットワークが、ランダムな誤配＝つなぎかえによって半ば強制的に「訂正」されることで持続性を獲得するのである。

だとすれば、誤配＝つなぎかえが閉鎖的かつ開放的な人間関係を可能にするというグラフ理論の数学的な発見は、じつは、訂正可能性が家族的な共同体を可能にするという本論で紹介している言語哲学の発見と、本質的に同じことをいっているのかもしれない。

この問題の本格的な検討には学問横断的な知識が必要であり、ぼくの力に余る。だから思いつきとして触れることしかできないが、そもそもそのような視点で見ると、ウィトゲンシュタインとクリプキの哲学は、それ自体がグラフ理論や関連する領域に親和性が高いように思われてくる。家族的類似性の発想はネットワークや人工知能の理論を想起させるし、クリプキの固有名論もじつは、それを支える「可能世界意味論」なる理論において、複数の可能世界のあいだの「到達可能性」というネットワーク図そっくりの比喩を根幹に据えていることが知られている[★40]。開かれているものと閉ざされているものの二項対立の彼方には、もしかしたら、とても豊かな新しい人文知の領域、人間とはなにか、社会とはなにかという問いに対する、まったく新しいフロンティアが開かれているのかもしれない。

家族は観光客でつくられる。家族は誤配で生まれ、訂正可能性によって持続する。それがぼくの考えだ。

これは抽象的な理論であるとともに、きわめて具体的な記述でもある。ぼくたちは家族をつくる。その過程で、思わぬひとと出会い、思わぬひとと結婚し、思わぬ子どもをつくる。あるいは思わぬ別れや死に直面する。なにひとつ予想どおりのことなどない。家族や人生の運命なるものは、遡行的にさまざまな訂正によって、いってみれば捏造されたものでしかない。誤配と訂正の連鎖こそが、現実の人生の特徴である。家族とは神聖で親密で運命的で、そして訂正不可能な閉ざされた共同体だという発想のほうが、よほど非現実的なのだ。

家族とは訂正可能性の共同体だ。そこでは、偶然と運命、変化と保守、開かれているものと閉ざされているものは対立しない。それらの対立は、哲学的に厳密には、遡行的な訂正可能性が作り出す幻影にすぎない。次章では、その認識から導かれる新しい社会思想の可能性を議論することにしよう。

★40　本文では省略せざるをえなかったが、クリプキはじつは若いころに様相論理学と呼ばれる分野で画期的な業績を上げている。『名指しと必然性』はその仕事と深い関係にある。
様相論理とは、真偽を扱う古典論理を拡張し、必然性や可能性も記述可能にした論理のことである。ひらたくいえば、「$x$はPである」というかたちの命題だけでなく、「$x$がPであることは必然である」や「$x$がPであることは可能である」といった命題も扱うことができる論理のことだ。必然や可能といった様相概念は、二〇世紀前半においては論理的な概念だと考えられていなかった。ある人々は、それらは命題の内容そのもの（$x$がPであるかどうか）に関わる概念ではなくひとの認識（$x$がPであることを必然／可能だと思うかどうか）に関わる心理的な概念だと考えていたし、別の人々は、必然性とは分析性（命題の論理構造を分析すれば導き出せるトートロジー）の別名だと考えていたからである。

ところが一九五〇年代から六〇年代にかけて、「可能世界意味論」と呼ばれる新しい方法論が現れ、様相論理は学界の中心に躍り出ることになった。クリプキはそこで主導的な役割を果たしたことで知られる。クリプキらが構築したその新しい意味論においては、必然性や可能性などの様相概念は、「可能世界」のあいだの「到達可能性 accessibility」という概念を使って記述しなおされている。たとえば、ある世界における「$x$がPであることは必然である」という命題は、「その世界から到達可能なすべての可能世界において$x$がPであることが真である」という命題に、「$x$がPであることは可能である」という命題は、「その世界から到達可能な可能世界のうち少なくともひとつの可能世界で$x$がPであることが真である」という命題として解釈しなおされるのである。この新解釈によってどのような学問的な飛躍があったか、またそれがクリプキの固有名論とどのような関係をもつのかの説明は、専門書をあたってほしい。けれども、多数の世界が「到達可能性」によって連結され、ある世界からある世界には到達できるが、別の世界には到達できないといった論理空間の構造が、本文で参照しているグラフ理論に近いことは想像がつくのではないかと思う。

飯田隆はある解説書のなかで、可能世界意味論の体系を、複数の都市（可能世界）が鉄道（到達可能性）で連結されているさまと比較している。飯田隆『言語哲学大全Ⅲ　意味と様相（下）』、勁草書房、１９９５年、１０８頁。固有名の訂正可能性（誤配）の存在が示唆しているのは、もしかしたら、ぼくたちの自然言語が、この現実から別の可能世界への論理的な到達関係を、つないでは切断し、またつなぎなおすというようにたえず再構築し続けているということなのかもしれない。

## 12

ここまで、公と私、市民社会と家族、開放性と閉鎖性、「開かれた社会」とその敵といった対立は厳密には成立しないといった議論を展開してきた。そのような問題提起をした背景には、じつは、冒頭で記したコロナ禍の問題に収まらない、より広範な政治状況への関心がある。

日本ではこの一〇年、左派あるいはリベラルと呼ばれる勢力が退潮し続けている。とりわけ、二〇一六年に学生主導の新しい運動だったＳＥＡＬＤｓが解散し、二〇一七年に民進党が実質的に解体して以降は、坂を転がり落ちるように支持を失っている。けっして与党が支持されているわけではない。二〇二二年に安倍晋三元首相が銃撃されたあと、半年ほどはむしろかつてなく自民党批判が高まった。しかし左派系野党はその批判を支持に変えることができない。ネットでもリベラルへの反発は年々激化している。大学人や知識人の声は大衆に届かなくなった。左派は社会の分断が進んでいるのが原因だというが、それならば保守も同じ条件だ。明らかにリベラルだけが苦境に陥っている。

なぜそんな非対称性が生じているのか。その非対称性は、ここまでの議論と深く関係している。そもそもリベラルとはなんだろうか。とりわけ、保守と対立するものとしてのリベラルとはなんだろうか。

保守とリベラルの対立は「右」と「左」の対立に重ねて理解されることが多い。とりわけネットではそのように理解されている。思想史的にはその用法は正しくない。保守は「革新」と対立し、社会変革への消極的な態度を示す言葉である。他方でリベラルは「自由」という意味の言葉で、個人と社会の関係を示している。それゆえ保守とリベラルは本来は対立しない。たとえば、個人の自由を重んじるがゆえに、逆に社会の急進的な変革に慎重だという立場は十分にありうる。その場合はリベラルな保守主義者ということになる。

にもかかわらず、なぜいまの日本では保守とリベラルが対立して理解されているのだろうか。そこにはねじれた経緯がある。政治学者の宇野重規は『日本の保守とリベラル』と題された著作でつぎのような説明を与えている。

保守とリベラルの対立はそもそもがアメリカのものである。アメリカの二大政党制では、共和党は「保守」で、民主党は「リベラル」だとされている。ではアメリカでなぜその対立が有効に機能したかといえば、それは、同国では、いわゆる「左」、すなわち共産主義や社会主義が政治的な力をもつことがなかったからである。アメリカでは、みながリベラリズムを支持しているという前提のうえで、古典的なリベラリズムを守る側が「保守」、現代的なリベラリズムを推進する側が「リベラル」だという独特の差異化が成立した。他方で冷戦期のヨーロッパでは、政治はまずはリベラリズムと共産主義の対立によって、つまり右と左の対立によって語られていた。日本はこの点では、アメリカよりヨーロッパにはるかに近かった。

ところが厄介なことに、冷戦構造が崩壊し、「左」の存在感がなくなった一九九〇年代以降、日本でも、みながリベラリズムを支持しているという前提が曖昧なまま、その保守とリベラルの対立が新たな政治の軸として輸入されることになってしまった。結果として、宇野も指摘するように、アメリカ式に保守とリベラルを対立させてはいるものの、実態は「かつての看板だけを替えたものであり、今もなお本質的には「右（保守）」と「左（革新）」の対抗図式が持続していると捉えることも可能」な状況が生まれてしまった[★41]。いま日本の若い世代がリベラルと左派をほぼ同義で用いるのはこのためだ。

以上の経緯からわかるように、いまの日本における保守とリベラルの対立は、じつは保守主義やリベラリズムの実質とはあまり関係がない。かといって冷戦時代の左右対立がそのまま引き継がれているわけでもない。ではそれはなにを意味しているのかといえば、両者はじつは、いま人々が漠然と感覚している、政治や社会へのふたつの異なった態度への便利なレッテルでしかなくなっているのではないか。宇野は別の著作でつぎのように指摘している。「あえていえば、仲間との関係を優先する［……］立場が保守と、普遍的な連帯を主張する［……］立場がリベラルと親和性をもつといえる。このことは、政治において、共同体の内部における「コモン・センス（共通感覚）」を重視するか、あるいは、自由で平等な個人の間の相互性を重視するかという違いとも連動し、今後の社会を論じていく上での有力な対立軸となるであろう」［★42］。

この規定は簡潔だが的を射ている。冷戦が終わってすでに三〇年以上が経っている。共産主義は実質的に終わっている。確かに書店の人文書の棚には、資本主義は終わる、共産主義には未来があると謳った本がいまだに並んでいる。けれどもだれもそれが具体的な政策につながる言葉だとは信じていない。かつての左右対立は機能していない。そもそも保守と社会変革も対立していない。いまの日本では、むしろ保守勢力こそが社会制度の改革を進めている。逆にリベラルは、護憲に代表されるように、しばしば「保守的」な主張をしている。ではどこに保守とリベラルの対立の淵源を求めるべきかといえば、もはやそれは連帯の範囲の差異ぐらいにしか現れていないのではないか。ぼくの考えでは、それが宇野が指摘していることである。

保守もリベラルも抽象的な目標では一致する。たとえば弱者を支援しろといわれて反対する政治家はいない。けれどもリベラルはそこで、できるだけ広く「弱者」を捉え、国籍や階級、ジェン

---

★41　宇野重規『日本の保守とリベラル』、中公選書、2023年、17頁。
★42　宇野重規『保守主義とは何か』、中公新書、2016年、204-205頁。

ダーなどを超えた普遍的な制度を構築しようとする。それに対して保守はまず「わたしたち」のなかの「弱者」を救おうとする。むろん、その「わたしたち」の内実は事例により異なる。「わたしたち日本人」のこともあれば「わたしたち男性」「わたしたち富裕層」のこともある。いずれにせよ、そのような共同体を優先させる発想、それそのものがリベラルにとっては反倫理的で許しがたいということになる。他方で保守にとっては、身近な弱者を救わなくてなにが政治だということになろう。いまの日本の保守とリベラルの対立は、抽象的な主義主張の対立としてというより、そのような連帯の感覚の対立として捉えたほうが理解しやすい。

これは、いまの日本で使われている保守とリベラルの対立が、本書でいう閉鎖性と開放性の対立にほぼ重なっていることを意味している。保守は共同体が閉じていることを前提としている。そのうえで仲間を守る。それに対してリベラルは共同体は開かれるべきだと信じる。だから保守を批判する。

それゆえ、ここまで検討してきた開放性をめぐる逆説は、保守とリベラルの非対称性を考えるうえでも重要な示唆を与えてくれる。法や制度は万人に開かれねばならない。それは正しい。だれも反対しない。けれども肝心の閉鎖性と開放性の対立がそれほど自明なものではない。

現在は左派に階級闘争のような実質的な理念がない。それゆえ、いまの左派、つまりリベラルは、自分たちの倫理的な優位を保証するため、形式的な開放性の理念に頼るほかなくなっている。けれども、ここまで繰り返し指摘してきたように、開かれている場を志向すること、それそのものが別の視点からは閉鎖的にみえることがある。これはけっして抽象的な話ではない。現実にいま日本のリベラルは、彼らの自意識とは裏腹に、閉じた「リベラル村」をつくり、アカデミズムでの特権や文化事業への補助金など、既得権益の保持に汲々としている人々だとみなされ始めている。

そんな意見は一部の「ネトウヨ」が言っているだけだ、と鼻で笑う読者もいるかもしれない。その認識は誤っている。左派への厳しい視線はもはやネットだけのものではないし、日本だけのものでもない。たとえば二〇二一年には、作家のカズオ・イシグロのあるインタビューが話題になった。彼はつぎのように述べている。「俗に言うリベラルアーツ系、あるいはインテリ系の人々は、実はとても狭い世界の中で暮らしています。東京からパリ、ロサンゼルスなどを飛び回ってあたかも国際的に暮らしていると思いがちですが、実はどこへ行っても自分と似たような人たちとしか会っていないのです」［★43］。イシグロは二〇一七年のノーベル文学賞受賞者で、リベラルを代表する世界的な作家である。そんな彼が漏らしたこの述懐は、現在の「リベラル知識人」たちが、世界の市民と連帯しているかのようにふるまいながら、じつのところは同じ信条や生活習慣をもつ同じ階層の人々とつるみ、同じような話題について同じような言葉でしゃべっているだけの実態を鋭く抉り出

---

★43　カズオ・イシグロ、倉沢美左「カズオ・イシグロ語る「感情優先社会」の危うさ」、「東洋経済オンライン」、2021年3月4日。URL=https://toyokeizai.net/articles/-/414929?page=2

している。

保守は閉ざされたムラから出発する。リベラルはそれを批判する。けれども、そんなリベラルも結局は別のムラをつくることしかできないのだとすれば、最初から開き直りムラを肯定する保守のほうが強い。いまリベラルが保守よりも弱いのは、原理にまで遡ればそのような問題なのではないか。

## 13

だからこそ、ぼくはここで、開かれてもいれば閉じられてもいる持続的な共同体、すなわち「家族」とはいかなるものなのか、その構成原理について執拗に語っているのである。いまや多くの人々が「開かれ」の逆説に気がついている。リベラルは、共同体の閉鎖性を批判し、「開かれ」を称揚するだけでは信頼を回復することができない。同時にその開放性をいかに持続させるか、いいかえれば、いかに「開かれつつ閉じるか」を考え提案する必要がある。保守でもリベラルでもない、第三の立場が求められている。

以上の認識のうえで、この最後の章では、ここまでの家族論の政治的な応用可能性を考えてみたい。

まず参照したいのがリチャード・ローティである。この哲学者については『観光客の哲学』でもすでに紹介している。

ローティはアメリカの哲学者である。一九三一年生まれで、クリプキよりも九歳上、フランスの思想家でいえばジャック・デリダと同じ世代にあたる。一九七九年の『哲学と自然の鏡』で注目を集め、一九八二年の『プラグマティズムの帰結』および一九八九年の『偶然性・アイロニー・連帯』といった著作によって国際的に広く知られるようになった。プラグマティズムと呼ばれる思想を核に仕事をしている。

プラグマティズムとは、かんたんに説明すれば、「真理」とか「正義」とかいった抽象的な概念について、そこになにか超越的なものが隠されていると考えるのではなく、むしろそれらが現実の生活のなかで果たす実用的(プラグマティック)な機能に注目し、その観点から哲学や倫理学を再構築しようとする思想的立場のことである。プラグマティズムは一九世紀のアメリカで生まれ、デューイのような社会的な影響力をもつ人物も生み出したが、学問としては二〇世紀前半にいちど力を失った。前期ウィトゲンシュタインに代表されるような、論理的で実証的なスタイルが学界を席巻したからである。けれども一九五〇年代以降、その新たなスタイルにも限界があることがわかり、ふたたび息を吹き返すことになった。

ローティは、そこで復活した新たなプラグマティズム(ネオ・プラグマティズム)を代表する哲学者だとみなされている。論理的哲学の可能性をぎりぎりまで追求してみたものの、結局はうまくいかず日常言語の検討に戻るというプラグマティズムへの転回は、第二章で紹介したウィトゲンシュタインの変化と並行してもいる。

ところで、そのようなローティは、哲学の仕事とはべつに「リベラル・アイロニズム」と呼ばれる独特の政治的な立場でも知られている。『観光客の哲学』の記述と一部重なるが、かんたんに振り返っておこう。

リベラル・アイロニズムの立場は『偶然性・アイロニー・連帯』という著作で打ち出されている。それは、ひとことでいえば、公と私の徹底した分裂を受け入れる立場のことである。ローティは「公的なものと私的なものとを統一する理論への要求を捨てさる」ことだと説明している[★44]。

公と私の分裂を受け入れるとだけ聞くと、凡庸な主張だと思われるかもしれない。けれども話はそれほど単純ではない。

たとえばあなたが急進的な政治運動に関わることになったとしよう。あるいはより単純に特定の神を信じるということでもかまわない。そのときあなたは当然、自分が信じている思想や神は普遍的なものであり、ほかのひとも同じ思想や神を信じるべきだと感じるはずである。現実に友人を勧誘しなかったとしても、できれば信念を共有したいと思っているはずだ。そういう思いがなければ真剣な活動家や信者だとはいえない。政治思想や宗教というものは、原理的にそのような普遍性や公共性への志向を備えている。

にもかかわらず、ローティは、そのような普遍性への思いこそ、私的な領域に閉じ込めるべきだと主張するのである。それが「リベラル・アイロニズム」だ。それはひらたくいえば、革命の理念を信じてもいい、カルトの神を信じてもいい、ただしその思いはあくまでも自分の心のなかだけにしまって、公共の場に持ち出すなという要請である。これはほとんど自己矛盾である。まったく公共に出て行かず、ひとり孤独に信じる運動や宗教なるものには、そもそもほとんど意味がない。ローティ自身もそのことはわかっていて、だから彼は自分の思想を「アイロニズム」と名づけている。アイロニーはふつうは「皮肉」と訳されるが、ここでは矛盾を矛盾と知りながら受け入れる態度を意味している。

リベラル・アイロニズムは自己矛盾のうえに成立する。だから批判には弱い。実際にローティはかなり批判されている。にもかかわらず彼がその立場を打ち出したのは、まさにその自己矛盾こそが、「自由で民主的な世界」を維持するために必要不可欠だと考えられたからである。

ローティは問題の『偶然性・アイロニー・連帯』を一九八九年に出版している。これは象徴的な年である。六月には中国の北京で天安門事件が起き、一一月にはベルリンの壁が壊された。同時期にはフランシス・フクヤマの『歴史の終わり』が発表され、自由民主主義の勝利が高らかに謳い上

★44 Richard Rorty, *Contingency, Irony, and Solidarity*, Cambridge University Press, 1989, p.xv. リチャード・ローティ『偶然性・アイロニー・連帯』、齋藤純一ほか訳、岩波書店、2000年、5頁。訳文は原文を参照し一部変更している。以下も同じ。

げられた。ローティの仕事はそのような状況と密接に関わっている。
ローティを含む「西側先進国の住民」は自由で民主的な世界に生きている。彼はまずそのすばらしさを肯定する。それができない古い左翼を批判もしている。けれども同時にその自由がけっして無制限な自由でないことにも注意を促している。自由で民主的な世界においては、確かにだれもが自分の好きな神を信じることができる。革命の物語でも陰謀論でも好き勝手に主張することができる。けれどもそれはあくまでも個人の趣味の範囲においてのことである。それを超えた夢を抱き、本当の社会変革を試みることは許されない。自由民主主義なるものは、みながその限界を受け入れることでかろうじて維持されている。それがローティが強調していることである。リベラル・アイロニズムの自己矛盾は、いわば、自由民主主義の統治原理が支払わざるをえない思想的な代償なのだ。

その代償はローティ自身も支払っている。彼は「理論は人間の連帯よりもむしろ私的な完成のための手段になった」と記している[★45]。ここで「理論」とは「哲学」とほぼ同じ意味で使われている言葉である。

ローティは哲学者だ。哲学は本来は普遍的な主張を目指す。けれどもローティの考えでは、彼自身のものも含め、哲学はもはや、現代では「私的な完成のための手段」、つまり趣味としてしか生き残れないのである。哲学は「人間の連帯」の基礎にはなりえない。

ローティの著作から三〇年以上が経過している。けれども、ぼくたちはあいかわらず自由と民主主義の勝利を謳い上げる体制のなかに生きている。二〇二二年にウクライナ戦争が勃発して以降は、ますますその傾向が強まっている。したがって彼の議論は古びていない。ぼくたちはいまだに、公と私を分離し、普遍的な理念こそ私的な領域に閉じ込めねばならない時代に生きている。

いま記したように、そんな時代においては、哲学は連帯の基礎になりえない。それではローティは、いったいなにによって新たな連帯を基礎づけるべきだと考えていたのだろうか。これが『偶然性・アイロニー・連帯』のもうひとつの主題である。

結論からいえば、そこでローティが期待を向けたのが「共感」や「想像力」である。彼はそれをつぎのように表現している。これからの連帯を支えるのは、「わたしたちが信じたり欲望したりしていることを、あなたも信じたり欲望したりしますか」という信念に関わる問いではなく、「あなたは苦しんでいますか」というより単純な身体的な問いであるべきなのだと[★46]。

どういうことだろうか。前者の問いは、読めばわかるように、特定の伝統や文化、世界観や道徳観などの共有を確認するものである。わたしはある思想を信じている、あなたも同じ思想を信じていますか、信じているのなら連帯しましょうというわけだ。現実に人々はふつう、そのような価値

---

★45 ibid., p.96. 同書、197頁。
★46 ibid., p.198. 同書、411頁。

観の共有を前提として結社や政党や企業をつくっている。少なくともそう思い込んでいる。

けれども、ローティの考えでは、そのような共有によって社会全体の連帯を基礎づけることは本質的に自由民主主義の原理に反している。そのやりかたでは、価値観を異にするひとは社会から排除されることになるからである。ひらたくいえば、「文句があるならこの国から出て行け」ということになるからだ。実際にそのような発言はいまネットでよく聞かれる。

それゆえローティは、思想や価値観の共有ではなく、目のまえの他者が感じている「苦痛」への共感のほうが、連帯の基礎として有望だと考えたのである。それが後者の「あなたは苦しんでいますか」という問いの意味するものだ。相手が敵国人だろうが、犯罪者だろうが、テロリストだろうが、多くのひとは目のまえでだれかが血を流して苦しんでいればとりあえず手を差し延べてしまう。そのふるまいは価値観を超える。そこにこそ新しい連帯の基礎を求めるべきではないか。

この提案はアカデミズムで強い反発を呼び起こした。他者の苦痛への共感が重要というが、現実には共感こそ偏見や差別の温床ではないか、ひとは身近な友人には手を差し延べるが見知らぬひとの苦痛は平気で無視する、そんなものを根拠に連帯などつくれるはずがないと批判が相次いだのである。

そのぼくはさきほど、保守は「わたしたち」から始め、リベラルは普遍性から始めると記した。その分類に従えば、ローティはここで、リベラリズムをめぐる議論のなかに、まさに保守的な優先順位を持ち込んだのだということができる。反発を招いたのは当然だろう。

実際、ローティの主張に保守主義に近づいているところがあるのは事実である。ぼくはさきほど「あなたは苦しんでいますか」という問いを引用した。じつは彼はその直前に、そのような共感も結局は「わたしたちリベラル」を出発点にするしかなく、そのかぎりで「民族中心主義的」であることを認めている。

民族中心主義とはおだやかではない。しかしそのような主張はローティの立場から必然的に導かれる。リベラル・アイロニズムは自由と民主主義を尊重する思想である。けれどもそもそもローティがなぜそれらを尊重しているのかと問われれば、彼自身は、たまたま彼が自由民主主義の国に生まれ育ったからだと答えるほかない。さきほど説明したように、リベラル・アイロニズムを信奉するかぎりにおいてそれ以上の普遍的な正当化は禁じられているからだ。それゆえ彼は、彼自身の思想を含め、なにもかもが「わたしたちリベラル」のものであり、自民族の価値観の肯定だとしかいいようがないのである。

ぼくにはこの論理のねじれは避けられないもので、むしろ知的な誠実さを証明するものと感じられる。けれども一部の読者には危険な開きなおりに聞こえるのかもしれない。ローティの保守的な傾向は、のち一九九八年に出版された『アメリカ　未完のプロジェクト』という著作ではさらにはっきりとしてくる。同書の原題は直訳すると『われわれの国を完成させる』というもので、「われわれの国」、すなわちアメリカの価値観の肯定をかなり明確に表明している。そこでローティは民主主義の尊重とはアメリカの歴史の尊重であると宣言しており、左翼が力をもてないのは「国家に対する誇り」が足りないからだとも発言している[★47]。『偶然性・アイロニー・連帯』から同書にいたる九年間は、ソ連が崩壊し、アメリカの「帝国」化が進んだ九年間でもある。岡本裕一朗のように、ローティの保守化を、そのような地政学的変化に呼応するものとして捉える研究者もいる[★48]。

## 14

それでは、ローティの連帯の構想は、結局のところリベラルの保守化を示すものにすぎないのだろうか。ぼくはそう思わない。ここでこそいままでの家族論が重要な示唆を与えてくれる。

もういちどローティを読んでみよう。繰り返すが、彼は普遍的な理念が支える連帯を信じなかった。彼が信じる連帯は、具体的な人生に対する具体的な共感に支えられるもののみである。ローティ自身はそれを「他人の人生の細部への想像力による同一化」と呼んでいる[★49]。ローティはその「細部への想像力」についてつぎのような事例を挙げている。第二次大戦時のヨーロッパで、ナチスの圧政に抗い、隣人のユダヤ人を匿ったり逃亡を助けたりした多くのイタリア人やデンマーク人がいた。大きな希望を与えてくれる話だが、ローティはそこで、彼らは隣人が同じ「人間」だから、人類愛の精神に基づいて助けたのだろうかと問いかける。彼はそうではないだろうと答える。「人間」という観念は、命のリスクを冒してまで他人を助けるには抽象的すぎるからだ。現実に共感の引き金として働いたのは、このひとは同じミラノ人である、同じユトランド人である、同じ職業組合に属している、同じ幼な子を抱える親であるといった「細部への同一化」だったのではないか。多くのひとは、人類よりもはるかに小さな「わたしたち」にしか共感できない。これがローティの出発点だ。

しかしローティは同時に、その共感の範囲そのものが書き換えられ、拡大していく可能性にも注目している。イタリア人がユダヤ人を助けたのは、隣人が同じ幼な子を抱える親だからだった。ゆえに別の単身のユダヤ人は平気で見捨てた。確かにそういうことはあっただろう。けれどもそれは永遠の限界ではない。そこで手を差し延べた経験は、彼らの「わたしたち」の範囲を確実に変えていくからだ。実際にそのようにして倫理や常識は変わっていく。

---

★47 リチャード・ローティ『アメリカ 未完のプロジェクト』、小澤照彦訳、晃洋書房、2000年、41頁。ローティと保守思想の関係は長く複雑で、実際は『偶然性・アイロニー・連帯』以前にすでに保守だったともいえる。彼の最初の著作である『哲学と自然の鏡』はそもそもが、現代保守主義の代表的な哲学者、マイケル・オークショットへの言及で終わっている。

★48 岡本裕一朗『ネオ・プラグマティズムとは何か』、ナカニシヤ出版、2012年、92-93頁。

★49 *Contingency, Irony, and Solidarity*, p.190.『偶然性・アイロニー・連帯』、397頁。

ローティは、連帯の範囲は共感の経験そのものによって変化していくと考えていた。彼は、連帯とは「苦痛と屈辱の点における類似性に比較して(部族、宗教、人種、習慣そのほかの)伝統的な差異がどんどん些細なものにみえてくる能力」であり、「わたしたちから大きく異なった人々を「わたしたち」のなかに包含するものと考える能力」でもあると定義している[★50]。ひとは、他人の小さな苦しみを知ることによって、それまでこだわっていた大きな思想や価値観の差異が「どんどん些細なものにみえてくる」ようになる。そして「わたしたち」の内実もどんどん多様になっていく。ローティが希望を見出すのは、この漸進的な変化に対してである。だからそれはけっして現状の共感共同体への単純な居直りではない。

ローティは確かに民族中心主義を肯定するかのような文章を記している。けれどもそれもよく読むと両義的である。

ローティは、「わたしたちリベラル」について、それは「自分自身を拡張し、より大きな、いっそう多様性に富むエトノスを創造するために身を捧げる」集団であるべきなのだと記している[★51]。ここで「エトノス」とは民族や慣習を意味している。民族中心主義は英語ではエスノセントリズムで、語源的にはエトノス中心主義という意味だ。つまりローティはここで、「わたしたちリベラル」は、エトノス自身を拡張し多様化するエトノスであるべきだというじつに再帰的な定義を提案しているのである。「わたしたちリベラル」が民族中心主義的に肯定可能なのは、その民族=エトノスの内部に自己変革と自己拡張の契機が繰り込まれているがゆえなのだ。

ローティの書物は『偶然性・アイロニー・連帯』と題されていた。アイロニーと連帯と並び、「偶然性」という言葉も鍵概念となっている。

なぜ偶然性が重要なのだろうか。共感や想像力は「わたしたち」から出発するしかない。それがまずは彼の主張だ。

けれども他方で、ローティはその「わたしたち」の範囲が「偶然的」であることも繰り返し強調している。ぼくたちは確かに特定の国に生まれ落ちる。アメリカ人なり日本人なりに生まれ落ちる。それは避けられないし、そのかぎりで想像力の限界を抱える。しかし同時にその条件は、その想像力の範囲にはなんの必然性もないことも意味している。ぼくたちがアメリカ人だったり日本人だったりすることには必然性がない。したがってアメリカ人風に考えたり日本人風に考えたりすることにも必然性はない。その徹底した根拠の不在＝偶然性を自覚するのが、彼のいうリベラル・アイロニストなのだ。

だから、ローティの考えでは、逆に、ぼくたちはその根拠の不在を梃子にして、共感の範囲をいくらでも書き換えることができるはずだということになる。ぼくたちはみな「わたしたち」から出

★50 ibid., p.192. 同書、401頁。
★51 ibid., p.198. 同書、411頁。

発するしかないが、同時にその「わたしたち」の範囲はあまりにも根拠が薄弱なので、他者への共感を介していくらでも修正し拡張することができる。それがローティの思想なのである。

それゆえ、ローティの思想は、かりに保守主義と呼ぶとしてもかなり奇妙な保守主義だということになる。そこでは保守すべきものこそがたえず変化し更新されるというのだから。

この主張はふつうは逆説にしか聞こえない。だからこそローティは批判された。けれども、本論の読者にはすでにおわかりのように、これはたんなる逆説ではない。以上の思想は、前章まで見てきた家族論とみごとに呼応しているからだ。

ぼくはさきほど、本論がいう「家族」、つまり訂正可能性の共同体の構成原理には、強制性と偶然性と拡張性の三つの特徴があると記した。ローティが構想する新しい連帯はその三つの条件をみごとに満たしている。まずは連帯は「わたしたち」から始まる。ぼくたちは生まれ落ちる場を選択できず、したがって「わたしたち」の共感の範囲も選択できない（偶然性）。だからそれは強制的で排除的に感じられる（強制性）。けれども同時に、その「わたしたち」は輪郭が曖昧で、具体的な他者への共感によっていくらでも拡張することができる。「わたしたち」は、同じ「わたしたち」を保っていると信じたまま、内実を漸進的に変化させることができる（拡張性）。ぼくたちはすでに、ウィトゲンシュタインとクリプキの言語哲学を参照することによって、この三つの条件が人間の言葉やコミュニケーションの限界から必然的に導かれるものであることを確認している。ローティもまた、『偶然性・アイロニー・連帯』において、同じ条件に政治思想の言葉で辿りついた。クリプキもローティもともに、目のまえの他人が予想外の行動をとったとき、ひとは意外とその他人を「理解」できてしまうという弱点に注目し、それを逆に共同体の構成原理に取り込んだのである。

　したがって、ローティの思想は、閉じた社会に居直るものでも開かれた社会を目指すものでもない、つまり保守でもリベラルでもない第三の「家族的」な政治思想を考えるうえで、重要な参照点となる。

　ローティの思想は保守とリベラルの対立を超えている。いささか突き放していえば、にもかかわらず、彼がリベラルを自称したことで話がややこしくなったようにも思われる。とはいえ、かりに彼が保守を自認していたところで、話が単純になったとも思えない。

　あえて保守のなかに位置づけるならば、ローティの思想は再帰的保守主義とでも呼ぶしかないはずだ。そこでは保守すべきものがたえず再帰的に再構成されるものとして考えられている。それはそれで矛盾に響く。ローティは、リベラルを自称しようが保守を自称しようが、ともにふつうには矛盾と思われる議論を展開しており、だからこそ対立を超えているのである。

　ぼくたちは家族しかつくれない。閉じた社会しかつくれない。開かれた社会の構想は論理的な一貫性を維持できない。だからローティは「アイロニズム」などと言いだすしかなかった。

　しかし、ここまでの議論でわかるように、それは必ずしも閉ざされた社会に居直るしかないことを意味しない。なぜなら、閉じた社会は、けっして構成員自身が思うほどには閉じておらず、じつはあちこちに穴が空いていて、遡行的な訂正可能性によってつねに開かれた社会への圧力がかけられているからである。

もしも保守的な居直りを避けたいのであれば、ぼくたちはこれからはその圧力に希望を見出すことができるだろう。リベラルな「開かれ」にまっすぐ向かわなくとも、保守的な「閉ざされ」をたえず訂正し、再定義し続けることはできるのであり、そちらにこそ新しい政治思想の基礎を置くことができるだろう。ぼくたちはもはや、開かれていることだけを正義だと考えるべきではないのだ。

## 15

リベラルは開かれていることを正義だと考えている。それは「公共性」という言葉の理解によく表れている。

公共性について考えるとき、いまでもよく参照されるのは政治学者の齋藤純一が二〇〇〇年に出版した『公共性』である。齋藤は『偶然性・アイロニー・連帯』の訳者のひとりでもある。

齋藤はこの著作で、まず冒頭に「共同体が閉じた領域をつくるのに対して、公共性は誰もがアクセスしうる空間である」と記している[★52]。「公共性」と「共同体」を対置し、前者が開かれているのに対して後者は閉ざされているのだとするこの定義は、のちの多くの議論の前提となった。本論ではここまで公と私の対立を開放性と閉鎖性の対立に重ねてきたが、齋藤のこの書き出しに象徴されるように、その重ね合わせは政治学でも広く承認されている。「わたしたち」から始める保守の主張が反公共的にみえるのは、まずは、公共といえば開かれたものということの想定があまりにも常識化しているからなのである。

けれども、齋藤のこの定義そのものについていえば、じつはけっして純粋に学問的なものとはいえない。それは学問の外の力学も反映している。

齋藤自身が指摘しているように、公共性という言葉は、二〇世紀の半ばまで、彼らリベラルのなかでは積極的に言及されるものではなかった。状況が変わったのは一九六〇年あたりで、そのころにハンナ・アーレントの『人間の条件』、およびユルゲン・ハーバーマスの『公共性の構造転換』が相次いで出版されている。

それでも日本では「公」という言葉そのものに悪いイメージがあり、公共性は長いあいだ議論の対象にならなかった。それが冷戦が終わり共産主義への期待がなくなると、急にリベラルの注目を集めるようになる。同時に小林よしのりや西尾幹二といった新世代の保守論客が急速に台頭し、「公」や「公共」についてナショナリズムと結びつけて活発に議論するようになった。

齋藤の『公共性』はその状況を強く意識して書かれている[★53]。したがって、公共性を閉じた共

★52 齋藤純一『公共性』、岩波書店、2000年、5頁。
★53 同書、3頁参照。

同体（国家）と対立させ、開放性として定義するという齋藤の立論は、じつはそれ自体が、リベラルが保守からこの言葉を奪い返すために行なった企てのひとつだと解釈できる。実際そのあと、公共や公共性といった言葉はすっかりリベラルのものになり、二〇〇九年に誕生した民主党政権は「新しい公共」を政策の柱に掲げるまでになる。

それゆえ、保守が閉じた共同体を好み、リベラルが開かれた公共性を好むという対立そのものも、本当のところは最近つくられたものにすぎないといえる。だから本論では、まずは開かれていることを正義だと考えるのが正しいのか、そこから疑っていこうと提案しているのだ。

第一部を締めくくるにあたり、最後にいま名前を挙げた『人間の条件』を読みなおしてみることにしよう。同書は、二〇世紀を代表する政治哲学者、ハンナ・アーレントが一九五八年に出版した著作で、刊行から半世紀が経過したいまも公共性をめぐる議論では参照され続けている。

アーレントもまた、ふつうに読めば、開かれたものと閉ざされたものの対立を前提として思考し、公共性を考えるために家族を排除した哲学者である。

たとえば『人間の条件』には、「公的領域と私的領域、ポリスの領域と家政および家族の領域、そして共通の世界に関わる営為と生命の維持に関わる営為――これらそれぞれふたつのもののあいだの決定的な区別は、古代の政治思想がすべて自明の公理としていた区別である」という一節がある[★54]。

アーレントは、まさにここで参照されている「古代の政治思想」を理想とした哲学者だった。それゆえこの一節は、彼女が理想とする公共性（ポリス）が家庭（オイコス）の排除で成立するものであることをはっきりと示している。人間は、ポリスとオイコスを区別するからこそ、アリストテレスが定義したように「政治的動物」でありうる。それなのに近代においては「生命の維持」の価値があまりに高くなり、その区別が見失われてしまっている。これがアーレントの根底にある問題意識である。『人間の条件』は、公と私の境界をあらためて引きなおし、公的に生きることの重要性を訴えるために書かれた書物だった。

それではアーレントは、その公と私をどのように区別するべきだと考えていたのだろうか。

彼女はじつは公共性にふたつの異なった定義を与えている。ひとつは「現れ」による定義である。「［公共的であるということは］公に現れるすべてのものが、あらゆるひとによって見られ、聞かれ、可能なかぎり広く公示されることを意味する」と彼女は記している[★55]。公共のなかに現れることは、自分の行為が他人に見られ、聞かれるのを承認することである。見られ、聞かれたくないものは私的な領域に押し込めるほかない。公共性を開かれていることと同一視する考えかたがここから導か

---

★54　Hannah Arendt, *The Human Condition*, Second edition and Sixtieth anniversary edition, The University of Chicago Press, 2018, p.28. ハンナ・アレント『人間の条件』、志水速雄訳、ちくま学芸文庫、1994年、49-50頁。訳文は原文を参照し一部変更している。以下も同じ。

★55　ibid., p.50. 同書、75頁。

れる。齋藤の書物はこの規定を重視して書かれている。

しかしもうひとつの定義がある。そちらは「共通」「共同」による定義である。アーレントは、いまの引用の直後に公共性は「わたしたちすべてにとって共通なものとしての世界」のことでもあると記している。

アーレントのいう「世界」は自然環境のことではない。それは、「人間の工作物、人間の手による制作物、あるいは人間がつくりあげた世界のなかにともに住まう人々のあいだで生じるできごと」の総体、すなわち人間がつくる社会環境のことである。ひとは自分がつくったものに守られて生きている。そのような「工作物」には道具や彫刻のように物理的なものもあれば、法や文学のように抽象的なものもある。いずれにせよ、それらは個人が死んだあとも共通のものとして残る。だから公共性の基盤になる。アーレントはそう考えた。彼女は不死と公共性の関係について、「現世における潜在的な不死性へのこのような超越がないかぎり、いかなる政治も、つまり厳密にいえば、いかなる共通の世界もいかなる公的領域もありえない」と記している[★56]。こちらの定義は、開放性というよりも時間的な持続性と結びついている。

ふたつの定義はどうつながっているのだろうか。アーレントは『人間の条件』で、ひとが多数いるという事実をしばしば強調している。「この［人間の］複数性こそが、すべての政治的な生の条件であり、その必要条件であるばかりか最大の条件でもある」と彼女は記している[★57]。

人間が複数いること。この単純な事実こそが、アーレントの政治思想をもっとも深いところで支えている。ひとは私的な領域では隠れている。そして公共においてはじめて「現れる」。それこそが人間が人間らしく生きることの根幹だが、そこで「現れる」とは必ずだれかがいる空間のなかに現れるということである。ひとりきりで「現れる」ことはできない。

それゆえ、開放性としての公共性、すなわち「現れの空間」が機能するためには、まずは、現実に多数の多様な人々を受け入れている「共通の世界」が用意されていなければならないのだ。具体的には、古代ギリシアの都市国家に必ず併設されていた広場を想像すればよいだろう。広場という空間があり、それを囲む彫像や石碑があるからこそ、ひとは他者と触れあい、歴史を知ることができる。アーレントのなかでは、開放性と持続性はそのような理路でつながっている。

## 16

アーレントは公共性を、一方では開放的な「現れの空間」として定義し、他方では持続的な「共通の世界」として定義した。両者はまずは「人間の複数性」を蝶番にしてつながっている。けれども『人間の条件』をよく読むと、そのふたつの規定が微妙に齟齬を起こしていることにも

---

★56 ibid., pp.52, 55. 同書、78、82頁。ここで「現世における潜在的な不死性」と訳した語句は、英文では potential earthly immortality。

★57 ibid., p.7. 同書、20頁。

気がつく。

その齟齬を明らかにするためには、別の論点を導入しなければならない。『人間の条件』は、公共性の定義に加えて、人間が「活動的な生」を送るうえでの営為（アクティヴィティ）を三つに分類したことでも知られる書物である。アーレントの考えでは、人間的な営為は、労働（レイバー）、制作（ワーク）、活動（アクション）の三つに分けられる[★58]。

この区分はとても有名で、『観光客の哲学』でも参照している。だから詳しくは説明しない。とりあえずここでは、「労働」は肉体的な賃労働を、「制作」は職人的なものづくりを、「活動」は言語的なコミュニケーションを指す言葉と理解してくれればよい。

この三つの営為はけっして対等ではない。アーレントは、そのなかでもっとも重要で、もっとも人間的なものは「活動」だと主張した。ひとは労働でも制作でもなく、活動を通してのみ、公共に接続しひとりの人格として「現れる」ことができるというのである。あえて現代日本の例で置き換えれば、ひとは、小遣い稼ぎのためにコンビニでバイトしたり（労働）、自己満足のため孤独にイラストを描いたり（制作）しているだけではだめで、世間に出て、見知らぬ他者とともに共通の社会課題について語りあったり政治運動に参加したり（活動）するようになってはじめて、充実した生を送ることができる。これがアーレントの主張だ。

繰り返すがこの区分はとても有名で、いまでも暗黙にこの序列を前提に話をしている論者は多い。

けれどもぼくの考えでは、これはかなり問題のある主張である。その欠陥は哲学的な反論を組み立てなくても、二一世紀の社会の現状を考えるだけで直感的に理解できる。

労働が人間的ではなく価値が低いという主張はわからないではない。肉体労働にしろサービス業にしろ、多くの単純労働は機械に置き換えられる傾向にあるし、それが歓迎されてもいる。けれども問題は、手を動かす作品制作までも言論や政治参加に対して劣位に位置づけてしまっていることである。おそらくその序列は、市民といえばもっぱら言論を戦わせたり戦場に出たりするばかりで、日常の生活において家具を製作したり、彫刻を彫ったり、料理をしたり、楽器を奏でたりはほぼ奴隷に任されていた古代ギリシアの社会秩序を反映している。

しかしその発想はいまも通用するだろうか。現代ではクリエイティブ産業の影響力はとても大きい。映像作家にしろミュージシャンにしろファッションデザイナーにしろ、作品によってじかに社会を動かすクリエイターはたくさんいる。その影響はときに政治にも及んでいる。『人間の条件』

---

★58 「営為」の原語はactivity。原文では、人間のvita activaを支えるactivitiesが、labor、work、actionの三つに分類されると表現されている。志水速雄による邦訳では順に「活動力」「労働」「仕事」「活動」と訳されている。考えられた訳語ではあるが、「活動力」のひとつとして「活動」があるというのは日本語として混乱を呼ぶ。そこでここでは「営為」という言葉に訳した。workを「仕事」でなく「制作」と訳したのは、本章でも最後に言及しているように、アーレントがこの言葉をギリシア語のポイエーシスと等置しており、また彼女自身によるドイツ語訳でHerstellenと訳されているからである。workは「仕事」と訳すことができるが、ポイエーシスとHerstellenをそう訳すのはむずかしい。

をいまあらためて読むのであれば、活動と制作のこの序列は根本的に見なおす必要があるように思われる[★59]。

活動と制作のこの怪しげな序列は、さきほど紹介した公共性の定義にも入り込んでいる。アーレントは一方で、活動だけが公共性を構成できると主張している。ここでの公共性は「現れの空間」としてのそれである。彼女は「活動は、わたしたちすべてに共通である世界の公的な部分にもっとも密接な関係をもっているだけでなく、そのような部分を構成する唯一の営為である」とはっきりと記している。この「公的な部分」はすぐあとで「現れの空間」といいかえられている[★60]。

なぜ労働も制作も公共性を構成できず、活動しか公共性を構成できないのか。それは活動だけが「自分がだれであるかを示し、それぞれの唯一の人格的なアイデンティティを積極的に明らかにする」営為だからである[★61]。アーレントはそれを、活動においてのみ、「なに」(ホワット)ではなく「だれ」(フー)が問われるのだとも表現している。

どういうことだろうか。労働では「だれ」は問われない。これはすぐに理解できるだろう。労働者は、体力や技能など、さまざまな属性で比較され、必要があればすぐに交換可能な「労働力」にすぎない。あなたが休めばだれかがシフトに入る。

制作においてもやはり「だれ」は問われない。むろん作者名が大切な作品はある。現代美術などはとくにそうだ。けれどもそれはあくまでも例外的な事例であり、制作においては作品は原則的に作品自体の質で評価される。作者が匿名でも質がよければ流通するし、高い値段で売れる。それが制作のいいところでもある。

けれども活動においてはまったく状況が異なる。活動の典型は政治的な言論である。政治では「だれ」こそが死活的に重要である。同じ発言でも、発話者が異なれば受け取られかたはまったく異なる。同じことをいっても、批判されるひともいれば支持されるひともいる。いいかえればつねに「人格」が問われる。残酷なようだがそのような判断基準の多層化こそが人間の本質であり、その本質が極端に現れたのが政治の場だといえる。アーレントは、ひとがそのように人格でぶつかりあうことこそが、公共性の不可欠な条件だと考えた。それゆえ、労働でも制作でもなく、活動だけが公共性を構成できると主張したのである。

このホワットとフーの区別は、第二章で論じた固有名の問題とも関係している。齋藤はアーレントが提示する「現れの空間」の思想的な意味を、「表象の空間」と対立させることで説明している[★62]。

---

★59 この問題については別の場所で独立して論じたことがある。東浩紀「アクションとポイエーシス」、『新潮』２０２０年１月号。

★60 *The Human Condition*, p.198.『人間の条件』、３１９－３２０頁。

★61 ibid., p.179. 同書、２９１頁。

「現れの空間」と「表象の空間」のその対立は第二章の言葉を使えば、「固有名の空間」と「確定記述の空間」の対立といいかえることができる。ぼくたちはふつう、人間をさまざまな集団に分類している。このひとは女性だとか、高齢者だとか、外国籍だとか、障害者だとか、「表象」または確定記述をあてはめることで理解している。そもそも代議制がそのような理解に居直ることで成立している。けれども齋藤によれば、そのような政治は原理的に「表象の空間」しかつくれず、そのかぎりで公共性をつくれない。本当の公共性は、表象による分類を経ることなく、市民ひとりひとりを「ひとつの人格」として、いかなる確定記述にも還元できない固有名として受けとめる空間として構想されなければならない。それが齋藤が説くアーレントの公共性論の可能性である。

社会が開かれているとは、すべてのひとが固有名として尊重されることを意味する。これは確かに美しい理想である。アーレントの公共性論はリベラルな論者のあいだではそのように理解されている。

しかし、人間をいかなる集団にも分類せず、あらゆる市民に対して固有の人格として接する政治や統治なるものは、本当に実現可能だろうか。

ひとに固有の人格として接することはコストもリスクも高い。全員にはできない。現実的に考えれば、行政にできるのはそのように接するひとをできるだけ多くすることぐらいである。だとすれば、それは結局は、「固有の人格として接すべき人々」といった新しい分類を生み出すことにしかならないのではないか。アーレントが理想とした古代ギリシアの公共性が女性や奴隷を排除していたことを考えれば、これは具体的にありうる話である。そしてそれは同時に、あらゆる閉ざされた社会を否定し、開かれた世界を目指す議論が、それ自身閉ざされたものにしかならないという本論が指摘してきたリベラルの逆説、その反復そのものでもある。

とはいえアーレントの公共性論は以上で尽きるものではない。すでに述べたように、『人間の条件』では公共性にもうひとつの定義が与えられている。持続性による定義である。

そしてアーレントはそちらでは、こんどは公共性は活動だけでは構成でき、な、い、と主張しているようにみえる。

どういうことだろうか。ぼくたちは制作によってものをつくる。ものには客観性があり、制作者が死んだあとも持続的に存在する。その持続性こそが「共通の世界」に公共性を与える。それが『人間の条件』の基本思想だった。

ではそれは前述の人間的営為の三区分とどう関係しているのだろうか。ここで注目すべきは、じつは労働も活動も、ともにそのような持続性を与える機能をもたないということである。

アーレントの考えでは、労働の生産物は、その定義上、労働者の生命を維持するため消費され消

★62 『公共性』、40頁以下。

えてしまうものにすぎない。乱暴に要約するならば、バイトでもらった賃金が生活費にすべて消えるような事態を想像すれば理解しやすいだろう。他方で活動の生産物も残らない。活動とは、相手や状況の固有性に応じて生成されるコミュニケーションのことだからだ。それは、あくまでも特定の状況で、特定の他者に向けて発せられるものなのであり、それを超えた持続性はもたない。ではどのような営為が持続可能なものを残すことができるのかといえば、それは制作である。「持続性と耐久性がなければ世界はありえないが、それを世界に保証するのは制作の生産物である」とアーレントははっきりと記している[★63]。

ぼくはさきほど、開放性としての公共性は物理的に持続する世界を前提とすると述べた。したがってこの記述は、アーレントが公共性について、さきほど引用した断言とは裏腹に、けっして活動者の言論のみで支えられるものではないと考えていたことを示唆している。ひとが人格として触れあう「現れの空間」が開かれたとしても、それを「共通の世界」として持続させるためには、どうしても制作者たちのものづくりの助けが必要なのだ。

アーレントはつぎのようにも記している。「活動し言論する人々は、〈工作人〉[制作するひと]の最高の能力における助けを必要としている。つまり、芸術家、詩人、歴史編纂者、記念碑建設者、作家の助けを必要としている。なぜならば、その助力なしには、彼らの営為の生産物、すなわち彼らが演じ語る物語は、けっして生き残ることができないからである」[★64]。ここで言われていることは明確である。政治家や哲学者は確かに公共性を担う。彼らは言葉で他者と触れあう。しかしその営みはそれだけでは消えてしまう。それが歴史になるためには、本が書かれ、記念碑が建てられ、ものづくりが行われなければならない。本当の公共性は、活動と制作が組み合わされなければ実現しないのである。

以上のように、アーレントは一方では公共性は活動だけで構成されると主張しながら、他方では活動だけでは構成されないと主張していたように思われる。

なぜこのような混乱が起きたのか。おそらくそれは、前述のように、制作と活動の序列化があまりに乱暴だったために生じている。『人間の条件』という著作の全体は、公と私という二項対立に基づく公共性をめぐる議論と、活動と制作と労働という三項鼎立に基づく人間的営為をめぐる議論のふたつの柱から成立している。ふたつの論点は必ずしも重ならない。にもかかわらず、アーレントは両者を強引に重ねようとし、活動は公的な領域に開かれた営為で、労働は私的な領域に閉じ込められた営為だという単純な対応を採用したため、第三項である制作の果たす役割について語りにくくなってしまったのではないか[★65]。

とはいっても、『人間の条件』をきちんと読めばわかるように、その役割はけっして語られていない

★63 *The Human Condition*, p.94.『人間の条件』、148頁。
★64 ibid., p.173. 同書、273頁。

ないわけではない。そしてその点に注目することで、アーレントの公共性論もよりいっそう豊かに理解できるというのがぼくの考えである。

アーレントは公共性を開放性のみで定義したのではない。開放性と持続性によって定義した。開放性としての公共性は活動によって可能になり、持続性としての公共性は制作によって可能になる。開だとすれば、公共性の質は、活動と開放性だけでなく、制作と持続性の観点からも判断されなければならない。

そしてぼくは、このように理解したアーレントの公共性こそが、まさに本論が論じてきた訂正可能性の概念と深く関係していると考えている。これが本論で最後に提示したい論点である。

## 17

活動は制作の助けがなければ残らない。それはいいかえれば、活動の成果が「共通の世界」の構成要素になるかどうかを決めるのは、活動を担うひと自身ではなく、制作者というまったく別のタイプの人々だということである。政治家や言論人の価値は、「芸術家、詩人、歴史編纂者、記念碑建設者、作家」など、ものづくりに関わるひとの働きで決まるのだ。

アーレント自身が、じつは活動者は自分の固有性をわかっていないと記している。「活動の完全な意味が明らかになるのは、ようやくその活動が終わってからのことであ」り、「活動と言論においてひとは自己を開示するが、じつはそのときも自分がなにものであるかは知らないし、どのような「だれ」を暴露することになるのかもまえもって予測することはできない」［★66］。

これはとても重要な記述のように思われる。前述のように、いままでのアーレント理解では、「現れの空間」ではひとは「なに」ではなく「だれ」として向かいあうのであり、そこが「表象の空間」のコミュニケーションとは異なるとされていた。それなのに、じつは活動者自身も自分が「だれ」かがよくわからないのだとしたら、「現れ」と「表象」の対立そのものが怪しくなる。アーレントは同じ箇所でつぎのようにも記している。「活動者自身の説明は〔……〕重要性と信頼性の点で、歴史家の物語にけっして匹敵することはできない。〔……〕物語が活動によってかならず生み出されるものだとしても、その物語を感じとり「つくる」のは活動者ではなく物語作家のほうなのだ」。この記述は、アーレントがじつは、自分が「だれ」であるか、たとえ活動者自身による提示

★65　ぼくはここで、哲学者のジャック・デリダが論じたパロール（話し言葉）とエクリチュール（書き言葉）の関係を思い浮かべながら議論を展開している。デリダは『エクリチュールと差異』そのほかで、パロールはエクリチュールなしには存在できない、にもかかわらず西洋哲学はつねにパロールを特権視し、あたかもエクリチュールがなくても単独で存在できるかのように思考を展開してきたと指摘していた。ここで観察されるのはまさにそれと同じ排除である。パロールがエクリチュールなしには存在できないように、活動も本当は制作なしには存在できない。アーレント自身もそう書いている。にもかかわらず、彼女は同時に、活動が活動だけで存在し、公共性を構築できるかのように議論してしまっているのである。

★66　*The Human Condition*, p.192.『人間の条件』、３１０－３１１頁。つぎの段落の引用も同じ。

があったとしても、物語作家のような制作者によっていつでもそれは訂正されうるし、またそのほうが力が強いと考えていたことを示している。

ひとはふつうは属性に閉じ込められている。けれども「現れの空間」では固有の人格として現れることができる。リベラルはそのように主張してきたが、本当は「現れ」だけでは公共性は成立しない。公共性は、「現れの空間」に現れた固有の人格なるものを、制作者という他者が記録して「共通の世界」のなかに定着させることではじめて生まれるのだ。そしてそこでは制作者が活動者の自己理解を訂正してしまうこともありうる。アーレントはそう主張している。

これはとてもわかりやすい話だ。活動者は自分が「だれ」であるかを訴える。たとえば、自分はいままでの政治家とは違う、社会を変える、だから投票してくれと有権者に向けて訴える。けれどもその自己理解が正しいかどうか決めるのは、あくまでも後世の歴史家だ。いくら正しく行動したつもりでも、時代とともに倫理基準が変わり、おまえはじつは腐敗していた、じつは差別主義者だったと言われたら、それには原理的に反論できない。アーレントが主張しているのは、ひらたくいえば、公共性にはそういう残酷な性格があるということである。そしてそれはまさに、本論がクワスやソクラテスの例を出して論じてきた言語ゲームの性格そのものでもある。アーレントの公共性論は、制作と持続性の論点を導入することで、ウィトゲンシュタインとクリプキの洞察にかなり近づけて理解することができる。

アーレントがウィトゲンシュタインについてなにを語っているのか、ぼくは詳しく知らない。おそらくあまり接点はないだろう。クリプキの著作はそもそも彼女の死後に刊行されている。けれどもアーレントの政治思想は、彼らの言語哲学を参照すると、まったく新しく読みなおすことができるかもしれない。

アーレントは、社会の基礎にある公共性を、訂正可能性に支えられた持続的な共同体、すなわち「家族」として構想していた。

ぼくはそのように考えてみたいが、これは研究者には暴論に聞こえるだろう。さきほども記したように、彼女はそもそも、ポリスをオイコスから、つまりは公共性を家政から切り離すべきだと主張していたはずだからだ。

けれども、そのような理解を許す余地がまったくないわけではない。アーレントの政治思想は、たくさんの人間がいるという単純な事実をとても重視している。人間がたくさんいるということは、人間が生まれているということである。ひとがたえず新しく生まれ、新しい思考の可能性とともに参入してくることこそが、公共性を支えている。彼女は、子が生まれ、ひとが増えるというその単純な事実が、思想的にとてつもなく重要であることを理解していた数少ない哲学者のひとりだった[★67]。それはもしかしたら、彼女がユダヤ人で、ホロコーストを逃れてアメリカに渡った経験と関係するのかもしれない。

人間が多数存在することが、意見の多様性を生み出し、公共性を準備する。アーレントはまずはその複数性を維持する条件について考えた。そう理解すれば、彼女の真の関心はポリスとオイコスの区別よりさらに深く、世界の持続性そのものにあったのだとも解釈できる。

ここでは触れることしかできないが、実際にアーレントはさまざまな著作で持続性の問題こそを中心に議論している。たとえば『人間の条件』の五年後、一九六三年には『革命について』という著作を発表している。同書はひとことで要約すれば、フランス革命を低く評価し、アメリカ独立革命を高く評価する著作である。なぜふたつの革命が対照的に評価されるのかといえば、アーレントの考えでは、前者が革命という熱狂の記憶しか残さなかったのに対して、後者が合衆国憲法と共和制という「公的見解を形成するための永続的な制度」を残したからである[★68]。あるいはまた晩年の一九七〇年に行われたカントの政治哲学をめぐる講義も、この点で注目すべき仕事である。アーレントはそこではこんどは、公共的な言論が成立するためには、「読者」や「観客」が必要になると論じている[★69]。

アーレントは革命の熱狂を評価しなかった。その理想が新しい制度に定着しなければ評価しなかった。同じように開かれた議論があるだけでは満足しなかった。読者や観客がいて、未来に伝えられなければだめだと考えた。

世界が持続すること。ひとが生まれ、ものがつくられ、歴史がつながっていくこと。その肯定から始まるアーレントの政治思想は、彼女自身が家族という言葉を使わなかったとしても、ぼくにはまさに「家族の哲学」の名にふさわしいように思われる。開かれているとか閉じられているとかは、そのあとにくる話だ。

アーレントはじつは『人間の条件』で、制作を「ポイエーシス」というギリシア語でいいかえている[★70]。それは哲学ではよく知られた言葉で、日本語で「詩作」とも訳される。そしてそれはまた、本論のはじめで参照したプラトンが、『国家』で理想国家の実現のために排除しようとした概

---

★67 『人間の条件』の冒頭にはつぎのような一文がある。「可死性［mortality］ではなく出生［natality］こそ、形而上学的思考と区別される政治的思考の中心的カテゴリーであろう」。ibid., p.9. 同書、21頁。おそらくはアーレントはここで、形而上学的思考という言葉でハイデガーの存在論を示唆している。ハイデガーは人間＝現存在について、固有の死から考えることの重要性を説いた哲学者だった。他方でアーレントは、まずは出生について考える。

なお、アーレントにおける出生の概念については、戸谷洋志と百木漠の共著『漂泊のアーレント　戦場のヨナス』が参考になる。慶應義塾大学出版会、2020年。同書はハンス・ヨナスの哲学との比較を通して、出生の概念が、アーレントのなかで不安定で逆説的な位置を占めていることを鋭く抉り出している。その不安定さはおそらく本論で検討している制作の概念のそれと重なる。パロールはエクリチュールに依存し、活動は制作に依存し、ポリスはオイコスに依存し、政治は出生に依存する。けれども同時に、パロールについての思考はエクリチュールを消し、活動についての思考は制作を消し、ポリスについての思考はオイコスを消し、政治についての思考は出生を消してしまうのである。

★68 アーレントはつぎのように記している。「［大衆の］意見はフランス革命とアメリカ革命の両方で発見されたが、共和政の構造そのもののなかに、公的見解を形成するための永続的な制度をつくりあげる方法を知っていたのはアメリカ革命だけであった」。ハンナ・アレント『革命について』、志水速雄訳、ちくま学芸文庫、1995年、369頁。

★69 ハンナ・アーレント『カント政治哲学の講義』、ロナルド・ベイナー編、浜田義文監訳、法政大学出版局、1987年、91頁以下参照。

★70 *The Human Condition*, p.195f.『人間の条件』、315頁以下。

念としても知られている。プラトンは、ポイエーシスに携わる人々、すなわち「詩人」は、守護者たちの心を乱すので追放されねばならないと語っていたのである[★71]。

プラトンは国家から家族を排除しただけではない。ものづくりも排除していた。開かれた社会を目指し、言葉だけを操っていればよいというリベラルの錯誤は、二四〇〇年前の哲学者から現在まででまっすぐにつながっている。本論のアーレント読解が、その伝統に楔を打ち込む助けになればよいと思う。

第一部を閉じるにあたり、とりあえずの結論を記しておきたい。ぼくはここまで、市民社会と家族、開かれた公と閉ざされた私、リベラルと保守といった対立を脱し、共同体のありかたについて考えるためには、ウィトゲンシュタインとクリプキの哲学から引き出せる「訂正可能性」の考えかたに注目し、家族の概念を再構築することが必要であると論じてきた。

共同体の同一性がたえず訂正され続けるということ。それは共同体が持続可能だということでもある。最近のリベラルは開放性についてばかり考えてきた。そしてあまりにも持続性に無頓着だった。

ぼくは『観光客の哲学』で「マルチチュード」という概念に触れている。哲学者のアントニオ・ネグリが一九九〇年代に提示したもので、グローバルな市民がつくる新しい連帯を意味している。従来の党や市民運動とは異なるかたちの組織原理だとされ、一時期はずいぶんともてはやされた。

けれども残念なことに、ネグリの提案から四半世紀以上が経ついまになっても、そのマルチチュードなるものがどのように組織化されるのか、なにを理念として掲げるのか、左派の哲学者はまともな理論をなにひとつ生み出すことができていない。その理論の欠如はあまりに深刻なので、逆に最近ではシャンタル・ムフのように、ポピュリズムに期待するしかないといった議論まで現れるようになっている[★72]。実際いまの左派は、気候変動にせよジェンダー問題にせよ、メディアと組んでポピュリズムを演出することにはずいぶんと長けている。抗議運動は世界中でおしゃれなものになり、若者や芸能人がこぞって参加するようになった。その盛り上がりは一部の学者やメディア人には新たな希望にみえるのかもしれない。けれども祭りは祭りにすぎない。多数派の意見を変えたりはしない。かりに左派が、長期的な戦略なく一時の流行に乗って事足れりとするのであれば、それはかつてアーレントが指摘したような、熱狂のみを追い求めたフランス革命の失敗を反復するだけに終わるだろう。少なくとも日本では、本章冒頭で記したとおり、この一〇年で左派あるいは

---

★71　605B以下。『プラトン全集』第11巻、718頁以下。

★72　たとえばムフはつぎのように記す。「左派ポピュリズム戦略は、いっそうの民主的な秩序を求める共通の感情に支えられた、集合的意志の結晶化をめざしている。この戦略が要求するのは、新しい同一化の形式をもたらす言説的／情動的な実践への書き込みを通じて、欲望と感情の様々なレジームを創出することである」。シャンタル・ムフ『左派ポピュリズムのために』、山本圭、塩田潤訳、明石書店、2019年、103頁。じつに抽象的である。ぼくたちが必要としているのは、その肝心の「レジーム」が具体的にいかなるものになるべきなのか、その指針となる哲学なのだ。

リベラルと呼ばれる勢力は驚くほど衰退した。原因の一端は、まちがいなくそのようなポピュリズム志向にある。

したがってぼくは、いまのリベラルの言語には、組織や運動の持続可能性の視点がもういちど強力に導入されるべきだと考える。最後のアーレントの読解はそのような問題意識のうえで行われている。

政治が目指すべき公共性は、開放性の場としてだけではなく、同時に持続可能な場として、したがって訂正可能性の場としても構想されなければならない。それが第一部の結論である。

理想の政治は、あらゆる法、あらゆる偏見、あらゆる差別、あらゆるイデオロギー、あらゆる友敵の分割を乗り越えるものでなければならない。本書の議論はそのような信念のうえに組み立てられている。その点ではリベラルの側に立つ。

けれども同時にぼくは、その理想は、歴史の蓄積を否定するのではなく、つまり「リセット」するのではなく、過去の不条理さをあるていど許容しつつ、しかし同時につねに訂正可能性に開いていくような、持続的な運動を経由して実現されるほかないと考える。その点では本書はリベラルから離れている。そのような諦念は、リベラルからすれば、保守的であり、また現状追認として非難されるものでもあろう。しかしぼくは、それだけが現実的な社会変革の態度だと考える。ぼくたちは、「リベラルなアイロニスト」として、あるいは再帰的な保守主義者として、伝統を守るために変える、あるいは変えるために守る、そのような両義的な態度をもって社会に接さなければならない。おそらくは、それだけが人間にできることなのである。

かつてジャック・デリダは、脱構築とは正義のことだと記した[★73]。それに倣えば、ぼくの考えは、正義とは訂正可能性のことだと表現できるかもしれない。人間はつねに誤る。正義はその訂正の運動でしかない。正義は、開かれていることにではなく、つねに訂正可能なことのなかにある。

---

蛇足ながら、本書のスタイルについて短く記しておきたい。ぼくはこの第一部を、ポパーのプラトン解釈から始め、トッド、ウィトゲンシュタイン、クリプキといった人々を経て、最後はローティとアーレントの再解釈で締めた。続く第二部でも同じようなスタイルで議論を進めている。人文学は過去のアイデアの組み合わせで思考を展開する。だからこのようなスタイルはよく見られるものではある。

とはいえ本書の参照元は、時代も言語もジャンルもあまりにばらばらに散っている。その点で違和感を抱いた読者も多いだろう。本書はクリプキとローティやアーレントを自在に組み合わせているが、彼ら自身が相互に参照しているわけではない。連結を支えているのは結局のところはぼくの

---

★73 ジャック・デリダ『法の力』新装版、堅田研一訳、法政大学出版局、2011年、34頁。

直感である。このような読解はいまでは歓迎されない。専門家からすれば根拠のないアクロバットにすぎないだろうし、逆に一般の読者からすれば不必要に哲学者の名前を並べた迂遠なものにみえるだろう。

にもかかわらず、あえてこのようなスタイルを採用したのは、それこそがいま哲学の再生のために必要だと思われたからである。

二〇二三年のいま、日本では人文学の評判は落ちるところまで落ちている。言論人や批評家にかつての存在感はない。有名な学者もほとんどいない。世に出てくる文系学者といえば、活動家まがいの極端な政治的主張を投げつける目立ちたがりの人々ばかりだ。ＳＮＳを開けば、文系はバカだ、非科学的だ、役にたたない、他人の仕事にケチをつけているだけだといった罵詈雑言が溢れている。ぼくは文系学部の出身だが、もしいま一〇代の高校生だったら進学先に文系を選ぶことはありえなかっただろうと、そのような言葉に接するたびに真剣に思う。

人文学は信頼を回復しなければならない。人文学には自然科学や社会科学とは異なった役割があることを、きちんと論理的に伝えなければならない。じつは本論はそのような意図でも書かれている。

前述のように、人文学は過去のアイデアの組み合わせで思考を展開する。自然科学のように実験で仮説を検証するわけではない。社会科学のように統計調査を活用するわけでもない。プラトンはこう言った、ヘーゲルはこう言った、ハイデガーはこう言った……といった蓄積を活用し、過去のテクストを読み替えることで思想を表現する。すべての人文学がそうではないと反論されるかもしれないが、少なくともその中心を担ってきた大陸系哲学はそのようなスタイルを採る。

人文学のこのようなスタイルは、現在では否定的に評価されることが多い。それは非科学的で権威主義的で、ときにカルト的にすらみえるからだ。そのとおりのこともある。

けれどもぼくの考えでは、人間はけっしてそんな怪しげな営みを破棄できない。なぜならば、その「カルト的」なスタイルは、じつは人間が言語を用いて思考するかぎり避けることができない、ある条件を凝縮して反映したものにすぎないからである。その条件が、まさに本論で「訂正可能性」と呼んできたものである。

ぼくたちは単純な加法ですら完全には定義できない。クリプキの懐疑論者を排除できない。だとすれば、真理や善や美や正義といった厄介で繊細な概念について、同じようにすべてをひっくり返す懐疑論者の出現をどのようにして排除することができるだろうか。人文学者はそのことをよく知っている。それゆえ人文学は、すべての重要な概念について、歴史や固有名なしの定義など最初から諦めて、先行するテクストの読み替えによって、すなわち「訂正」によって、再定義を繰り返して進むことを選んでいるのである。それは結果的に、先行者の業績を無批判に尊重する、非科学的で権威主義的なふるまいにみえる。しかしけっしてそれが目的なわけではない。

だからぼくは本論で、訂正可能性について理論的に語るとともに、またその訂正の行為を「実践」しなければならないと考えた。ぼくはこの第一部で、家族や訂正可能性について「正しい」理解を提案したのではない。ぼくが行なったのは、ウィトゲンシュタインの哲学を訂正し、ローティの連帯論を訂正し、アーレントの公共性論を訂正する……といった訂正の連鎖の実践である。だから本論の結論も、いつかまた読者のみなさんによって訂正されるかもしれない。その可能性は排除できない。むしろその排除の不可能性こそが人文学の持続性を保証するのだ。

人文学がこのようなスタイルをとるのは、けっして人文学者が愚かだからではない。人間はそもそもそのようにしてしか思考できないのだ。人文学が消滅するときがあるとすれば、それは人間が人間でなくなり、ウィトゲンシュタインとクリプキの指摘が無効化されるときなのではないかと思う。

人間が人文学を原理的に破棄できないということ。続く第二部では、それを民主主義の問題として考えてみよう。

# 第2部　一般意志再考

# 第5章 ― 人工知能民主主義の誕生

第二部では、現代世界が直面する民主主義の危機を概観したうえで、それを「訂正可能性」の論理を用いていかに克服するかを論じる。第一部と同じく独立して読める議論になっているが、こんどは二〇一一年に刊行した『一般意志2・0』という著作の主題を引き継いでいる[★1]。

この第二部は二〇二一年の末から二〇二三年の春にかけて断続的に書かれた。それは、新型コロナウイルスが引き起こした混乱が、弱毒性変異株の出現によって徐々に収束し始めた時期にあたる。二〇二〇年からほぼ三年間続いたこの混乱を後世がどう総括するのか、現時点では予想がつかない。パンデミックの初期には、これをきっかけに現代文明は大きく変わるといった言説がメディアを席巻していた。とはいえ、なにごとにせよ当事者は事象を過大評価するものである。終わってみれば意外とあっさりした位置づけになるかもしれない。二〇二二年二月に勃発したロシアによるウクライナ侵攻は、すでにコロナ禍の印象を霞ませつつある。

ただこの時点でもひとつだけはっきりしていることがある。それは、このパンデミックが、現代世界がパニックに弱いことを示したということである。

新型コロナ感染症は、確かに既存の風邪よりも致死率が高く感染力も強い。けれども天然痘やエボラ出血熱のように致死率が高いわけではなく、はしかのように感染力が強いわけでもない。若年層では無症状のまま治癒する例も多く、一瞬で社会が崩壊する類の感染症でなかったことは明らかだ。

にもかかわらず、世界中で恐怖心を煽る報道が相次ぎ、各国は超法規的な強権発動を繰り返すことになった。科学者や医療従事者の冷静な声も、大衆の恐怖を抑えるためには役に立たなかった。否、この三年のあいだに明らかになったのは、むしろ科学者や医療従事者もパニックに陥るということだった。むろん現代医学の貢献はいくら強調してもしすぎることはない。ECMO（体外式膜型人工肺）の存在は死者の数を大きく抑えたし、ワクチンは感染拡大防止に決定的な役割を果たした。けれどもパンデミックの初期においては、なにが感染防止に効果的なのかだれにもわからず、それ感染拡大の予測も正確ではなかった。にもかかわらず、一部の専門家は過剰な統制を要求し、それが無批判に採用される傾向にあった。緊急時だからやむをえないとの意見もあるが、国境封鎖や都市封鎖（ロックダウン）、外出禁止といった強力な私権制限が、世界各国で法的根拠や経済的損失がほとんど議論されずに導入されたことには大きな問題がある。とくに日本では、科学的とはいえない怪しい政策が「自粛」の名のもと場当たり的に発出され続けてきた。後世から振り返ったとき、こ

---

★1　東浩紀『一般意志2・0』、講談社、2011年。講談社文庫、2015年。以下参照は文庫版から行う。

のパンデミックでもっとも記憶されるのは、医学の勝利でも人類の叡智でもなく、この「ドタバタ感」ではないだろうか。

なぜ人々はかくもドタバタしてしまったのか。医療への過剰な期待、SNSでの無責任な情報拡散、最初の症例報告があった中国への不信感、ハリウッド映画に代表される扇情的な映像文化の影響など、多くの原因を挙げることができる。今後はそちらについても検証が進むことだろう。

けれども、その前提のうえで、ぼくがここで出発点として考えてみたいのは、その混乱のもつ思想史的な意味だ。

ぼくにはそれは、この四半世紀、情報技術の進歩とともに拡大し続けてきた過剰な人間信仰に対し、強烈な冷や水を浴びせかける経験だったように思われる。そして現代の民主主義の困難は、じつはその信仰と深く関係している。

## 1

あまり指摘されないのだが、二〇一〇年代は思想史的には「大きな物語」が復活した時代だったといえる。

ここで「大きな物語」とは、人類史には大きな流れがあり、学問にせよ政治にせよ経済にせよ、その終極＝目的（エンド）に奉仕するのが正しいという考えのことである。ひらたくいえば、人類はまっすぐ進歩しており、それについていくのが正しいという考えかただ。二〇世紀においては共産主義がそんな大きな物語として機能した。それはまさに、人類社会の終極＝目的として、資本主義の終焉と共産主義の到来を謳い上げた思想だったからである。

けれどもそのような思想のありかたは、一九七〇年代あたりから批判されるようになった。批判のひとつがポストモダニズムと呼ばれる動きだ。

そして二〇世紀が終わるころには、そもそもソ連が崩壊したこともあり、大きな物語のような発想はほとんど支持されなくなった。一九七一年生まれのぼくは、学生時代にまさに「大きな物語の終わり」を叩き込まれた世代にあたる。人類の歴史にまっすぐな進歩なんてないし、なにが正しくなにがまちがっているかについても単純に判断できるわけがない。それがぼくの世代の本来の常識だ。

ところが二一世紀に入ると、その大きな物語の発想が新たな装いのもとで復活し始める。ただしこんどの物語の母体は、共産主義のような社会科学ではない。情報産業論や技術論である。支持母体も政治家や文学者ではなく、起業家やエンジニアだ。ひとことでいえば、文系の大きな物語が消えたと思ったら、理工系から新しい物語が台頭してきたわけである。

たとえば二〇一〇年代の流行語に「シンギュラリティ」という言葉がある。辞書どおりに訳せば「特異点」という意味になる英語で、人工知能（ＡＩ）が人類の生物学的な知能を超える転換点、あるいはその転換によって生活や文明に大きな変化が起きるという思想を意味する。この数年で日本のマスコミも頻繁に話題にするようになったので、耳にしたことのある読者は多いだろう。最近ではエンジニアやビジネスマンだけでなく、政治家も語っている。

しかしこの言葉の使用には注意が必要である。むろん人工知能の普及が生活や産業を大きく変えるのはまちがいない。けれどもシンギュラリティは、けっしてそのような常識的見解だけを意味する言葉ではない。

シンギュラリティという言葉が注目されるようになったのは、アメリカの未来学者、レイ・カーツワイルが二〇〇五年に出版した『シンギュラリティは近い』という著作がきっかけだといわれている。日本では『ポスト・ヒューマン誕生』という題名で翻訳されている。この訳題が端的に示しているように、そこでカーツワイルは、人工知能は二〇四五年には人類の知性を超えると予言している。この予言はよく引用される。二〇四五年といえばわずか四半世紀後である。今年生まれた子どもが大人になるころには機械が人間を超えるといわれれば、だれでもたいへんなことだと感じる。

けれどもカーツワイルの本を実際に読んでみると、その根拠はかなり単純なものであることに気がつく。彼の未来予測を支えているのは、情報技術の進歩は速度を増しており、同じ傾向はこれからも続く、したがってあと四〇年もすれば驚くほどコンピュータの力は増しているはずだ、というそれだけの直感にすぎない。

確かに集積回路の開発史には「ムーアの法則」と呼ばれる有名な経験則がある。この半世紀、コンピュータの計算速度は指数関数的に上昇し続け、メモリの価格も指数関数的に低下し続けてきた。それは事実である。

けれども集積回路の縮小には量子論的な限界がある。加えてそもそも知性と呼ばれるものが、いまのコンピュータのかたち（フォンノイマン型アーキテクチャ）を維持したまま計算量の拡大だけで再現できるかどうかも、理論的に未知数である。けれどもカーツワイルはそのような問題をまったく考慮せず、すべての問題は計算力の増加が解決すると仮定している。そして二〇三〇年代には脳の完全なスキャンとデジタル化が可能になり、二〇四〇年代には人間の知性を生物学的な限界を超えて拡張することが可能になると主張するのである。

ぼくにはそれは、かつて一九六〇年代や一九七〇年代にカーツワイルと同じように「未来学」を喧伝していた人々が犯した誤りを、無自覚なまま繰り返しているように思われる。当時は、ライト兄弟の初飛行からわずか半世紀強で人工衛星が打ち上げられ、アインシュタインが相対性理論を発見してからわずか四〇年で原爆ができたという事実がよく言及されていた。その進歩の速度は破壊的で、だとすれば二一世紀にはスペースコロニーが浮かんでいるに違いないし、核融合もすぐに実現するに違いないと、みながまことしやかに語っていたのである。技術はいままでこれだけの速度で進歩してきた、したがってこれからも同じように進歩するに違いないといった成長曲線の外挿の発想は、基本的にたいへん怪しい。

このように記すと、いやいや、情報技術の指数関数的成長の本質はまさにそのような常識を超えるところにあるのだ、だから懐疑には意味がないのだと反論するかたがいるかもしれない。ビジネス書にはしばしばそのようなことが大まじめに書かれている。常識を捨てて信じるのが大事だといわれれば、なにも返す言葉はない。

とはいえ、たとえカーツワイルの予測のいくつかが正しかったと認めたとしても、彼がたいへん夢想的な人物であることは否定できない。彼の著作を読み通せばわかるように、カーツワイルはシンギュラリティの到来を、身体を脱ぎ捨てた超知性が太陽系を超え光速を超えて広がり、やがては宇宙全体を覚醒させるといったおそろしく壮大な歴史のなかに位置づけている[★2]。人工知能が人間の脳を超えるのは、知性の宇宙的進化の第一歩にすぎないというのだ。これはどう考えても政治やビジネスの指針となる話ではない。

カーツワイルの著作は神秘思想として読まれるべきものである。思想史的には、一九世紀ロシアのニコライ・フョードロフや二〇世紀フランスのピエール・テイヤール・ド・シャルダンに連なるような、宇宙主義的哲学の復活として位置づけられるべきものだろう。にもかかわらず、そのような主張があたかも堅実な未来予測のようにして政治家や経営者によって議論されている。そこに問題がある。

二〇一〇年代には、カーツワイルに続くかたちで多数の空想的な議論が現れた。たとえばニック・ボストロムという哲学者は、かりにシンギュラリティが到来して人工知能が意識を獲得したのだとすると、彼らは圧倒的な知性をもって自己保存に邁進するはずで、それゆえ結果として地球全体の資源を独占し人類を絶滅させてしまう可能性がある、だとすれば人類はいまから対抗策を考えておくべきだと警鐘を鳴らし一部メディアの注目を集めた[★3]。これなどはSFそのものである。にもかかわらず、ビル・ゲイツやイーロン・マスクといった名だたる人々が、真に受けて声明を発していた。

日本の例も挙げておこう。二〇一〇年代に強い影響力をもった思想家に落合陽一がいる。落合は大学に籍を置いて研究するだけでなく、エンジニアでアーティストでもあり、みずからベンチャー企業も経営しているという新しいタイプの知識人である。行政にも深く関与しており、二

---

★2　レイ・カーツワイル『ポスト・ヒューマン誕生』、井上健監訳、NHK出版、2007年、457頁以下。別の箇所ではカーツワイルはつぎのような文章も記している。「人類の文明は、われわれが遭遇する物言わぬ物質とエネルギーを、崇高でインテリジェントな――すなわち、超越的な――物質とエネルギーに転換しながら、外へ外へと拡張していくだろう。それゆえある意味、特異点は最終的に宇宙を魂で満たす、と言うこともできるのだ。［……］進化は、神のような極致に達することはできないとしても、神の概念に向かって厳然と進んでいるのだ。したがって、人間の思考をその生物としての制約から解放することは、本質的にスピリチュアルな事業であるとも言える」（520-521頁）。ここでカーツワイルは、彼の議論が宗教的な情熱に支えられていること、というよりも、神学そのものであることをいっさい隠していない。

★3　ニック・ボストロム『スーパーインテリジェンス』、倉骨彰訳、日本経済新聞出版社、2017年。

〇二五年の万博ではパビリオンをまるまるひとつ担当するといわれている。

そんな彼は二〇一八年に『デジタルネイチャー』という著作を発表している。デジタルネイチャーとは「計数的な自然」を意味する造語である。近い将来、世界のあらゆるところにセンサーが張り巡らされ、人流も物流もすべてがデータ化され、ネットワークを介してアクセスされ分析されるような時代がやってくる。そのときぼくたちは、目や耳で捉えることができる物理的な環境とはべつに、デバイスを通じて知覚するデータ環境も新たな「自然」として認識することになる。それがデジタルネイチャーだという。落合は、これからの政治やビジネスはこのデジタルネイチャーの活用に敏感でなくてはならないと説く。

この主張そのものに問題はない。データ環境の重要性は仮想現実や拡張現実といった言葉で広く認識されているものである。ただし落合はその誕生に、カーツワイルのシンギュラリティと同じような、大きな文明論的な意味を見出している。

落合によれば、デジタルネイチャーが誕生することで、人類は不完全な市場原理に頼らずとも資源を最適に配分できるようになる。生産力は飛躍的に増大し、個人の特性を分析して社会的役割を指定できるようにもなる。そのうえで落合は、そのとき人類は、ひとにぎりの先進的な資本家＝エンジニア層（ＡＩ＋ＶＣ層）と、残り大多数の労働から解放された大衆層（ＡＩ＋ＢＩ層）に分裂することになるだろうという。「ＡＩ＋ＶＣ」は、人工知能（ＡＩ）に支援されてイノベーションに挑むベンチャーキャピタル（ＶＣ）の担い手を意味し、「ＡＩ＋ＢＩ」のほうは、政府によるベーシックインカム（ＢＩ）で衣食住を保障されつつ、人工知能の勧めに従ってそこそこの幸せを追求する生き方を意味するとされている。

これは人類を選良とそれ以外に分ける社会像にほかならない。明らかに倫理的に問題がある。しかもさらに厄介なことに、落合は同書で、デジタルネイチャーの誕生は人類を古い道徳観から解き放つものなのだと主張することで、そのような批判の可能性そのものを封じ込めてしまっている。

彼のヴィジョンによれば、未来の人類は、というよりもその一部の「ＡＩ＋ＶＣ層」は、もはや個人の幸福のような小さな目標には関わらない。大きな視野でイノベーションを推し進め、「コンピュータがもたらす全体最適化による問題解決」によって人類という種全体の幸福を追求することになる。その試みはまったく新しく崇高なものなので、「自由」や「平等」のような古い人間中心主義的な考えにしばられてはならない。落合はこの点について、シンギュラリティ以降においては「人間」の概念こそ「足かせ」になるのであり、人々は「機械を中心とする世界観」に対応する必要があると繰り返し強調している。そこでは「全体最適化による全体主義は、全人類の幸福を追求しうる」のであり、「誰も不幸にすることはない」のだという[★4]。

つまりは落合は全体主義をはっきりと肯定している。彼のエンジニアやアーティストとしての業績には敬意を払うべきだろう。しかし同時に、彼の未来像が、カーツワイルほど壮大ではないにし

---

★4　落合陽一『デジタルネイチャー』、ＰＬＡＮＥＴＳ、２０１８年、１８１、２１９、２２１頁。

ても、同じくらい夢想的で、政治的にはより危険でもありうることにも注意が払われるべきではないだろうか。情報技術と全体主義の関係については、のち第六章でふたたび触れる。

このように二〇一〇年代は、情報産業論を背景にした夢想的な文明論が、政治やビジネスの現場に大きな影響を及ぼした時代だった。ぼくたちはいま、共産主義という第一の大きな物語のかわりに、シンギュラリティの到来という第二の大きな物語が席巻する時代を生きている。

資本主義はもはや終わることはない。世界革命は起きない。国民国家も消えることはない。しかしそのかわりに人類には計算力の指数関数的な成長がある。ありあまる計算力は、どこかの時点で人類の社会や文化を根底的に変えてしまうだろう。そして人類は遠からず、働かなくてもだれもが快楽を手に入れ、実質的には死ぬことすらない、永遠の楽園への切符を手に入れることができるだろう。そしてその未来への扉を開くのは、いまや政治家でも哲学者でもなく、起業家とエンジニアなのだ……。

## 2

二〇一〇年代は大きな物語が復活した時代だった。それは人間信仰の時代だとも表現できる。

これは逆説的に響くかもしれない。二〇一〇年代は、ふつうは人間中心主義が批判された時代だと考えられているからだ。実際、哲学界では「ポストヒューマン」「トランスヒューマン」といった「人間を超えるもの」を意味する言葉が流行していた。落合も人間の概念は足かせになると記している。

けれどもそれは力点の違いにすぎない。カーツワイルや落合が主張したのは、要は、人間には人間の限界を超える技術を生み出す力があるということである。彼らの人間批判は、その点で人間の知の可能性への強い信頼に支えられている。だとすればそれを過剰な人間信仰と呼んでも人間中心主義批判と呼んでもかまわないことになる。重要なのは、彼らがともに、人間にはとてつもなくすごいことができると確信していたことだ。

今回のパンデミックはまさにその確信に冷や水を浴びせかけた。

二〇二三年のいまでは早くも忘れられつつあるが、コロナ禍の初期には、人工知能やビッグデータの活用によって感染拡大を阻止する方法がさまざまに提案され、真剣に検討されていた。

とりわけ期待を集めたのは、二〇二〇年の四月にアップルとグーグルの二大テック企業が共同で発表した、携帯電話の近距離無線通信機能を用いた濃厚接触の検出追跡機能の開発である。だれとだれがいつ接触し、ウイルスを交換する危険を冒したのか、携帯電話の無線通信を利用して記録することで、感染経路の特定と濃厚接触者の隔離を容易にできるという触れ込みだった。

この構想は実際に動き出し、同年夏には多くの国で新技術を利用した接触確認アプリの配布が始まった。日本でも配布され、一時期は大々的に宣伝された。けれども結論からいえば、その機能はほとんど役に立たなかった。近接性の記録だけでは濃厚接触を誤認する可能性が高かったし、そもそも多くのひとはアプリをインストールしなかったからだ。とりわけ日本ではアプリそのものが最初の数箇月を除いてまともに動作しておらず、その事実が翌年のはじめに公表されると急速に存在が忘れ去られていった。いまでは削除が推奨されている。

ほかにもパンデミックのあいだには、情報技術への過剰な期待を裏切る事例が相次いだ。感染者数の増減はシミュレーションを裏切り続けた。メディアでは連日繁華街での人流抑制の効果が報道されたが、現実に利用しているデータは携帯電話の粗い位置情報にすぎなかった。結局のところ現実に効果があったように思われたのは、マスク、手洗い、外出禁止の徹底といった数世紀前と変わらない伝統的な感染症対策でしかなく、政策の根拠も最後まで「そろそろピークアウトか」といった経験知を超えなかった。落合の『デジタルネイチャー』は人流も物流もすべてがデータ化され資源の最適化が可能になる未来を描いたが、現実の人類は、感染症の拡大ひとつデータ化もモデル化もできないことが明らかになったのである。

それだけではない。感染者への差別、陰謀論、反ワクチンなどのフェイクニュースの拡散も相次いだ。その担い手になったのがSNSだった。ネットさえあれば物理的な接触がなくても仕事も生活もできるという触れ込みとは裏腹に、現実ではまさにそのネットのせいで社会不安が高まり、二〇二一年一月にはアメリカの国会議事堂が暴徒に襲撃されるという前代未聞の事件まで起きた。これもまた期待を裏切る事例だったといえる。

二〇一〇年代は、情報技術の夢が大きな物語として語られた時代だった。二〇一〇年代の終わりとともに到来したパンデミックは、その夢をみごとに打ち砕いた。後世から振り返ったとき、パンデミックのもっとも大きな意味はその挫折の経験に見出されるのではないか。

しかし、と反論する読者がいるかもしれない。パンデミックで情報技術の夢が砕かれたというのはおかしいのではないか。人工知能はワクチン開発の時間短縮に大きな役割を果たした。世界中からリアルタイムで集まるデータは感染対策の連携に不可欠なものだった。そもそも国境封鎖や都市封鎖のなか多くのひとが変わらぬ生活を維持できたのは、ズームやウーバーイーツのような、テレワークや宅配を支援するさまざまなサービスが充実したおかげだった。NFTやメタバースといった新しい流行語も生まれた。情報技術への期待は、冷めるどころかますます高まっているのではないか。

けれどもそれも着眼点の違いにすぎない。ぼくたちはもはやネットやスマホなくしては生きていけない。今後も情報技術への依存がますます強くなるのはまちがいない。だれもそれは疑っていない。それは夢ではなく現実である。問題は、コロナ禍以前において、そのような現実から離れた、あまりにも夢想的で大きな未来予測が世界を席巻していたことなのだ。ズームやウーバーイーツが便利だという話と、生活のすべてがメタバースに移行するという話のあいだには無限の距離がある。

二〇一〇年代の人々は「人間にはとてつもなくすごいことができる」とばかり語っていた。けれども実際には感染症ひとつ制御できなかったし、それどころか社会不安すら制御できなかった。ぼくたちはその現実にきちんと向かいあわなくてはいけない。

もうひとつわかりやすい例を挙げておこう。二〇一〇年代に世界でもっとも成功した知識人のひとりにイスラエルの歴史学者ユヴァル・ノア・ハラリがいる。著作は日本でもベストセラーになった。

ハラリはエンジニアではなく、素朴に技術を肯定しているわけではない。だからカーツワイルや落合とは立場が異なる。後述するように、むしろシンギュラリティの到来に対しては批判的な見解を記してもいる。けれどもそんな彼も、人類の歴史は進歩に貫かれていると考えている点では、同じように二〇一〇年代の時代精神のなかにいる。そもそも彼の代表作『ホモ・デウス』は、題名どおり、ひと（ホモ）の歴史は神（デウス）の実現に向かっているという内容の著作である。

さて、そんな『ホモ・デウス』はコロナ禍のまえの二〇一五年に出版されている。そして、たいへん興味深いことに、この著作は人類は感染症を克服しつつあるという話から始まっている。

ハラリはつぎのように記している。いまや「自然界の感染症の前に人類がなす術もなく立ち尽くしていた時代は、おそらく過ぎ去った」。「［現代の世論は］人類には疫病を防ぐ知識と手段があり、それでも感染症が手に負えなくなったとしたら、それは神の怒りではなく人間の無能のせいであることを前提としている」。したがって、「新たなエボラ出血熱が発生したり、未知のインフルエンザ株が現れたりして地球を席巻し、何百万もの人命を奪うことがないとは言い切れないものの、私たちは将来そういう事態を、避けようのない自然災害と見なすことはないだろう。むしろ、弁解の余地のない人災と捉え、担当者の責任を厳しく問うはずだ」[★5]。

あらためて指摘するまでもなく、このハラリの認識はまちがっていた。現実には同書の刊行からわずか五年後、新型コロナが出現し、文字どおり「地球を席巻し、何百万もの人命を奪う」ことになる。そしていま、その人命の喪失が「人災」であり、だれかの「責任」だと考えるひとはほとんどいないだろう。

医学は進歩した。ECMOやワクチンがなければ死者の数は何倍にもなっていた。それはそうだが、基本的には人類は予想以上に無力だった。世界経済は大混乱に陥り、人々は流行が収まるのを待つしかなかった。そしていま国際社会が落ち着きを取り戻しつつあるのも、べつに感染が管理下に置かれたからではない、勝手にウイルスそのものが弱毒化したからである。

二〇一〇年代は人間の能力が高く評価された時代だった。『ホモ・デウス』のこの一節は、ハラリの哲学がその時代精神の表現そのものだったことを示している。だからこそ彼の著作は世界中で歓迎されたのだろう。

---

★5　ユヴァル・ノア・ハラリ『ホモ・デウス』上巻、柴田裕之訳、河出書房新社、2018年、23-24頁。

ちなみにハラリは、人類は感染症だけでなく飢餓と戦争まで克服しつつあると述べている。飢餓と疫病と戦争は人類を苦しめ続けてきた。人類はその三大苦から自由になりつつあるというのである。

ハラリは、いま人類は、人工知能や脳科学の進展によって、不死や幸福を技術的に実現できる決定的に新しい時代に足を踏み入れつつあると主張している。それが書名にもなっているホモ・デウス（神のような人間）の時代だ。

ハラリはその未来を無批判に肯定しているわけではない。『ホモ・デウス』の主題のひとつは、人類がそこで、いままでと同じく個人としての人間を大切にし続けるのか（人間至上主義）、個人などデータの塊にすぎないとわりきるのか（データ至上主義）、大きな価値観の選択を迫られることになると問題提起するところにある[★6]。だからさきほども記したように、カーツワイルや落合とは立場が異なる。

けれどもぼくには、そもそものような壮大な物語の提示そのものが、あまりにも観念的で無責任なように感じられる。現実には感染症が克服されていないだけではない。飢餓も戦争も克服されていない。二〇一〇年代末にはハンス・ロスリングらの『ファクトフルネス』という書物もベストセラーになった。この書物が説くように、世界全体の栄養状態が二〇世紀のあいだに劇的に改善され、平均寿命も大幅に延びているのは事実である[★7]。けれどもそれはけっして飢餓が克服されたことを意味しない。国連機関の統計によれば、二〇二一年もいまだに八億人が飢餓状態にある。他方で戦争についていえば、まさにこの論考を書き進めているあいだにロシアによるウクライナ侵攻が起きた。中国による台湾侵攻の可能性も真剣に取り沙汰されている。戦争がなくなるどころか、全面戦争や核戦争といった言葉までもがメディアを賑わせている。

人類はいまだ三大苦の克服から遠いし、それが計算力の増加だけで克服されると説くのは根拠がない。もしハラリが歴史学者を名乗るのならば、ホモ・デウスの時代の架空の問題を議論するまえに、なぜこれほど多量の食料が生産されても配分がうまくいかないのか、なぜネットがこれだけ人々をつないでも紛争はなくならないのか、現実の限界について歴史を参照して語るほうがよほど誠実だったように思われる。

二〇一〇年代は、「人間にはとてつもなくすごいことができる」という大きな物語に世界中が熱狂した多幸症の時代だった。コロナ禍とウクライナ戦争を経た二〇二三年から振り返ると、それは

---

★6 ユヴァル・ノア・ハラリ『ホモ・デウス』下巻、柴田裕之訳、河出書房新社、2018年、第11章。なおここで「人間至上主義」「データ至上主義」と訳されている言葉は英語版ではhumanismとDataismであり、「至上」という言葉は入っていない。哲学の文脈に接続するならば、前者は人間主義あるいは人間中心主義、後者はデータ主義あるいはデータ中心主義と訳すほうが適切だと思われるが、ここでは邦訳に拠った。

★7 ハンス・ロスリング、オーラ・ロスリング、アンナ・ロスリング・ロンランド『FACTFULNESS』、上杉周作、関美和訳、日経BP社、2019年、第2章参照。

まるで、冬の到来のまえの小春日和の日々のようである。

それでは、以上のような二〇一〇年代の時代精神が、現代世界が直面する民主主義の危機とどのように関係しているのだろうか。

## 3

情報技術の社会への影響はいつから議論され始めたのだろうか。コンピュータにしてもインターネットにしても、装置としての起源は半世紀以上は遡る。けれども、それが政治や経済を変え始めたのは一九九〇年代に入ってからのことである。この時期に、まずは先進国で個人用のコンピュータが普及し、家庭用のネット接続環境が整備され始め、同じ動きが急速に発展途上国へ広がっていった。その劇的な変化は当時「情報技術革命」という言葉で語られた。

この「革命」は、だれもが自分の主張をほぼ無料で世界中に発信でき、応答ももらえるという、かつては想像すらされていなかったコミュニケーション環境を生み出した。そこに新たな政治の可能性をみるのは自然なことで、一九九〇年代から二〇〇〇年代にかけては、ネットの出現は民主主義を強化すると説く多くの議論が現れた。

アメリカの憲法学者、キャス・サンスティーンのように、ネットと民主主義の相性を否定的に捉える論者がいなかったわけではない[★8]。けれどもそれは少数派だった。ぼくの記憶では、当時の「ネット社会論」で好んで語られたのは、情報機器で武装された意識の高い市民が、国境を越えて情報を交換し、地球規模の民主主義をボトムアップで立ち上げるといったじつに美しいイメージである。ここでは触れるにとどめるが、そのような理想論は、ハワード・ラインゴールドのスマートモブズ論や伊藤穰一の創発民主制論などに代表され[★9]、産業界に近い論者のあいだで熱心に議論されていた。人文系に目を向ければ、第一部で言及したアントニオ・ネグリのマルチチュード論もその亜種と考えられよう。

けれども、二〇二三年のいまではだれもが知るとおり、現実はそううまくは展開しなかった。二〇〇〇年代の半ばにスマホとSNSが生まれ、ネットの性質が大きく変わることになったからである。

いまでは思い出すのもむずかしいが、かつてのネットは、ほとんどのユーザーにとって、自宅やオフィスといった特定の場所からアクセスし、文字を読んだり画像を見たりするだけの雑誌やテレビに近いメディアだった。だれもが自分の主張を世界中に発信できるといっても、実際にサーバを

---

★8　キャス・サンスティーン『インターネットは民主主義の敵か』、石川幸憲訳、毎日新聞社、2003年、ほか参照。
★9　ハワード・ラインゴールド『スマートモブズ』、公文俊平、会津泉監訳、NTT出版、2003年。伊藤穰一「創発民主制」、公文俊平訳、『GLOCOM Review』第8巻第3号、2003年。URL=https://www.glocom.ac.jp/project/odp/library/75_02.pdf

借り「ホームページ」までつくるひとは少数だったからである。チャットや匿名掲示板も、確かに存在していたものの、一部の若者が利用するアングラなツールでしかなかった。

スマホとSNSの出現がその状況を劇的に変えた。ブログがまず出現し、フェイスブックが二〇〇四年に、ツイッターが二〇〇六年に始まった。初代iPhoneが発売されたのは二〇〇七年である。これ以降のネットは、人口の一部がときおりアクセスするものではなく、高速のモバイル通信を媒体として、だれもがつねに接続し、だれもが情報を発する「生活を支えるインフラそのもの」へと急速に変わっていく。当時その変化は「ウェブ2・0」という言葉で呼ばれたりもした。

じつはこの変化も、最初の数年は民主主義を強化するものだと考えられていた。実際、二〇一〇年に始まった北アフリカと中東諸国の政変「アラブの春」や、二〇一一年にアメリカで起きた「ウォール街を占拠せよ」運動、二〇一四年に香港で起きた「雨傘運動」などでは、スマホとSNSが大きな役割を果たしたと評価されている。けれども二〇一〇年代が下るにつれて、常時接続と常時交流を前提とする新たな環境は、民主主義を強化するどころか、むしろそもそもの政治的なコミュニケーションをたいへんむずかしくするものであることがわかってきた。だれもがあらゆるひとの意見に接し、すべてを調査できる環境においては、多くのひとはむしろ、話したいひととだけ話し、見たいものだけを見、聞きたいことだけを聞くようになってしまうからである。

結果として世のなかは陰謀論とフェイクニュースに弱くなり、社会はあらゆるところで分断されるようになった。その傾向は、二〇一六年のアメリカ大統領選挙を揺るがせたSNS主導のポピュリズム、いわゆるトランプ現象でだれの目にも明らかになった。二〇二三年のいま、ネットが民主主義をよくすると素朴に考えているひとはほとんどいないのではないか。

ネットはかつて民主主義を強化するものだと考えられた。いまでは民主主義を危機に陥らせるものだとみなされている。二〇一〇年代に起きたこの逆転は、さきほどまで論じていた情報技術の過大な評価と歩みを同じくしている。

この主張もまた逆説に響くかもしれない。二〇一〇年代の大きな物語とは「人間は情報技術をつかってすごいことができる」という夢のことだった。だとすれば、いま記したような民主主義の危機は、まさにその夢を切り崩すものなのではないか。いくらコンピュータが小さくなりネットが高速になっても、人間はいっこうに賢くならないし、社会もよくならないことが証明された、それこそが二〇一〇年代の世界が見せた政治的現実なのだから。

けれどもそうではない。「ポストヒューマン」という言葉の流行を人間批判の表れと捉えるのが単純すぎたように、その理解もまた単純すぎる。

なぜならば、そもそもカーツワイルにしろ落合にしろハラリにしろ、コンピュータを利用することで人間ひとりひとりが賢くなるなどとは主張していなかったからである。彼らはあくまでも、人類社会の全体が、人工知能の助けを借りることで、いわば「群れ」として賢くなる可能性について考えていた。だからそこでも愚かな個人がいなくなるわけではない。落合の言葉でいえば「ＡＩ＋

ＢＩ層」は残り続ける。ただ、彼らの非合理な判断が統治や環境に悪影響を与えないように、人工知能が巧みに支援してくれるだけなのだ。それが落合が「機械を中心とする世界観」と呼び、ハラリが「データ至上主義」と呼ぶ思想に導かれた未来社会のすがたである。

したがって、二〇一〇年代の民主主義の危機は、シンギュラリティの夢と衝突するどころか、むしろそれを強化するのである。いくらすぐれた通信環境を与え、いくら良質の情報を提供しても人々が変わらず陰謀論に淫し続けるのであれば、落合やハラリが提案したように、重要な意志決定は機械に委ねるべき、少なくともその支援を受けるべきだと考えるほかなくなっていく。「人間は機械の助けを借りるとすごいことができる」というシンギュラリティの夢と、「人間は機械の助けを借りないとろくに意志決定もできない」という民主主義への失望は、そこではぴたりと重なり合うのだ。

現実にそのような人工知能への期待は広がりつつある。この数年で、動画配信やＳＮＳのプラットフォームが投稿内容を人工知能によって精査し、特定の政治的な立場からの呼びかけを削除したり、削除しないまでもアクセスを制限したりすることはあたりまえになった。ワクチンの効果を疑う動画は削除されるし、ロシアを擁護するメディアへのリンクには警告がつく。

そのような措置はほとんどのひとに支持されている。しかしそれはネットの歴史に照らすと驚くべきことである。

初期のネットサービスの開発者や利用者には、リバタリアニズムと呼ばれる強い自由主義の支持者が多かった。二〇〇〇年代には、サイバーパンクの「サイバー」とリバタリアニズムを組み合わせた「サイバーリバタリアニズム」といった表現も聞かれた。彼らはネットのあらゆる監視に反対し、言論や表現の自由に強い関心を抱いていた。そのような熱意からブロックチェーンの技術が開発され、暗号通貨やＮＦＴも生み出された。にもかかわらず、いまや上記のような「検閲」が広く支持され、プラットフォームの義務だとすら論じられている。世論はこの数年で大きく変わった。人々はいまや、人間はあまりに愚かなので、まともに議論させるためには人工知能によるたえざる監視が不可欠だと信じ始めているようにみえる。

ハラリは未来の人類は人間かデータかを選ぶことになると記していた。人間には正義と真実は見抜けない。だから機械に見抜いてもらうほかない。多くのひとがそう考え始めているのだとすれば、ぼくたちはすでにハラリのいうデータ至上主義の時代に足を踏み入れている。

## 4

第二部では民主主義について考える。ふつうは民主主義の危機といえば陰謀論やポピュリズムの猖獗を想像する。それらも確かに深刻ではある。けれども、本論ではむしろ、さらに深く、その奥底で蠢く、いま記したような人間の統治能力そのものへの失望について検討したいと思う。

ここからさき、そのような失望を前提とした民主主義の構想を人工知能民主主義と呼ぶことにしよう。それは、あまりにも複雑になった世界においては、もはや人間の貧しい自然知能に統治を任せることのほうが危険で無責任であり、これからは民主主義を守るためにこそ、むしろ政治から人間を追放し、意志決定を人工知能に任せるべきなのではないかと提案する新しい政治思想のことである。

ハラリや落合は政治哲学者ではない。けれども、彼らはこの点でまさに人工知能民主主義のイデオローグだといえる。たとえば『ホモ・デウス』には、未来の統治について、それは「民主主義でも独裁制でもなく、以前の政治制度とはまったく異なるかもしれ」ず、「そのような構造を構築して制御するのは［……］もはや人類がその任務を果たせないのなら、ひょっとすると誰か別の者に試させることになるかもしれない」という一節がある[★10]。ここで「別の者」とは要は人工知能のことである。データ至上主義とは人工知能至上主義のことだ。

落合もまた、有名なリンカーンの演説をもじって、未来の政治は「バイ・ザ・ピープルではないし、オブ・ザ・ピープルでもない。しかし、それでいてフォー・ザ・ピープルになるような政治」になるべきだと記している[★11]。人民「による」ものではなく、また人民「の」ものでもない、すなわち人間は関与せず管理権限ももたないが、人民「のため」にはなってくれる政治。そのような都合のいいものが「コンピュータがもたらす全体最適化による問題解決」によって提供されるはずだというのが、落合の信念である。ぼくは逆に、そのような信念こそが、これからの政治が直面する本当の危機になると考えている。

人工知能民主主義は、人文系の思想として現れたのではなく、理工系のシンギュラリティの夢と深く結びついて現れた。だからそれを批判するためには、まずは二〇一〇年代の時代精神を検討する必要があった。ここまで駆け足ながらその作業を行なってきた。

同時にそれは、一九九〇年代から高まり続けていた「ネット民主主義」への期待が、二〇一〇年代の陰謀論やポピュリズムによって裏切られ、反転したことによって生まれた思想でもあった。だから人工知能民主主義の核心には人間の能力への失望が宿っている。

そして最後にここで指摘しておきたいのは、その失望そのものはけっして二一世紀になって新たに生まれたものではないということである。哲学史を丹念に辿ると、人工知能民主主義にみられる人間排除はけっして例外的なものではなく、むしろ近代民主主義の出発点、一八世紀のジャン＝ジャック・ルソーの思想にまで遡る古い理想であることに気がつく。

ルソーはかなり複雑な思想家である。彼は、近代民主主義の父という一般的なイメージとは対照的に、人間がつくる秩序を徹底して批判し、統治権力があたかも自然の秩序であるかのように機能

---

★10 『ホモ・デウス』下巻、221頁。
★11 『デジタルネイチャー』、180頁。

するのが理想だと考えた思想家だった。フランス革命から共産主義へといたる全体主義の悲劇は、その理想の副産物として生じている。したがって、共産主義という「大きな物語」を引き継ぐかのように、いま技術的な装いのもとで現れている人工知能民主主義は、じつは単純に異形の民主主義として退けられるものではない。それはむしろ、近代民主主義の本流中の本流であり、その人間排除の思想も二世紀半前から延々と受け継がれてきたものだと理解することができるのだ。

したがって、人工知能民主主義をきちんと批判するためには、近代民主主義の長い歴史そのものへ視野を広げる必要がある。次章以降では、こんどはそちらから人工知能民主主義の問題を検討してみよう。

ぼくはこの論考を、カーツワイルがいうようなシンギュラリティは来ない、人工知能民主主義は実現しないと考える立場から記している。しかしそれはけっして、機械は人間に追いつけないという主張を意味しない。

意外に思われるかもしれないが、ぼくは技術的な意味においては、「シンギュラリティ」の到来を、つまり機械が人間とほぼ同じ知的作業をこなすときが来ることを確信している。人工知能は急速に進化している。二〇二二年一一月にＯｐｅｎＡＩが公開したＣｈａｔＧＰＴは、世界的なセンセーションを巻き起こし、本書はその興奮が冷めやらぬなかで出版されている。音楽にしろ映像にしろ小説にしろ、いま人間が制作しているほとんどのコンテンツについて、人工知能はまちがいなく、近い将来高速に安価に無限の量を生成できるようになるだろう。あらゆる書物の翻訳がほぼ無料でできるようになり、会計書類や契約書は機械がつくるようになり、プログラマも多くが失職するだろう。ぼくはその可能性を疑っていない。それは産業構造を劇的に変える。人々の生活も変える。

にもかかわらず、ぼくがシンギュラリティの思想を批判しているのは、その変化は人間が人間であることになにも関係しない、むしろそこでは「人間とはなにか」という古い問題が帰ってくるにすぎないと考えるからだ。

人間は厄介な存在である。仕事相手が機械ならばどれだけ楽かと、だれもがいちどは思う。けれども、では現実に人間のコミュニケーションを完璧に模倣して生成する人工知能が現れたとして、問題は解決するだろうか。実際にはぼくたちは、ほかならぬぼくたち自身が人間であるかぎりにおいて、その機械のなかに「人間らしさ」を探して一喜一憂してしまうだけではないだろうか。現実にはそんなものは実在しないと知っていたとしても、人間らしい心を発見して喜んだり、逆に裏切られた気持ちがして悲しんだりしてしまうだけなのではないか。

ぼくは第一部でウィトゲンシュタインとクリプキの言語哲学を紹介した。彼らは人間のコミュニケーションをゲームに準えた。その比喩を受け継いでいえば、ぼくたちが日々直面している生きることの厄介さは、そもそもゲームの相手が人間だから生じているのではない。ゲームの規則が不完全だから生じているのでもない。ぼくたちが人間だから生じている。肝心のぼくたちが規則を不完全にしか運用できず、つねに訂正を加えてしまうプレイヤーだからこそ、すべての問題は生じているのだ。

したがって、ぼくたち自身が人間であるかぎり、生きることの厄介さを消そうとする運動は必ず自己矛盾に陥る。ぼくは次章で、まさにルソーがその厄介さを消そうとした思想家であり、人工知能民主主義が彼の理想を引き継いでいることを明らかにする。そして第二部の最後では、そんな理想は結局のところ実現できないので、民主主義は厄介さを引き受けて構想されるしかないのだという結論を記すことになる。

ぼくはさきほど、シンギュラリティの物語は過剰な人間信仰と呼んでもいいし、逆に人間批判と捉えてもかまわないと記した。人間はあまりにも能力があるから、逆に人間の限界を超えることができる。共産主義もそう考えた。だから彼らは、私有財産と資本主義を克服し、家族や民族を解体することが可能だと信じた。過剰な人間信仰と素朴な人間批判の両立、それこそが「大きな物語」の本質である。

それに対してぼくはここからさき、きわめて常識的に、人間にはたいして能力がないので、人間の限界を超えることなどできないという主張を展開する。私有財産と資本主義は克服されない。家族も民族も解体されない。格差も戦争もなくならない。人間はいつまでも人間としてくだらない問題で悩み続け、文句をいい続ける。ぼくは民主主義の可能性については、なによりもその前提で考えるべきだと思う。

だから本論は、哲学に驚きや過激さを求める読者には退屈な議論かもしれない。けれども、もし本気で世界を変えたいと欲するならば、ぼくたちはまずは退屈な現実に向かいあわなければならない。人間の限界を知らなければならない。最近の哲学者は、リベラルもテック系もあまりにその覚悟を欠いている。この認識において、第一部と第二部はまっすぐにつながっている。

## 第6章 一般意志という謎

### 5

人工知能民主主義はなぜ現れたのか。そしてなにがまちがっているのか。その問いについて考えるため、この章では二五〇年前のルソーの思想をあらためて辿りなおしてみることにしよう。鍵となるのは、彼が『社会契約論』という著作で提起した「一般意志」という概念である。同書は一七六二年に出版され、一七八九年に起きたフランス革命に決定的な影響を与えた。

一般意志とはなにか。ひらたくいえば社会全体の意志のことである。しかしこの概念には大きな謎が隠されている。『社会契約論』のおさらいから始めよう。

ルソーはまず、人間はみな文明以前の自然状態では孤独に生きていたと仮定する。基本はひとりで、まとまってもせいぜいが家族ていどだった。けれどもそれだけでは強い外敵には対抗できない。そこで、わたしはあなたに暴力を行使しないから、逆にあなたもわたしに暴力を行使しないでくれという契約を交わし、みなの暴力を一箇所に集中させて、大きな強い集団、すなわち社会をつくることになる。それがタイトルにもなっている「社会契約」である。社会契約という考えかたそのものはルソーのものではないのだが、それについては後述する。

さて、前述の「一般意志」は『社会契約論』では、そのような社会契約が成立したとき、必然的に生まれる集団の意志として定義されている（第一篇第六章）［★12］。人々が集団をつくると一般意志も現れるというわけだ。

集団の意志とはなんだろうか。ふつうに考えれば、個人の意志を集めたものだということになるだろう。実際、ほとんどのルソーの読者はそう理解して『社会契約論』を読んでいる。

ところが『社会契約論』をきちんと読むと気づくのだが、その理解は正しくない。というのも、ルソーは続いて「特殊意志」と「全体意志」という概念も導入しているからである（第一篇第七章、第二篇第三章）。特殊意志は個人の意志を意味している。そして全体意志こそが特殊意志の集まりだという。それでは一般意志はなにかといえば、一般意志もまた特殊意志の集まりではあるのだが、

---

★12　作田啓一訳。以下ルソーからの引用は日本語版全集に拠った。『ルソー全集』、全14巻、別巻2巻、白水社、1978-1984年。フランス語の原語を挿入することがあるが、対応するフランス語文献のページ数は省略している。第一部でも記したように、全集からの引用については、参照している作品の訳者名のみを初出時に書名のまえに記載している。なお『社会契約論』のみは、引用が多く煩雑なので、篇と章の数字を本文内に記すにとどめて注でのページ数表示は割愛した。『社会契約論』は第5巻に収録されている。

しかしたんなる集まりではないというじつに厄介な書きかたがされている。ルソーによれば、両者の差異は公共性と関係している。私的な利害はいくら集めても私的な利害でしかない。特殊意志が集まってつくられた全体意志も私的な利害でしかなく、社会全体の公的な利害を代表することはできない。けれども一般意志には、全体意志と異なって公共性が宿るというのである。

これはどういうことだろうか。両者は具体的にはどう異なるのだろうか。全体意志は特殊意志を集めれば生まれるとして、一般意志は、それになにを加えれば、あるいはそこからなにを減じれば生成するのだろうか。

ここには大きな謎がある。多少大袈裟にいえば、ぼくの考えでは、近代民主主義の困難は最終的にはこの問いに集約される。なぜならば、「一般意志は全体意志とは違うものであるはずだ」というその信念にこそ、この二世紀あまり民主主義が相互に矛盾するさまざまな期待を背負いながらも望ましい政体として語られ続けてきた、その最大の理由があるからである。

日本語で「民主主義」あるいは「民主制（政）」と訳されるデモクラシー（デモクラティア）という言葉は、けっして近代の発明ではない。よく知られているとおり、起源は古代ギリシアに遡る。

このデモクラティアは古代においては、人民（デモス）が支配（クラティア）するという、統治者の数を意味する言葉でしかなかった。統治者がひとりなら君主制、少数なら貴族制、多数なら民主制と呼ばれるだけの話で、いずれが望ましいかについては議論があった[★13]。プラトンをはじめ、多くの哲学者はむしろ民主制に批判的だったことが知られている。その伝統は近代まで続いた。その状況をがらりと変えたのが『社会契約論』である。じつはルソー自身は民主制を支持していない。むしろ君主制を支持していた。けれども、そんなこととは関係なく彼の議論は民主制の熱烈な擁護として読まれた。そして現実にフランス革命の原動力となったのである。

なぜそんなことになったのか。理由のひとつは、ルソーがそこであらゆる統治は一般意志に導かれるべきだと宣言したことにある（第二篇第一章、第三篇第一章）。一般意志は社会の意志を意味している。ルソーはしばしば「人民」という言葉も使っている。そちらに従えば、一般意志とは人民の意志だということになる。統治が人民の意志に導かれるべきだというならば、統治そのものも人民

---

★13　ここで念頭に置かれているのは、アリストテレスの『政治学』第三巻第七章の記述である。そこでは国家体制が、主権者がひとりか少数か多数か、その主権者が公的な利益を追求するか私的な利害に囚われているかに従い、合計六種類に分類されている。すなわち、主権者がひとりで公的利益を追求する「王制」（バシレイア）、同じく主権者がひとりだが私的利害に囚われている「僭主制」（テュランニス）、主権者が少数で公的利益を追求する「貴族制」（アリストクラティア）、同じく主権者が少数だが私的利害に囚われている「寡頭制」（オリガルキア）、主権者が多数で公的利益を追求する「国制」（ポリテイア）、同じく主権者が多数だが私的利害に囚われている「民主制」（デモクラティア）の六つである。これは純粋に形式的な分類になっている。

ちなみに、ルソーが記した君主制（monarchie）は、正確にはバシレイアとは別のギリシア語（モナルキア）を語源とするものである。またアリストテレスの分類では、アリストクラティアは主権者が公的利益を追求する体制、デモクラティアは主権者が公的利益を追求できない体制となっているので、単純に支配者の数で区別されているわけではない。本文の紹介では簡略化している。アリストテレス『政治学』、山本光雄訳、岩波文庫、１９６１年、１３８頁以下。

が担ったほうがよい、つまりは民主制がもっとも望ましいという発想が出てくるのは自然なことだろう。

ふたたび注意しておくが、ルソー自身はけっしてそうは考えていなかった。実際『社会契約論』を詳細に読むと、一般意志についての議論と政治体制についての議論がはっきり区別されていることに気がつく。『社会契約論』は四篇に分かれているが、第一篇と第二篇が一般意志論に、第三篇と第四篇が政治体制論になっている。つまり、一般意志が人民のものだという主張は、政治体制が人民のものであるべきだという結論と直接には結びつかない構造になっている。ルソーは、統治者が君主ひとりだったとしても、そのひとりが人民の意志を把握し、それに基づき統治するのであれば問題はないと考えていた。だから君主制を支持することができた。けれども多くのひとはそのような議論の構造は重視しなかったのだ。

いずれにせよ、ルソーは国家は人民の意志で統治されるべきだと主張し、それを読んだ人々はそれならば統治は人民が担うべきだと考えた。民主制こそが理想的な政治体制だと考える近代の歴史はここから始まる。

そしてここで重要なのが、そんなルソーの力強い宣言を可能にしたものこそが、まさにさきほど触れた一般意志と全体意志の区別だったということである。

個人の意志が集まって集団の意志が生まれる。それは当然だが、そんな集団の意志に従うだけでいい政治ができるわけがない。それはだれもが知っている。ギリシア人も知っていたしルソーも知っていた。現代風にいえばポピュリズムの問題だ。

それゆえルソーは、統治は一般意志に導かれるべきと主張するまえに、まずは一般意志の概念を全体意志から区別しておく必要があった。全体意志、つまり個人の意志のたんなる集積は、私的な利害の集まりでしかない。社会がそれに導かれるわけにはいかない。

けれども、一般意志という名の新しい集合意志の概念を発明し、そこには全体意志と異なって公共性が宿ると考えればどうか。そうすれば社会が導かれても問題ないことになる。実際、のちにふたたび参照するように、ルソーはある箇所で「一般意志はつねに正し」いと記している（第二篇第三章）。つねに正しいのであれば、確かに導かれても安全だ。『社会契約論』の成功の背景には、このようなじつにアクロバティックな概念操作が隠されていたのである。

一般意志と全体意志のその差異化は、近代民主主義を力強く駆動するとともに、その歴史につねに影を落とすことになった。フランス革命以降、世界はこの二世紀あまりずっと一般意志の幻影を追い続けてきた。どこかに人民の意志があるに違いない、そしてそれに従えば理想の統治ができるに違いない、そのような思いが改革と革命の原動力になってきた。けれども同時にそれは、そんな人民の意志は見つからないかもしれないという不安と表裏であり続けてきた。

残念ながら、ルソー自身は両者の差異についてきわめて抽象的な記述しか残していない。前述のように、一般意志は社会契約からじかに生まれるとされている。構成員が社会をつくろうとする意志、それそのものから生まれるので公共性が宿るらしい。他方で全体意志は、社会がつくられたあ、と各人が抱く好みの集積にすぎない。だから私的なものにとどまるのだという。理屈としてはわかる気もするが、具体的な差異はなにもわからない。彼はただ数箇所で、一般意志と全体意志では集計方法を変えるべきだと示唆しているぐらいである（第二篇第三章）。

一般意志にはすべてが賭けられている。にもかかわらず正体は謎に包まれている。それゆえその具体的な表出をめぐっては、ルソー以後さまざまな議論が展開されてきた。なかにはぎょっとする解釈もある。とくに有名なのは、第一部でも名前が出てきたドイツの法学者、カール・シュミットによる解釈だ。

シュミットは一九二六年に『現代議会主義の精神史的地位』という著作の第二版を出版し、新しく長い序文を書いている。これはナチスが急速に党勢を拡大し、ヒトラーが指導者の地位を固め始めた時期にあたる。

彼はその序文でつぎのような議論を展開している。一般意志はつねに公共的なものだと定義されている。シュミットは、その定義は「統治者と被治者の同一性」を前提としていたはずだと分析する。それは具体的には、政治家も大衆も、ともに公共の利益のみを志向するような等質な環境を意味する。一般意志を実現するためには、まずはその環境をつくりださねばならない。シュミットはこのように議論を進めたうえで、そのためには代議制が前提とする「統計的な装置」は役に立たない、必要とされるのは「人民の喝采によって支持される」「独裁的およびシーザー主義的方法」のはずだと結論づける[★14]。ひらたくいえば、民主主義を実現するためには、投票などやめて独裁者に身を委ねたほうがいいと主張したわけだ。

独裁こそが民主主義を実現する。この主張はとんでもない暴論に聞こえる。実際、さきほども記したように、この議論はかなり特殊な政治状況で現れている。シュミットはナチスへの協力で知られている。ヒトラーを支持するため捻り出された面があることは否めない。

けれども、かりに純粋なルソー解釈としてみるならば、この解釈はまったくの誤読とはいえない。そもそも『社会契約論』には、いまの民主主義の常識に照らすと理解に苦しむ記述が多数あるからだ。

シュミットの主張は、ひとことでいえば、議会は全体意志しか摑むことができず、独裁こそが一般意志を摑むことができるというものである。じつはルソー自身も代議制を否定している。彼の考えでは、一般意志は社会契約からじかに生まれるはずのもので、党派による妥協が忍び込むものであってはならなかったからだ(第二篇第三章)。一般意志は議論によって生まれるものではない。シュミットによる議会の否定は、この点ではルソーの忠実な継承といえる。

付け加えれば、『社会契約論』には「立法者」というじつに問題含みの概念がある。ルソーは一

---

★14 カール・シュミット『現代議会主義の精神史的地位』、稲葉素之訳、みすず書房、1972年、22-25頁。

般意志はつねに正しいと考えたが、当然のことながら、人々がつねに一般意志の正しさを自覚しているとは限らない。それゆえルソーは、一般意志をつかみ、人々を真の公共的な利益へと導くためには、「立法者」という強い指導者が必要になると考えていた。しかもその指導は人民の事前の合意を必要としない。立法者の行為は人民の理解力を超えるので、宗教の権威を借りるのもやむをえないというのだ。ルソーはつぎのように記している。「この［立法者の］崇高な理性は、一般大衆の理解の範囲を越えた高さにある。立法者は、この理性の決定を神々の口から語らせることにより、人間の思慮分別に訴えることでは動かしえない人々を、神の権威によって誘導するのである」（第二篇第七章）。この記述は明らかに独裁を肯定している。

ルソーの思想は近代民主主義の起源だといわれる。けれども肝心の『社会契約論』をよく読んでみると、鍵となる一般意志の概念は曖昧だし、いまの民主主義の常識に反することも数多く記されている。

その曖昧さが生み出したひずみは現在にまで及んでいる。たとえばある事典の「民主主義」の項目には、二〇世紀の冷戦は、東西両陣営のあいだで「「真の」デモクラシーの争奪戦」が行われた時代だったという記述がある［★15］。

若い世代の読者には、冷戦期にはアメリカと西ヨーロッパ、そして日本の西側先進国のみが民主主義を実現していたのであり、東側に民主主義がなかったのは自明ではないかと首を捻るひともいるかもしれない。けれどもそれは誤解である。実際は当時は東西ともに民主主義を掲げていた。西は「自由民主主義」を唱え、東は「社会主義的民主主義」を唱えていた。

むろん両者の体制は大きく異なっていた。西には自由があり、東にはなかった。けれどもそれは西だけが民主主義だったことを意味しない。

なぜならば、ここまで検討してきたように、そもそもの民主主義の定義そのものが曖昧だからである。西側では、社会が人民の意志に導かれるためには、まずは市民的自由の確保が不可欠だと考えられた。だから言論の自由が尊重され、複数政党制が重視された。逆に東側では、社会が人民の意志に導かれるためには、まずはブルジョワ階級の支配を打破することが必要だと考えられた。だから共産党の一党支配でも問題はないとされていた。そのような考えはいまの日本の常識では突飛に聞こえるかもしれない。けれども、資本家が自由を謳歌し、労働者が搾取されている状況で人民の意志など現れるはずがないではないかといわれれば、いくら西側社会の優位を信じていても口籠らざるをえないのではないか。

いずれにせよ、二〇世紀においては、まったく異なったふたつの体制が同じ民主主義という言葉でみずからを形容することができた。それぐらい民主主義の意味は曖昧だった。その状況はいまも変わっていない。いまでもロシアや中国や北朝鮮は、自分たちは自分たちなりの民主主義を実現し

---

★15　『岩波　哲学・思想事典』、廣松渉ほか編、岩波書店、1998年、1556－1557頁。執筆者は加藤節。

ているると主張している。ロシア連邦憲法では前文で民主主義が謳われ、北朝鮮にいたっては国号に民主主義が入っている。

## 6

一般意志は全体意志とは異なる。けれどもどう異なるのかはだれにもわからない。だれもが民主主義は望ましいと主張する。けれども、その民主主義が従うべき人民の意志がどこに現れるのかについては、だれもなにも教えてくれない。この二世紀あまり、民主主義はそのような混乱のなかで歴史を歩んできた。

一般意志の謎めいた規定は、いったいなぜ生まれたのだろうか。少し寄り道をして、そもそもルソーとはどのような思想家なのか、こんどはそちらをみてみよう。

ここまでの紹介でも察せられるとおり、ルソーはいささか厄介な人物である。その理解は一筋縄ではいかない。

ルソーが活躍したのは一八世紀半ば、啓蒙主義が全盛のパリである。当時はヴォルテールやディドロ、ダランベールといった哲学者が連日「サロン」に集い、激論を交わしていた。それは哲学史的にはとても豊穣な時代で、ルソーも小さな年表ならその仲間に位置づけられている。

けれども実際にはルソーは、彼ら同時代の啓蒙思想家とたいへん折り合いが悪く、社交界も批判し続けた人物だった。

ルソーは一七一二年にジュネーブで生まれている。時計職人の子で貴族ではない。少年時に放浪の旅に出たため、まともな教育も受けていない。スイスから南仏あたりを転々とし、パリに出たのはようやく三〇歳になってのことである（年齢は月を考慮せず生年を減じて示す）。当初は音楽関係の仕事を志していたが、うまくいかず、三八歳で発表した懸賞応募論文『学問芸術論』で思いがけず世間に知られるようになる。ルソーは同論文の成功で一躍サロンの寵児となるが、しばらくするとあちらこちらでトラブルを起こすようになった。以上のような出自をもつルソーが、都会的で貴族的な社交にうんざりしたことはたやすく想像できる。

ルソーは哲学者になりたくてなったわけではなかった。その距離感を証明するように、彼は哲学以外の業績、少なくともふつうの意味では哲学に分類できない業績を多数残している。

ルソーを哲学者としてだけみれば、『学問芸術論』のつぎは五年後の『人間不平等起源論』であり、そのつぎは一二年後の『社会契約論』だということになる。前者は彼が四三歳、後者は五〇歳の著作であり、ともに円熟期の仕事といえる。両者とも古典として親しまれている。

けれども、ルソーという「作家」、いまふうにいえば「クリエイター」の全体を捉えようとするならば、この二冊だけを取り上げるのはじつに一面的である。

たとえばルソーは『学問芸術論』の二年後、一七五二年に『村の占い師』というオペラを発表している。同作は宮殿や大劇場で上演され、彼はこの作品によって、若いころから望んでいた音楽での成功をいったん手に入れた。ところがその成功は、金銭面を含めたさまざまな問題を引き起こすことになる。ほとほと嫌気がさしたルソーは、三年後に『人間不平等起源論』を書き上げると、社交界からの離脱を宣言しパリ郊外に引きこもってしまう。いずれにせよ、『学問芸術論』と『人間不平等起源論』のあいだ、彼はべつに哲学者としてひとり黙々と思索を続けていたわけではなかった。

同じことが『人間不平等起源論』から『社会契約論』への七年についてもいえる。郊外に引きこもったルソーは、こんどは小説の執筆に取り組み始める。その成果は一七六一年、すなわち『社会契約論』の前年に、書簡形式の長大な恋愛小説に結実して出版されている。

その小説は『ジュリ、あるいは新エロイーズ』という。この作品についてはのちにあらためて取り上げるが、ひとことでいえば、スイスを舞台にした、田舎貴族の娘とその家庭教師である平民の青年との悲恋の物語だ。最後は娘が死んで終わる。残念ながらいまの日本ではほとんど読まれていないが、当時はたいへんな熱狂を引き起こし、フランスのみならず、イギリスやドイツの一九世紀文学に巨大な影響を与えたといわれている。当時の人々にとって、おそらくルソーといえば、『社会契約論』ではなくまず『新エロイーズ』の著者だったことだろう。物語の舞台となったレマン湖畔の小さな村は、のちにゲーテなどの大作家が多数訪れ、いまでいう「聖地」になっていたらしい。

この作品の名前は観光史でも登場する。

また同時期にルソーは、小説とはいえないが、小説形式で書かれた『エミール、あるいは教育について』という著作も発表している。架空の少年「エミール」の教育の記録というかたちをとった教育論で、当時の貴族の子弟教育の常識を覆して話題となった。こちらは一九世紀の教育思想に大きな影響を与えることになるが、当時はむしろそこに含まれた宗教批判が注目された。パリ高等法院から逮捕状が出る騒ぎになり、ルソーは一七六二年から一七七〇年まで、途中数週間の短い帰国を挟むだけの長い国外逃亡生活を強いられてしまう。こちらの事件もまた、当時は『社会契約論』より話題になっていたことだろう。

ルソーは『社会契約論』以降、依頼に応じてコルシカやポーランドの法制度について文章を記しているだけで、まとまった政治思想の著作は発表していない。晩年のルソーは自伝を書き続けていた。

そのテクストにはいくつかのまとまりがあるのだが、もっとも有名なものが、死後『告白』としてまとめられ出版されたものである。同書は少年時代のロマンティックな回顧に始まり、青年時代の性体験についての赤裸々な記述、ディドロをはじめとする同世代の哲学者への激烈な批判、根拠を欠いた被害妄想などを含み、たいへん印象的な著作になっている。

生前には狭いサークルで朗読されるだけだったが、一七七八年にルソーが死ぬと数年後に公刊され、あまりの率直さで読書界にセンセーションを巻き起こした。同書もまた後世の文学に絶大な影響を与えており、とくに日本では、島崎藤村を介して日本近代文学の確立に深く関わっている。

## 7

このように経歴を概観するだけでもわかるように、ルソーはたんなる哲学者ではなかった。とくに文学での業績が大きい。『新エロイーズ』や『告白』は、新しい人間観を提示し、のち一九世紀にヨーロッパを席巻する「ロマン主義」の先駆となった記念碑的な作品だと位置づけられている。

新しい人間観とはどのようなものだろうか。それはひとことでいえば、人間とはけっして合理的な強い存在なのではなく、むしろつねに情念に振り回され、他人を傷つけ、ときに自分自身すら壊してしまうような弱く不安定な存在なのであり、それゆえに尊いのだという人間観である。

そのような人間観は、いまでは「文学的」なものとして広く流通している。だからあまりルソー独自の新しいものだと感じないかもしれない。けれどもその見かたは転倒している。実際は彼こそが、そのような人間観を文学にもちこみ、世界に広めた人物のひとりだからだ。

ロマン主義は人間を不合理な存在と捉える。理性的な啓蒙など成功するはずがないと考える。それは哲学史では啓蒙主義への反動として位置づけられ、あまり高く評価されないことが多い。けれども文化全体でみると、ロマン主義の人間観はいまにいたるまで影響を与え続けている。それになによりもまず現実として、二一世紀のいまも人間はまったく合理的になっていないし、啓蒙もいっこうに成功しそうにない。この点でロマン主義の問題提起は、二世紀前と変わらずアクチュアルだといえる。だとすれば『社会契約論』のような政治的な著作も、ルソーのこのロマン主義的な人間観を考慮に入れて読む必要があるだろう。

加えて注目すべきは、そのロマン主義的な弱い人間観なるものが、ルソーにおいてはけっしてたんなる思考の産物ではなく、彼自身の現実の人格の投射でもあったことである。おそらくはだからこそ、ルソーは未来の思潮の先駆者になれた。

ここまでの紹介でもわかるように、ルソーはじつに才能に恵まれた人物だった。哲学の論文が注目されただけでなく、オペラを作曲し小説も書いた。人気もあった。筆禍で追放されたあと、パリに一時帰還したときには市民に熱狂的に迎えられた。彼は時代のカリスマだった。

にもかかわらず、その成功はルソーに心の平安をもたらさなかった。彼はつねにまわりと衝突していた。

ルソーは『新エロイーズ』や『エミール』で、純粋な愛や平穏な田舎暮らしのすばらしさを謳い上げている。それは彼の著作が支持された理由のひとつだった。

けれども彼自身はその理想を実践できていなかった。現実の彼は、のちに『告白』で記されるように、若いころから愛欲に翻弄され、失敗を繰り返す人生を送っていた。夫婦関係や育児にも問題を抱えていた。ルソーには長いあいだ特定の恋人がいたが、晩年まで事実婚を貫き、ふたりのあいだに生まれた子どもはみな孤児院に送ってしまっていた。にもかかわらず『エミール』で偉そうに教育論を説いていたので、この事実はスキャンダルになった。

嫉妬心と猜疑心も強かった。四〇代で郊外に退いたあとも、遠いパリで自分を陥れる陰謀がめぐらされていると信じ、妄想めいた手紙を出し続けた。ルソーは生涯のあいだ、新しい友人や庇護者に期待し、親しくなっては失望して決別するというトラブルを繰り返している。だれも自分を理解していないというのが口癖で、晩年には病的な被害妄想を抱くようにもなった。

以上の問題については、ヒュームやディドロなど同時代人の多くの証言がある。心理学の観点からの研究もあるようだ。けれどもそんな研究を知らなくても、ルソーの人格的な弱さは、さきほど挙げた『告白』のほか、彼が残した自伝的な文章を少しでも読めばすぐに理解できる。

たとえばそのひとつに『ルソー、ジャン゠ジャックを裁く——対話』と題されたテクストがある。ルソーが六〇代になってから記したもので、『告白』と同じく死後に出版された。

この著作は、作家ルソーと同名の人物が、架空の「フランス人」なる人物との対話を通じ、「ジャン゠ジャック」(すなわちルソー)をめぐる世間の悪評を論破していくというものである。つまりは、ルソー自身が、架空の批判者相手に、自分の評判についてあたかも第三者であるかのように語り、擁護するという書物になっている。この構成自体がすでに病的だが、内容はそれ以上に偏執的で、ルソーが現実で遭遇した些細なできごとをすべて巨大な陰謀の一部として解釈し、「迫害者」

たちへの告発を並べたてた怪作となっている。おそらく政治学者の多くは、『社会契約論』の著者が、一〇年あまりのちこのような狂気のテクストを記していたことを意識していないだろう。けれども彼は現実にはそういう人物だった。

ところでこの著作には短いあとがきが付されており、ルソーの病理はそこにじつにわかりやすいかたちで現れている。その文章によると、彼は本編の対話を書き上げたあと、発表方法についていろいろと考えたらしい。

まず大前提として出版はできない。周囲はみな陰謀に加担しており、だれも信用できないからだ。そこでルソーは写本を一冊だけつくり、ノートルダム寺院の聖壇にこっそりと奉納することを思いつく。そうすれば「迫害者」の手に渡ることなく、告発が国王のもとに届くかもしれないからである。ルソーは視察を繰り返し、聖壇がある内陣に侵入可能な日時と経路を決定する。ところが決行の日に寺院に行くと、新しい柵が設けられていて侵入ができない。ルソーは大きな衝撃を受けるが、陰謀は彼の想定より広大に張り巡らされていて、いまや奉納すら危険なのだという神からのメッセージだと前向きに捉える。

ルソーは気をとりなおし、古い友人の文学者に原稿を読んでもらうことにする。この文学者はのちの研究でコンディヤックだとわかっている。ルソーは原稿を渡し、二週間後に感想を聞きに行く。けれども当然のことながら、コンディヤックは言葉を濁し、彼が期待したような興奮を示さない。ルソーは深く失望し、以後の親交を断つ。そしてあらためて原稿を委託できる人間を探し始める。

こんどはそこにたまたま、イギリス滞在時に知り合った若い詩人が訪ねてくる。ルソーはふたたび天啓を受け、外国人こそが告発先としてふさわしいと確信を抱く。そして実際に原稿の一部を渡すのだが、詩人が帰るとまた猜疑心に囚われ始める。そもそもなぜ彼はやってきたのか。イタリアからイギリスへ帰る道の途中だというけれど、あまりにタイミングがよくはないか。そういえば妙に愛想がよかった……。

というわけで最終的にどうするかというと、ルソーはなんと、著書の内容を要約したビラをつくり、パリの路上で配布し始めるのである。ビラは「いまだ正義と真実を愛する全フランス人へ」と題され、日本語版の全集ではあとがきのあとに収録されている。かなりの枚数が印刷されたが、ほとんどのひとに受け取りを拒否されたらしい。パリ有数の名士の行動としてはかなりの奇行だったはずだ。結局本編自体はだれの手にも渡っていないのだから、当初の目的も見失われている。けれども、繰り返すが、ルソーはとにかくそういう不安定な人物だったのである。

ルソーの名は高校の教科書にも掲載されている。だから多くのひとはルソーを「まとも」な人物だと想像しているだろう。政治や公共について考え、近代民主主義を立ち上げた偉大な哲学者なのだと。

けれども、以上からわかるようにその想像はまったくまちがっている。ルソーは確かに近代民主主義を立ち上げた偉大な哲学者だ。政治や公共についても考えている。けれどもどうみても「まとも」ではない。

ルソーは一般意志には公共性が宿ると記した。だからこそ一般意志は全体意志と区別される。ぼくはさきほど、その公共性がなぜ一般意志にだけ宿るのか、そこには謎があると記したが、以上のような陰謀論的な著作を読んでしまうと、そもそも彼が公共の意味をどこまでわかっていたのか、そのレベルで疑問が頭をもたげてくる。現実のルソーは、公共について考えるどころか、なにが公共でなにが公共でないのか、なにが政治でなにが政治でないのか、その区別すらついていなかったのではないか。

ルソーはたいへん惚れっぽく、自惚れ屋で、嫉妬心が強く、論争好きで、おまけに陰謀論にも抵抗がなかった。おそらく彼は、いまの日本のジャーゴンで表現すれば、「コミュ障」の「メンヘラ」とでも形容されるような人物である。いま生きていたら、まちがいなくＳＮＳで大暴れしていたことだろう。ぼくたちは民主主義の起源にある文章を、そのような人物が記したものとして読まねばならない。

## 8

以上のルソー像を踏まえたうえで、あらためて一般意志の謎に向かうことにしよう。ぼくはさきほど、社会契約の考えそのものはルソーのものではないと記した。ふつうはそこで、ルソーのほかに、先行する哲学者としてトマス・ホッブズとジョン・ロックの名が挙がる。

社会はなぜ存在するのか。統治する人々と統治される人々の区別がなぜあるのか。なぜ王と人民はこんなに違うのか。神が決めたといって済ませてもよいが、近代ヨーロッパではその問いに別のしかたで答える理論が現れた。それが社会契約説である。

それはひとことでいえば、王という特別の人物に権力が集中し、多数の人民がその支配に従わねばならないのは、かつて、歴史の起源において、人民のほうこそ権力の集中を必要とし、相互に「契約」を結び王を選んだからだという理論である。代表する論者が一七世紀に活躍したホッブズとロックで、一八世紀のルソーも同じ思想を引き継いでいる。ちなみに日本の研究者のあいだでは、その三人に共通する社会観を社会契約「説」と呼び、ルソーの著作のほうは社会契約「論」と区別するのがならわしになっている。本論でもそれに従う。

この思想は近代史で決定的な役割を果たした。王の権力は人民が必要としたからこそ存在する。これは裏返せば、王の権力は、人民が必要としないなら正統化されない、つまり転覆してもよいということである。革命はこの論理によって正当化される。それゆえホッブズとロックとルソーは、近代民主主義を準備した思想家としてまとめて論じられることが多い。

けれども実際にはルソーの社会契約「説」は、先行するホッブズやロックのものとはかなり内実が異なっている。ホッブズは、自然状態では人間は殺しあいかねないので、暴力を王に集中させる必要があると論じた。ロックの理論はもう少し複雑で、暴力を抑制するためだけでなく、人間が本来もっている原初的な権利（所有権）を保障するためにも社会契約が必要だという構成になっている。とはいえロックも、自然状態では人間の生活は不安定で、社会状態に移行してはじめて安心して暮らすことができると考えていた点は変わらない。

つまりホッブズとロックは、人間は孤独では生きていけない、いつ殺されるかわからないし、いつ財産を奪われるかわからないと考えていた。だからこそ人々は社会契約を必要とする。これはじつにわかりやすい話である。

ところがルソーについてはそのような理解が成立しない。というのも、彼は『社会契約論』に先行する仕事において、自然と社会の関係についてまったく異なった考えを提示していたからだ。

ルソーはもともと、ホッブズやロックと異なり、人間は自然状態のほうが幸せだったと主張していた。たとえば『人間不平等起源論』にはつぎのような一節がある。「人間が粗末な小屋で満足しているかぎり、［……］一人でできる仕事、数人の人の手の協力を必要としない技術だけに専念しているかぎり、［人間は］人間の本性によって可能なかぎり自由で、健康で、善良で、幸福に生き、おたがいに独立した状態での交際のたのしさを享受しつづけたのであった。しかし、一人の人間がほかの人間の助けを必要とし、たった一人のために二人分の蓄えをもつことが有益だと気がつくとすぐに、平等は消え去り、私有が導入され、労働が必要となり、［……］奴隷状態と悲惨とが芽ばえ、成長するのが見られたのであった」［★16］。

これはルソーの本質を考えるうえできわめて重要な記述である。ホッブズやロックは、人間は孤独では生きていけないと考えた。だから社会契約が必要だと主張した。けれどもルソーは、人間は孤独でも生きていける、それどころか孤独なほうがよく生きることができると考えていたのだ。しかし、だとすれば、ルソーはなぜ社会契約が必要だと主張できたのか。

ルソーがなぜ一般意志と全体意志の区別を必要としたのか、その理由がここから推察できる。ホッブズやロックは一般意志の概念を必要としない。そこでは社会契約は、個人が私的な利害を守るためにこそ必要だと考えられていたからである。これはすなわち、社会は特殊意志の集積から、つまり全体意志からおのずと立ち上がってくるということを意味する。社会の成立を説明するためには、全体意志の概念だけで十分なのだ。

けれどもルソーの社会契約説ではそうはいかない。個人は自然状態のままで幸せに生きることができるのだから、社会契約は私的な利害から生まれる理由がない。特殊意志をいくら集めても、社会は立ち上がらない。それゆえルソーは、全体意志と区別される一般意志という新しい概念を導入し、社会の存在を特殊意志の集積から切り離す必要があったのである。

これは、近代民主主義を駆動してきた一般意志の謎めいた性格が、単純にルソーの思いつきで生じたものなのではなく、また説明不足によって残されたものなのでもなく、彼の思想の全体と結びつき、必然的に要請されたものであることを意味している。ルソーは一方で社会は必要ないと考えた。にもかかわらず他方で社会契約が必然だと考えた。すべては自然のままでいいといい、同時に社会は守らなければならないと訴えた。その二律背反こそが、一般意志という概念を生み出したのである。

この二律背反はまた、さきほどまで紹介してきたルソーのロマン主義的な人間観とも深く関係している。彼はいまでいう「コミュ障」で、社会との距離をうまく摑むことのできない人物だった。精神的にも不安定だった。だから『人間不平等起源論』で、ひとはひとりで生きていたほうが幸せだったと熱烈に主張した。それなのにその同じルソーが、わずか七年後の『社会契約論』では、社会契約について論じ、一般意志の絶対性を謳い上げている。

ここにはふつうに考えて大きな矛盾がある。一方で「ひとはひとりで生きていける」と言いながら、他方では「ひとは社会全体の意志に従うべし」と言っているのだから。実際その矛盾は哲学史のなかでいくども問題になっている。たとえば二〇世紀前半に活躍した哲学者、エルンスト・カッシーラーはそれを「ルソー問題」と呼び、なんとかして思想的に解消しようと試みている。彼はひとことでいえば、その対立は、ひとが変わり、主体として完成する契機を想定することで統合して理解できると主張した[★17]。

けれどもぼくはここではむしろ、その矛盾を、『社会契約論』の議論全体を支える、ある屈折し

---

★16 原好男訳。『ルソー全集』第4巻、239-240頁。

た論理の表れとして解釈することを提案したいと思う。

同書の社会契約と一般意志の関係についての記述は、ふつうは、まず最初に自然状態があり、つぎに人々のあいだで社会契約が交わされ、結果として共同体が生まれ一般意志が生まれる、そんな直線的な経過を描いたものだと理解されている。実際、素朴に読めばそうとしか読めない。

けれどもぼくにはそれは単純すぎるように思われる。そこには逆に、最初には共同体のほうが存在し、つぎにその起源として社会契約が見出され、結果として一般意志があたかも最初から存在していたものであるかのように仮設されるという、そんな遡行的な発見の過程が隠されているのではないか。

具体例で説明しよう。繰り返すが、ルソーは人間は自然状態でも幸せだったと考えていた。そんな人間が社会契約を結んだのだとすれば、なんらかの状況の変化があったはずである。残念ながら、『社会契約論』はその変化についてほとんど記していない。「各個人が自然状態にとどまろうとして用いる力よりも、それにさからって自然状態のなかでの人間の自己保存を妨げる障害のほうが優勢となる時点まで、人間が到達した、と想定してみよう」とさらりと記されているだけだ(第一篇第六章)。

けれども『人間不平等起源論』には多少踏み込んだ記述がある。ルソーはそこで、ひとことでいえば、歴史の起源において不平等化のエスカレーションが起きたという仮説を披露している。

ルソーはまず、あるときどこかで農業と冶金技術が発見されたと想定する。その地域では必然的に、私的所有が生まれ、富と暴力の集中が始まり、不平等な社会が誕生することになる。そうなってくると、近い場所に住む人々もその新たな勢力の台頭に対応しなければならなくなる。結果として彼らもまた新しい技術を輸入し、不平等化に身を委ねることになる。そしてまわりもつぎつぎ同じ不平等化に巻き込まれていく。『人間不平等起源論』には、「ある土地に囲いをして、「これはおれのものだ」と最初に思いつき、それを信じてしまうほど単純な人々を見つけた人こそ、政治社会

---

★17　カッシーラーはつぎのように記している。「というのは、その［＝ルソーの国家理論の］本質的な目的は、たしかに個々人を端的に普遍的拘束力をもつ法律の下に置くことにあるわけだが、しかし、この法律そのものをそこにいかなる気まぐれや恣意の片鱗も見られないように形成することでもあるからである。われわれは自然法則の前に膝を屈するように社会の法律に服従することを学ばなければならない。法律においてわれわれは決して他からの権力的命令に服従するのではなく、その必然性を洞察するゆえに法律を遵守するのでなければならない。それは、われわれがこの法律の意味をわがものとし、この意味を自己の意志のうちにとり込むことができるときに内的に同意せざるをえないものとしてこの法律を理解するとき、そのときにのみ、可能なことである。［……］国家はたんにすでに存在し与えられている意志の主体に呼びかけるのではなく、その最初の目標は、国家が呼びかけを行なうことのできる正しい主体を創り出すことにある」。E・カッシーラー『ジャン＝ジャック・ルソー問題』、生松敬三訳、みすず書房、1997年、30－31頁。強調は引用元のとおり。

ここでカッシーラーは、個人はもともと自由だが、国家の教育を経たあとは一般意志に自発的かつ絶対的に従うようになる、だからルソーに矛盾はないのだと記している。カッシーラーはこれを好意的な読解として提示している。しかし二一世紀のいまであれば、このような読解は、のちにフーコーが規律訓練と名づけるような国家の暴力的主体形成を肯定するものとして、むしろルソーに批判的な読解として理解されるかもしれない。

の真の創立者であった」というたいへん有名な一節がある[★18]。ひとはみな孤独で幸せに生きることができるのだから、社会契約は本来は必要ではない。にもかかわらずだれかが私的所有を発見し、不平等を発明してしまったので、みな社会契約を交わすほかなくなってしまった。これがルソーの基本的な構えだ。

だとすれば、ルソーの社会契約説は、先行の社会契約説を引き継いでいるかのようにみえて、本質的に異なる論理に基づいているといわねばならない。ホッブズやロックは、ひとはひとりでは生きられない、だから社会をつくったと考えた。対してルソーは、ひとはひとりでも生きられる、にもかかわらず社会をつくってしまったと主張しているのだからだ[★19]。

この「にもかかわらず」「しまった」の論理の存在は、ルソーの政治思想が、本書の主題である「訂正可能性」と深く関係していることを示唆している。

ここで第一部の議論を思い出してほしい。ぼくは第二章で、人間のコミュニケーションはすべて子どもの遊びのようなものであり、鬼ごっこをしていたと思ったらケイドロになり、ケイドロをしていたと思ったらかくれんぼになる、そういう変化が避けられないと論じた。しかもそこでは奇妙なことに、いくら遊びの実質が変わっても、参加者のあいだには「同じゲーム」を続けているという錯覚が生じる。共同体はその錯覚をもとに構成される。それがウィトゲンシュタインとクリプキが到達した認識だった。

ルソーの社会契約説に隠された「にもかかわらず」「しまった」の論理もまた、この「同じゲーム」のダイナミズムによって説明できる。だからそれはたんなる論理のねじれではない。いま引用した『人間不平等起源論』の一節を読みなおしてほしい。人々はみな自然状態で満足していた。所有権などだれも知らなかった。それがいつのまにか近くの土地に囲いができていた。「これはおれのものだ」と叫び、所有権という新たなゲームが始まったと主張する人物が現れた。そのとき「おまえもまた所有権のゲームに参加していたはずだ」といわれたら、「それを信じてしまうほど単純な人々」はもはや反論できない。それがルソーがいいたかったことではないだろうか。

ルソーは、社会契約は「訂正」によって遡行的に発見されるものだと考えていた。それはもともとは実在しない。しかし発見されたあとは実在する。懐疑論者が問題提起することで、クワス算が実在してしまうように。

ぼくはさきほど、ルソーの思想には矛盾があるようにみえ、哲学者のあいだで問題になってきたと記した。訂正可能性の論理への注目はその疑問を解消してくれる。ルソーはじつはあらゆる著作で、一貫して社会が悪で自然が善だと主張している。そこはまったくぶれていない。同じように、人間が不平等な社会をつくって「しまった」、その現状への嘆きも変わっていない。ただし彼は『社会契約論』では例外的に、まずはその現実を受け入れ、遡行的に理由を探るという、ほかの著

★18　『ルソー全集』第4巻、232頁。

作とはまったく逆の順序で議論を組み立てているのである。だから『人間不平等起源論』では社会契約は必然ではないはずなのに、『社会契約論』の論理では社会契約は必然になるという表面的な矛盾が生まれるのだ。

ルソーは前述のように、なにが公的な発言でなにが私的な呪詛なのか、その区別すら怪しい人物だった。しかしそんな彼も、社会なるものが存在し、自由を制限していることは知っていた。というよりもそれにこそ悩まされていた。それゆえ彼は、その愚かな現実の起源を探るために歴史を再構成した。『社会契約論』は要はそのような書物なのではないか。

だとすれば、一般意志もまた、もはや単純に実在するものだと考えてはいけないだろう。それはあくまでも、「もしいま不平等な社会が成立しているのだとすれば」という条件のもとで、遡行的に見出される仮説的な存在と理解するべきなのである。

不平等な社会はどこでも成立しているのだから、その仮定は現実には条件節として機能しない。だから『社会契約論』をふつうに読めば、一般意志は素朴に実在すると語られているようにしか受け取れない。けれども、その隠された仮定を想定するとしないとでは、同書の多くの箇所の読みが異なってくる。

★19　ぼくがここでルソー読解の軸に据えているのは、形式化すればつぎのような論理である。A（自然）は自足している。B（文明）は存在しなくてよい。しかしAはAのままでいられなかった。AがAでいるためにBが必要になってしまった」。Bの出現はある意味では必然ではないが、別の意味では必然だ。AにとってBはあくまでも「おまけ」なはずだが、現実にはBが存在しなければAも存在しない。

じつはこの屈折した論理は、ルソーに限らず哲学史で頻繁に現れることが知られている。第一部の注65で参照した哲学者、デリダはその屈折を「エクリチュール」という言葉で表現した。エクリチュールは思想用語としてはカタカナでそのまま書かれることが多いが、日常語としては「文字」を意味するフランス語である。声は声だけで存在する。文字は「おまけ」である。多くの哲学者がそういう。でも現実には文字がなければ声も記録されない。文字として書かれなければなにが音素かもわからない。そこには矛盾がある。デリダはこれをひとつの雛形にして、多くのテクストのなかに同じような矛盾を発見し、伝統的解釈を転倒する新しい読解（脱構築）を導こうと試みたのである。

ところでそんなデリダはルソーも主題にしている。彼が一九六七年に出版した『グラマトロジーについて』という著作は、後半がまるまるルソーの読解に当てられている。扱われているのは、『人間不平等起源論』の一部として書かれたと想定されるものの、結局は生前公刊されることがなかった『言語起源論』という論文である。デリダはそこで、ルソーの思考にはいま紹介したような屈折した論理（エクリチュールの論理）が浸透しているので、「自分が語りたくないことを語り、結論したくないことを記述する」のだと指摘している。ジャック・デリダ『根源の彼方に』下巻、足立和浩訳、現代思潮社、1972年、201頁。ルソーのテクストのなかに一種の矛盾を読み込み、それを梃子に一般意志の新しい解釈を導き出すという本書の試みは、このデリダの仕事に大きな影響を受けている。とくにのち第八章で展開する「人工的自然」をめぐる議論では参考にしている。自然と文明の関係、真実と嘘の関係、愛と偽善の関係、それは声（パロール）とエクリチュールの関係にほかならないからだ。

にもかかわらず本文で明示的な参照がほとんどないのは、デリダの著作に少しでも触れたことがあるひとであればご存じのとおり、彼の仕事はそもそも、結論や主張を一部だけ切り出すことができないように、たいへん厄介で複雑なスタイルで書かれているからである。それゆえ本書では、『グラマトロジーについて』でデリダが主張したように、などと軽々に書き記すことができなかった。けれども彼がそこで示した読解の実践からは、たいへん多くを学んでいる。

## 9

たとえば『社会契約論』には、「各構成員は〔社会契約を交わすことで〕自分の持つすべての権利とともに自分を共同体全体に完全に譲渡する」のだから、「われわれのおのおのは、身体とすべての能力を共同のものとして、一般意志の最高の指揮のもとに置く」のだと記した一節がある(第一篇第六章)。

これもまたしばしば問題になる箇所である。前述のように、ホッブズやロックの社会契約は、あくまでも各人が自分の利益のために交わすものだと考えられていた。個人は社会契約を交わすことで自由の一部を失う。それは自由と安全の交換だとみなすことができる。交換だからこそ契約の比喩が使えるのである。

ところがそれがルソーでは、共同体に「身体とすべての能力」を「完全に譲渡する」という絶対的な贈与の行為に変わってしまっている。これはたいへん危険な規定である。社会契約の本質が贈与にあるのだとすると、市民は自由の対価をなにも期待できないことになるからだ。実際に彼はこの規定からいくつも問題含みの帰結を引き出している。そのなかでもとくに悪名高いのが、「統治者が市民に向かって、「おまえの死ぬことが国家に役立つのだ」と言うとき、市民は死ななければならない」という一文である(第二篇第五章)。市民は共同体にすべての権利を譲渡している。それゆえ市民は統治者の判断に絶対に服従せねばならず、その力は生存の権利にまで及ぶというのだ。ここでもまたルソーは、現在の常識では理解できない主張を展開している。

けれどもこのような強烈な主張も、訂正可能性の論理を考慮するとあるていど理解可能なものに変わる。そもそもルソーはここで、単純に社会契約が贈与だと述べているのではなく、かなり奇妙な論理を展開している。

ルソーは確かに、ひとは社会契約によって権利と財産をすべて共同体に譲り渡すのだと断言している。けれども、彼はそのすぐあとで、それらの権利や財産はすべて共同体による保護というかたちで戻ってくるので、じつは各人はなにも失わないとも付け加えている。ルソーはつぎのように記す。「要するに、各人はすべての人に自分を与えるから、だれにも自分を与えないことになる。そして、各構成員は自分に対する権利を他人に譲り渡すが、それと同じ権利を他人から受け取らないような構成員はだれもいないのだから、人は失うすべてのものと等価のものを手に入れ、また、持っているものを保存するための力をより多く手に入れるのである」（第一篇第六章）。

権利と財産をいったん共同体に与え、ただちに共同体から返してもらう。同じものが自分と共同体のあいだを往復しただけなので、各人はなにも失わない。にもかかわらず、その往復行為によって、社会という「各人がすべての人と結びつきながら、しかも自分自身にしか服従せず、以前と同じように自由なままでいられる形態」が現れる（同前）。これがルソーの理屈である。1引く1はゼロではなく、社会が残るというのだ。

それゆえここでルソーが記述しているのは、正確には贈与ですらなく、贈与とも交換ともいいがたい第三の行為である。この行為の謎は、それ自体哲学的な探究に値するだろう。

しかしぼくとしては、謎そのものの分析よりも、むしろなぜそのような論理のアクロバットが必要とされたかのほうに関心がある。そしてその必然性こそが、まさに、ルソーの社会契約が、自然と文明の二律背反を「しまった」の論理で強引につなぐものだったことを理解することで、きれいに説明できるものなのである。

ホッブズやロックにおいては、ひとは自然状態では安全に生きることができないことになっていた。だから社会契約を安全と自由の交換として説明できた。

けれどもルソーにおいては、ひとは自然状態でも安全だったのだから、安全と自由の交換が成立するはずがない。ひとは自由をなにとも交換する必要がない。それはいいかえれば、ひとは社会契約のあとも、自然状態と変わらず自由でなければならないということである。そうでなければ社会契約など交わすわけがないからだ。それゆえルソーは社会契約について、そこでひとはいったんすべての自由を譲り渡すのだが、同時にその自由はすべて返ってくるので、社会契約のあとも「以前と同じように自由なままでいられる」はずだと記すしかなかったのである。1引く1はゼロではなく、社会が残るという奇妙な贈与の論理は、ルソーの本来の自然肯定とホッブズらから引き継いだ社会契約説の整合性を取るために要請されている。

　自然状態から社会状態への移行には必然性がない。にもかかわらず、それは起きてしまった。いちどその移行が起きてしまえば、ぼくたちは遡行的に社会契約を発見するほかなくなる。ずっと社会契約は機能していたし、共同体も存在していたと認めるほかなくなる。クリプキの懐疑論者が現れたあとでは、みなずっとクワス算をしていたと認めるほかなくなるように。これがルソーが依拠した「しまった」の論理である。

　それゆえ、クワス算の計算式がおそろしく抽象的なものだったように、遡行的に発見された社会契約も抽象的なものにとどまらざるをえない。さきほど紹介したような政治的に過激な命題は、じつはその抽象性の結果として現れている。

　繰り返すが、ルソーによれば、ひとは社会契約を交わしたあとも、自然状態と同じく自由だということになっている。同時に一般意志に服従することにもなっている。これはつまり、社会状態においては、個人の意志は一般意志の意志に等しくなるということを意味している。実際にルソーはある箇所で、個人の意志と一般意志が異なるときには、個人のほうが「思い違い」をしていると考えるべきだと記している（第四篇第二章）。つまりは、ルソーの考えでは、一般意志が特定の個人に死を命じるときは、そのひとはすでに自分自身死を欲しているはずなのである。それゆえ、統治者が命じたなら市民は死ぬべきだという命題が導かれてしまうのだ。その命題は、ルソーにとっては、前述のアクロバットから導かれる必然でしかなかった。

この例は裏返せば、ルソーの社会契約をめぐる遡行的な思考が、それを支える「しまった」の論理＝訂正可能性のダイナミズムが忘れ去られたとき、いかに政治的に危険なものに変貌するかも示している。

別の例も示しておこう。本章冒頭でも引用したように、ルソーは一般意志はつねに正しいと記している（第二篇第三章）。なぜそんなことがいえるのか。

意志といえば、ふつうは人間がつくりだすものだと考える。ところがルソーは一般意志について、しばしばそれを人間を超えた「事物」に準えている。その比較は『社会契約論』では示唆されているだけだが、同時期に出版された『エミール』には明記されている。

それは『エミール』のなかでもよく参照される箇所である。ルソーはそこで、幼い子どもを教育するにあたって、「自然に由来する事物への依存」と「社会に由来する人間への依存」を区別することが重要だと主張している。

ここで「自然に由来する事物への依存」とは、物理的な環境による行動の制約のことである。たとえば川があったら先には進めない、そのような制約のことだ。他方で「社会に由来する人間への依存」とは、命令や道徳などによる制約を意味している。進入禁止の看板があるのでその先に進めない、そのような場合はこの例にあたる。そしてルソーは、前者の制約は自由を直接に奪うだけで害がないが、後者は子どものなかに反抗心という「悪」を生み出してしまうので危険だと説く。彼の考えでは、教育はできるだけ前者の制約を利用したほうがよい。この主張には、自然は善で、社会は悪だというルソーの一貫した価値観が反映されている。

そのうえでルソーはつぎのように記している。「社会においてこの悪を治療するなんらかの方法があるとすれば、それは人間の代わりに法をおき、一般意志に、あらゆる特殊意志の作用を越える現実の力をあたえることである。〔……〕〔それによって〕人間への依存はふたたび事物への依存となる」〔★20〕。

この一節はたいへん興味深い。ルソーの考えでは、人間への依存は悪を生み出す。つまりは特殊意志も悪を生み出す。だから悪を克服するためには、人間＝特殊意志への依存を克服しなければならない。そして一般意志の形成は、まさに人間への依存を事物への依存に変えるものだから重要だというのである。

この記述は、ルソーが一般意志への個人の服従を、人間への依存よりも事物への依存に近いものだと想像していたことを意味している。いいかえれば、一般意志の力を、人間が生み出す制約ではなく、天気の良し悪しや土地の高低や水の流れのような自然による制約と比較していたということ

★20　樋口謹一訳。『ルソー全集』第6巻、88頁。

である。

ルソーがなぜ「一般意志はつねに正しい」と断言できたのか、その理由がここに端的に示されている。自然による制約については、それが「正しい」か「正しくないか」を判断することそのものに意味がない。自然はただそこにある。晴れるときは晴れるし雨が降るときは降る。山も川もそこにある。ぼくたちはただその環境のもとで行動するだけであって、雨が降るのが「正しくない」とか、山や川があるのが「正しくない」とか叫んでも意味はない。雨が降れば傘をさすしかないし、山を越えたかったら登るしかないし、川を渡りたければ橋を探すか船を出すしかない。その点では自然はつねに「正しい」。一般意志は自然の制約に近いのだから、同じように一般意志もつねに「正しい」。おそらくはルソーはそのように発想したのではないか。

ここまでの記述でわかるように、このような主張もまた、「もしいま一般意志なるものが存在してしまっているのだとすれば」という仮定のもと、遡行的に見出されたものだと考えなければならない。一般意志は自然の制約に近く、つねに正しい。ルソーがそう断言するのは、社会契約が成立し、一般意志が存在してしまっている以上、そう考えるほかないからだ。

なんどでも繰り返すが、ルソーは、ひとは自然状態で完全に幸せだったと考えていた。そこには他者への依存という「悪」がなかったからだ。それはすなわち、社会契約が交わされ、共同体が生まれたあとも、他者への依存という「悪」を肯定するわけにはいかないことを意味する。したがって、彼の考える理想的な社会秩序の源泉、すなわち一般意志は、新しい第二の自然として位置づけられるほかなかった。一般意志への従属は自然への従属と同じだと考えることで、はじめて彼は、自然状態の肯定と社会契約説を整合させることができたのである。

そしてこの主張もまた、条件節が消され、訂正可能性のダイナミズムが忘れ去られてしまうと、とても残酷なものに変貌する。ひとはいくら自由でも、山火事で火に包まれたら死ぬしかない。同じように、市民はいくら自由でも、一般意志に命じられたら死ぬしかない。一般意志はつねに正しく、その力が自然の制約に等しいという命題は、単純に理解されるとそのようなことを意味する。

だからぼくたちは、ルソーを読むにあたっては、つねに論理の屈折に敏感でなければならない。統治者が命じたなら市民は死なねばならない、それはいっけん統治者の理不尽な命令を素朴に肯定するもののようにみえる。けれども本当はそれは「もしいま不平等な社会が成立しているのだとすれば」という条件節を挟み込み、つぎのように解釈しなければならないのだ。

……もしもいまきみたちがこの不平等な社会の存在を承認しているのであれば、かつて社会契約が成立したと想定せざるをえない。だとすればきみたちはいま、論理的な必然として、自分では自由だと感じながらも、同時に一般意志の命令には絶対的に服従しなければならないような、そういう状況に置かれていることになる。それこそが社会が成立するということだが、はたしてきみたちはその残酷さをどこまでわかっているのだろうか——そのような逆説的な問いかけとして。

## 11

ここまでの議論で、近代民主主義の起源に位置するルソーがかなり個性的な人物だったこと、彼の社会契約説もたいへん入り組んでいたこと、そのため『社会契約論』の記述は屈折したものとなっており、逆にその屈折こそが民主主義の歴史を駆動してきたこと、そしてその屈折を理解するためには第一部で検討した訂正可能性の概念が有効であること――このような点について、説得力のあるかたちで示すことができたのではないかと思う。

最後に、そんなルソーの屈折が二一世紀の人工知能民主主義にまでまっすぐにつながっていること、そしてそのまっすぐさにこそ人工知能民主主義の弱点が現れていることを示して、この章を終えるとしよう。

特殊意志は実在する。全体意志も実在する。しかし一般意志は実在しない。それは社会が生まれたあと、「訂正」によって遡行的に発見されるものにすぎない。それはもともとは実在しないものだが、発見されたあとは実在する。その逆説は訂正可能性の論理に照らせば逆説ではない。これがぼくの『社会契約論』の解釈である。そしてここまではその認識のもと、一般意志の謎めいた規定は、その訂正可能性の論理の屈折の表れとして解読すべきだと論じてきた。

ところが興味深いことに、あるいは困ったことに、一般意志のそのような規定は、『社会契約論』の刊行から二世紀半を経たいま二一世紀の思想や技術に照らすと、以上のような面倒な解釈を経ずとも、じつにまっすぐに合理的に読解できてしまうのである。そこでは、一般意志をめぐるルソーの言葉は、矛盾を抱えているどころか、むしろ技術的に具体的に実装可能な民主主義のわかりやすい設計図であるかのようにみえてくるのだ。どういうことか。

ルソーは一八世紀の人間である。『社会契約論』が刊行されたとき、フランスはまだ絶対王政だった。アメリカは独立しておらず、イギリスでようやく産業革命が始まりかけていた。世界人口は一〇億に届かず、ほとんどは農村に住み、都市はいまよりもはるかに小さかった。ネットやスマホがないどころか、電話も電信もなく、そもそも電気の産業利用すらなされていなかった時代だ。ルソーはそのような時代の制限のなかで社会契約や一般意志について考えた。裏返せば、彼の言葉は、二一世紀のいま、ルソー自身が想像もできなかった知識や技術と結びつけて再解釈することができる。

そのような再解釈を促すものとして、とくにふたつの変化がある。ひとつは「無意識の発見」である。現代人は、ひとの心のなかに意識できない領域が広がっているという考えに親しんでいる。そのような領域は無意識と呼ばれる。

人間は知覚のすべてを意識できるわけではない。見えないと思っていたものが見えていたり、聞こえないと思っていたものが聞こえていたりすることがある。欲望のすべてを意識しているわけでもない。自分がなにを望んでいるか、なにに苦しんでいるのか、自覚できないことも多い。だから心の健康を保つためには第三者の介入が必要になる。このような認識はいまでは常識だが、その歴史は意外と浅い。それはルソー以降の歴史である。

無意識についての認識そのものは、シャーマニズムなど近代以前の宗教的な行為に遡る。とはいえ医学史家のアンリ・エランベルジェによれば、現代医学につながる無意識の概念が発見され、それを扱う学問が生まれたのは、ヨーロッパではようやく一七七〇年代に入ってのことらしい[★21]。画期となったのは、一七七四年、フランツ・メスメルという医師が「動物磁気」なるものを「発見」したことである。動物磁気は、人間や動物の内部と外部を貫いて流れる流動体のことであり、その流れを操作することで精神疾患を治癒できると考えられた。メスメルのこの仮説は高名なエクソシスト（祓魔師）との論争に勝利することでヨーロッパ中に広まり、現代精神医学への道を開いた。だいたいルソーの死と同時期だ。

メスメルの活動期間は一〇年ほどで、晩年の行動はほとんど知られていない。けれどもその教義は弟子たちに引き継がれ、一九世紀のあいだ、催眠術や降霊術、前述のロマン主義の流行などと呼応しながら、おもにドイツやフランス、アメリカで影響力を拡大していった。そして一九世紀も後半に入ると、こんどは催眠術を中核的な技法として、ヒステリーや夢遊病、てんかんなどの分析に取り組む新世代の学者たちが現れる。そのなかでもっとも影響力のあった人物がジャン＝マルタン・シャルコーというフランスの医師で、彼はパリにあるサルペトリエール病院での精神疾患の治療を一種の見せものに変え、一八八〇年代に巨大な富と名声を手にした。シャルコーの公開診療は、いまでも科学史やメディア史でしばしば取り上げられる。

現代人が親しんでいるフロイトやユング、あるいはピエール・ジャネやアルフレート・アドラーといった二〇世紀の精神医学の始祖たちは、じつはこのような一九世紀の前史のあとではじめて現れる。フロイトがシャルコーの公開診療を見学していたのは有名な話だ。

つまりは、いまぼくたちが知っている無意識の概念は、ルソーの時代には存在しなかった。したがって、当然のことながら、ルソーは無意識という言葉を使わなかった。

けれどもいまの知識をもって読みなおすと、さきほどまで紹介してきた一般意志についてのいくつかの規定、意志でありながら事物のように感じられるとか、議論や合意によらずに人々の行動を制約するといったルソーの記述が、彼がのちの無意識の概念を知らないまま、なんとか社会の集合的無意識について語ろうとした苦闘の跡であるかのように読めてくる。無意識もまた、意志でありながら意志ではなく、議論や合意によらず人々の行動を制約するものだからである。

特殊意志は意識される。全体意志も意識される。けれども一般意志は意識されない。それは無意

---

★21 アンリ・エレンベルガー『無意識の発見』上巻、木村敏、中井久夫監訳、弘文堂、1980年、第2章参照。

識の意志であり、しかも社会全体の集合的な無意識である。だから一般意志と全体意志は異なる。このように解釈すると、遡行的発見が云々などという複雑な話を挟まなくても、『社会契約論』はかなりすっきりと理解することができる。

たとえば、まえにも触れた「立法者」についての記述がある。独裁の肯定として悪名高い箇所だが、じつはルソーはそこで、「公衆は、幸福を欲していても、それがわからない」ので「公衆については、彼らが欲しているものを教えてやらなければならない」と記している(第二篇第六章)。市民は自分の欲望を知らない、だから立法者が教えてやらねばならないというわけだが、ここで市民を患者、立法者を精神科医に見立てて読んでみたらどうか。患者は自分の欲望を知らない、だから精神科医が分析してやらねばならないという一節だと解釈すると、これはこれでありうる主張のような気がしてくる。

## 12

ルソーを再解釈するにあたり、もうひとつの重要な視点は「統計の整備」である。現代世界では、政府が定期的に国民についてデータを集め、企業が市場の動向をリサーチし、政策の立案や商品の開発に活かすのがあたりまえのことになっている。自分の財産状況や健康状態について、統計と照合して位置を確認するのも習慣になっている。けれども、そのようなデータ活用の歴史もまた短い。

国勢調査は英語では census という。この言葉の語源は古代ローマに遡る。数量的な調査を政治に活かす考えは、一七世紀のイギリスの経済学者、ウィリアム・ペティの『政治算術』に遡るともいわれる。

とはいえ現実にはヨーロッパでは、一九世紀に入るまで人口調査さえまともに行われていなかった。アメリカで初回の国勢調査が行われたのが一七九〇年、フランスとイギリスでは一八〇一年のことである。調査はそれ以前にもプロイセンやスウェーデンなどで行われていたが、不定期だったり結果が秘密だったりしていまの国勢調査とは異なっていた。

これは裏返せば、ルソーを含めて、一八世紀のヨーロッパの学者たちは、社会の実勢についてほとんどデータの裏づけなく語っていたことを意味している。実際、トマス・マルサスは有名な『人口論』で、イングランドとウェールズの人口について七〇〇〇万人という推測を記している。同書の出版は一七九八年だが、いま述べたように、イギリスではそのわずか三年後に初回の国勢調査が行われた。結果は九四〇〇万人だったので、誤差は三割近い[★22]。

★22　マルサス『人口論』、斉藤悦則訳、光文社古典新訳文庫、2011年、36頁。なおマルサスは正確には「この島国」としか述べておらず、上記邦訳では訳者も「イングランド」とだけ補足している。したがってウェールズを除外した可能性もあるかもしれないが、当時は「イングランド」という地名は単独でウェールズを含む運用がされていたようだ。ここはレイの著作での解釈に従った。オリヴィエ・レイ『統計の歴史』、池畑奈央子監訳、原書房、2020年、73頁。

ところが、その状況が一九世紀に入ると劇的に変わる。一八三〇年から一八五〇年にかけての二〇年のあいだに、国勢調査だけでなく、工業、商業、農業、医学、保健衛生、教育や犯罪学など、あらゆる領域で統計が利用され始める。統計という学問そのものが一種の流行になり、小説や演劇でも取り上げられるようになった。数学者のオリヴィエ・レイは、『統計の歴史』という著作で、その熱狂は都市化の進展と関係していたのではないかと推測している[★23]。当時、イギリスやフランスでは産業革命によって社会構造が大きく変わり、多くの労働者が故郷から切り離され、都市で無名のひととして生活するようになった。そんな彼らは、社会全体を捉える新しいイメージを必要とし、統計の数字こそがその要望に応えたというのである。

その熱狂を代表する人物が、ベルギーの統計学者、アドルフ・ケトレである。ケトレは、身長や胸囲のような身体的特徴の分布、犯罪率や自殺率の推移などを研究し、社会現象にも物理現象と同じく統計的な法則性が現れることを発見した。一八三五年に著作を発表し、そのような法則を探究する学を「社会物理学」と名づけている。人間はみな自分の意志で行動していると思い込んでいるが、社会全体でみれば一定の法則に従っている。実際に犯罪や自殺の件数はあるていど予測できる。この発見は同時代の人々に大きな衝撃を与えた。統計の時代はここに始まる。

ぼくの考えでは、ここでもまたルソーの記述は未来を先取りしている。統計の時代はルソーの死後に始まった。彼が生きている時代には、そもそも統計の基礎になるデータが集められていなかった。したがって、一般意志の特性を統計からの類推で説明することもできなかった。

けれどもこちらについても、いまの知識をもって読みなおすと、一般意志の規定はあたかも統計について語ったものであるかのように読めてくる。ふたたび繰り返すが、一般意志は、人間の意志でありながら人間の秩序の外にあり、事物の秩序に近い強制性をもつものだとされていた。統計的法則性はまさにこの規定にあてはまる。自殺にしろ、交通事故にしろ、性犯罪にしろ、当事者はそれぞれ異なった動機や事情で、自殺を試みたり、事故に遭遇したり、犯罪に踏み出したりしている。そこには必ず個人の意志が働いている。だから個別の事例は意志で回避できる。にもかかわらず、全体の発生件数は驚くほど正確に予測できてしまう。それはまるで、人間の力の及ばない第二の自然かのようだ。

ルソーは一般意志は事物だと記したが、一九世紀も末になると、まさに社会そのものを事物として捉えるべきだという思想が出てくる。エミール・デュルケームは一八九五年に出版された『社会学的方法の規準』において、社会学の原理は「社会的諸事実を物のように考察すること」なのだと記している[★24]。一般意志への従属を事物への従属に準えた『エミール』の記述は、統計の時代を経て、およそ一三〇年後に新しい学問の基礎として復活したわけだ。

---

★23　『統計の歴史』、69頁以下。
★24　デュルケム『社会学的方法の規準』、宮島喬訳、岩波文庫、1978年、71頁。

ひとが集まって社会契約を交わし、共同体をつくる。一般意志はその結社の行為から直接に生まれる。だから特殊意志や全体意志と異なって公共性を担う。それがルソーが強調していたことだった。

それは以上のような現代風の解釈を加えると、ひとがあるていど集まる、そうすると人間の行為の集積には統計的な法則性が必然的に現れる、その法則は個人の意志では変えられないので超越的な公共性が宿ると、そう主張していたのだと理解することができる。だとすれば、これもまた謎めいた話ではない。

ルソーは一般意志には抵抗できないと主張した。確かに統計には抵抗できない。そもそも抵抗なるものが意味をなさない。もしあなたが自殺を考えているとして、それまでまったく自殺が起きていない時間と場所を選んで実行したとしても、それはなにも抵抗にならない。あなたの自殺が新しいサンプルになり、死の統計が豊かになるだけの話である。統計にはそのような残酷な性格がある。ルソーはまさにその残酷さを、一般意志が死を望むとき、個人もまた死を望んでいるのだという逆説として記述していたと考えられる。

## 13

特殊意志は実在する。全体意志も実在する。しかし一般意志は実在しない。それは社会が生まれたあと、「訂正」によって遡行的に発見されるものにすぎない。だからルソーは一般意志について屈折した表現でしか語れなかった。

ぼくはそれがルソーに忠実な一般意志の解釈だと信じる。にもかかわらず、ルソーの記述は、二一世紀の知識に照らすと、そのような屈折を考慮することなく、集合的無意識と統計的法則性について語ったものとしてじつにまっすぐに解釈できてしまう。

これはいまや、一般意志の概念から、訂正可能性をきれいに放逐することができてしまうことを意味している。そして、ぼくの考えでは、二〇二〇年代のいま台頭しつつある人工知能民主主義は、まさにそのような訂正可能性なしの一般意志から生まれ出た思想だと位置づけることができるのである。

ルソーは、統治は一般意志に導かれるべきだと主張した。その一般意志なるものは、集合的無意識や統計的法則性のことだと解釈することができる。その解釈に従えば、ルソーは、統治が集合的無意識や統計的法則性に導かれるべきだと主張したことになる。

その理想はどのようにしたら実現できるだろうか。特殊意志と全体意志は人間でも意識することができる。特殊意志は個人の意志のことだし、全体意志は多数決のことだからだ。けれども一般意志は意識できない。それは統計の法則性としてのみ浮かび上がるものであり、大量のデータの数学的処理によってしか可視化できないからだ。ここから帰結するのは、統治を真の一般意志に導かせるためには、すなわち真の民主主義を実現するためには、人間よりむしろ機械の指示に従ったほうがいいのではないか、という疑いである。一般意志は機械でしか把握できない。

人工知能民主主義は、まさにそのような発想に基づく提案である。それゆえ、前章でも記したように、人工知能民主主義という思想は、二〇一〇年代の人間の民主主義への失望から生まれたものであると同時に、民主主義の核心から必然的に生まれたものだといえる。ルソーは、人間の秩序は悪だと繰り返し主張していた。そんな呪詛から始まった近代民主主義が、最終的に人間を信用しない機械による民主主義に行きつくのは当然でもある。

シンギュラリティの夢は夢にすぎない。けれども人工知能民主主義の夢はそうではないかもしれない。前章ではハラリと落合の壮大な文明論を紹介した。しかしもっと現実的に、人工知能民主主義を可能なかぎり早く実装すべきだと主張する論者も現れている。たとえば経済学者の成田悠輔は、二〇二二年に出版された『22世紀の民主主義』という著作で「無意識データ民主主義」という構想を掲げている。それは本論が人工知能民主主義と呼ぶものにほぼ等しい。

成田によれば、無意識データ民主主義とは、「インターネットや監視カメラが捉える会議や街中・家の中での言葉、表情やリアクション、心拍数や安眠度合い……選挙に限らない無数のデータ源」からなる「民意」をもとに、「アルゴリズム」によってさまざまな政策が自動決定されていく統治形態のことである。これはいままでの言葉で表現すれば、人工知能が大量のデータを統計的に解析し、法則性＝一般意志を抽出して、公正な統治を人間なしに実現していくということを意味している。そのような未来社会では、「民主主義は人間が手動で投票所に赴いて意識的に実行するものではなく、自動で無意識的に実行されるものになっていく」だろうと成田は記す[★25]。

成田はルソーにほとんど言及していない。しかしここで掲げられている理想はルソーからまっすぐにつながっている。ルソーもまた選挙や政治家を信じていなかった。

しかしぼくは、そのような思想には根本的な欠陥があると考える。次章以降はまさにその欠陥について論じることになるが、あらかじめ論点を簡単に提示しておけば、まず第一に、そこではここまで検討してきた「訂正可能性」をめぐる複雑なダイナミズムがいっさい考慮されず、端的に無視されてしまっているという問題がある。そしてその単純化は、ルソーの思想の政治的な危険性とどのように距離を取るか、という課題と密接に関わっている。

人工知能民主主義者は、素朴に、民意を抽出できれば理想の民主主義は実現できると考える。そ

---

★25 成田悠輔『22世紀の民主主義』、SB新書、2022年、17、20頁。

して民意の抽出は技術的に可能なので、人間は必要ないと考える。その素朴さはいまの成田の引用にわかりやすく示されている[★26]。繰り返すが、それは確かに民主主義の伝統に則っている。一般意志の理念は、確かに集合的無意識や統計的法則性として解釈できる。

けれども、それは他方で、民主主義の初期の構想のなかから、ルソーが忍び込ませた厄介な論理の屈折を削ぎ落とすという選択でもある。そしてその選択は、たんに思想の解釈の是非にとどまらない、大きな政治的な帰結を伴っている。

なぜならば、本論でルソーを取り上げた出発点には、そもそも、近代民主主義の起源に位置するこの思想家が、民主主義の父という言葉のイメージに反し、実際には個人の自由を抑圧し全体主義を招きかねない危険な命題をいくつも記していることがあったからである。その危険性は歴史的に繰り返し指摘されてきた。それゆえ、いまあらためて一般意志を素朴な実在として受け取り、技術的な実装可能性のみを追求するという選択は、ルソーのそのような危険性もまたそのまま素朴に受け取り、実装可能性を追求していくことを意味してしまう。ひらたくいえば、民主主義を独裁と同一視するシュミットのような解釈を否定できないまま、人工知能の統治への利用を進めていくことを意味してしまうのである。

ぼくにはそれは支持できない。かといってぼくたちは、いまさら安易にルソーを破棄することもできない。だからこそぼくはここまで、ルソーのテクストを別のしかたで読む方法を探り続けてきた。

もうひとつ、人工知能民主主義の是非を考えるうえで提起したい問いがある。それは、いくら技術水準が上がったとしても、そもそも政治から人間を排除するなどということが可能なのかという疑いである。

成田は「無意識民主主義は、生身の人間の政治家を不要にする構想でもある」と高らかに謳い上げている[★27]。彼の構想では、未来の政治家は「世論のガス抜き」をするためのアイドルやマス

---

★26　のちに第九章でも触れるが、ぼくはじつは『一般意志2・0』の前半では同じような素朴な主張を展開している。同書は成田の著作の注にも挙がっている。とはいえ当時のぼくには迷いがあった。社会がビッグデータとアルゴリズムに導かれて統治されるとは、社会が集団の無意識に導かれて統治されることを意味する。それでは戦争のように情動が沸騰する事態に対応できない。無意識がつねに公共の利益を指し示すわけではない。そのためぼくは同書では、一方で人工知能民主主義の可能性を提示しながらも、他方でそれを否定もする、いささか分裂した印象を与える議論を展開せざるをえなかった。本書はその反省を踏まえて書かれている。ここで訂正可能性の概念を導きの糸としているのは、それを用いれば、一般意志とその暴走を抑制するものの拮抗関係について、より明確に説明できると考えたからである。

その点で驚くのはむしろ成田の著作に迷いがないことである。彼は本気で、すべての欲望をデータ化し、人工知能に分析させればみな幸せになると信じているようにみえる。『一般意志2・0』が刊行されたのは二〇一一年で、成田の著作とのあいだには一一年の月日が流れている。次章で記すように、それはまさにスマホとSNSの普及によって個人情報の収集が急速に進み、人々が監視やプライバシーの問題に関心を失っていった時期にあたる。ぼくはいずれにせよ人工知能民主主義は実現不可能だと考えるが、彼とぼくの温度差にはそのような時代の変化も反映されているのかもしれない。

★27　『22世紀の民主主義』、218頁。

コットの役割しか担わない。だからそれはVTuberでもいいしアニメキャラでもいいし、なんならペットのネコでもよい。未来社会は、そのような「キャラ」たちのおしゃべりと関係なく、粛々と機械によって統治されていくとされている。

けれどもぼくの考えでは、そのような理想は絶対に実現しない。それは単純に、ぼくたちが人間で、そのかぎりにおいてぼくたちは政治の場をいくらでも「訂正」し、再定義できてしまうからである。

これは原理的な問題である。ふたたびウィトゲンシュタインとクリプキの議論を思い起こしてほしい。彼らが示したのは、人間のコミュニケーションが難癖やクレームを原理的に排除できないということだった。人間は加算すら完璧に定義できない。すべてクワス算だったと言い募るクレーマーの出現を排除できない。まさにこの条件こそが、統治の実質を機械に委ね、人間が関わる政治の場をたんなる儀式に還元しようとする成田の構想を躓かせるはずである。一般意志がどれほど正確に抽出され、それを統治に変えるアルゴリズムがどれほど完璧になったとしても[★28]、そんなこととは関係なく、肝心のアルゴリズムやら人工知能やらの選択に難癖をつけ、制度の新解釈を並べ、「訂正」を迫り、一般意志そのものを再定義しようと試みる人々は必ず現れるだろう。それが人間社会というものだし、政治家とはそもそもそういう難癖をつける人々を意味している。成田はそのような困った人間をいかに黙らせるのか、ほとんどなにも考えていない。いいかえれば、人工知能民主主義は、人間のすべてのコミュニケーションが訂正可能性に満ちた不安定なゲームであることを忘れた、本質的に非人間的な構想なのである。

繰り返すが、これは技術の限界に関わる話ではない。むしろ人間の限界に関わる話である。人工知能民主主義者はルソーの思想の継承者だが、そのような限界については、おそらくはルソー自身のほうがはるかによく理解していた。

ルソーはロマン主義文学の創始者でもある。ロマン主義は人間の矛盾を描いた。ルソーの『社会契約論』や『新エロイーズ』からほぼ一世紀のち、ドストエフスキーは『地下室の手記』という小説を発表している。ぼくは最終章でふたたびこの作品に言及するが、そこでドストエフスキーが描いたのは、ひとことでいえば、人間はそもそも、理想社会の到来にそれが理想社会だというだけの理由で反抗することができる、そういう厄介な存在だということである。そういう厄介さにどう対処するか。その思考が欠けているかぎり、政治思想は成熟したものになりえない。

---

★28　現実にはこの仮定そのものが怪しいとも指摘しておくべきだろう。ぼくは経済学の専門家でないので触れていないが、計算力がいくら上がるとしても、ビッグデータから人々の欲望を抽出し、あらゆる資源について最適の配分を計算するなどという作業が本当に実現可能なのか、そもそも疑わしい。素人目には、それは二〇世紀前半に行われた「社会主義経済計算論争」と深い関係があるように思われる。同論争は、商品の価格を、市場メカニズムによる調整と中央政府による計算、そのどちらで決定するのが効率的なのかをめぐって争われた。論争はフリードリヒ・ハイエクが市場メカニズムに軍配を上げて終わった。落合や成田はその点はどう考えているのだろうか。人工知能の決定は本当に市場よりも効率的なのだろうか。結局のところ、もっとも強い計算機は、ぼくたちが生きる現実の世界（自然）そのものなのではないだろうか。

ぼくはさきほどルソーは「コミュ障」で「メンヘラ」だと記した。しかし、本当はそれはルソー個人の心理の問題として片付けるべきではない。思想の問題だと理解すべきなのだ。だからこそぼくはここまで、ルソーの矛盾について考え続けてきた。

ルソーは、人間が、一方で不平等な社会を受け入れつつ、同時にその同じ社会を憎みもする、たいへん都合のいい存在であることがよくわかっていた。社会契約を交わし、みずから自由を譲り渡しておきながら、同時にすべてを壊して自然へ戻りたいと叫ぶような身勝手な存在であることがよくわかっていた。『社会契約論』は人間のそのような二面性を前提に構想されている。だからこそルソーは逆に、「一般意志はつねに正しい」と、つまり、一般意志はどんなことがあってもつねに遡行的に正しいとされてしまうものだと記さねばならなかった。ルソーの「一般意志はつねに正しい」という命題は、「一般意志はつねに正しいとされてしまう」という隠れた副命題とともに理解されなくてはならない。そしてその「正しさ」は、つねに懐疑論者の出現によって「訂正」され続ける。政治とはその訂正の場のことだ。

一般意志は素朴には実在しない。それは、人間がつねにすでに巻き込まれている訂正可能性のゲームのなかで、遡行的に発見され、「正しいもの」だとされてしまう、そのような逆説的な理念でしかない。ぼくはルソーをそのように読むことこそが、唯一民主主義の未来につながる道だと考える。一般意志の構想は、訂正可能性の思想によって補われねばならない。

ルソーの『社会契約論』はじつに困った書物だ。この書物のおかげで、民主主義にふたつの混乱がもたらされた。

ルソーは社会は人民の意志に導かれるべきだと記した。それなのに肝心の人民の意志がどこにどう現れるかは記さなかった。だからみな勝手に民主主義を定義することができた。これが第一の混乱だ。

その空白は原理的には、ルソーが一方で自然状態を称揚しながら、他方で社会契約について語ろうとした矛盾に起因する。ルソーは人間は自然のままで生きるべきだといいながら、同時に自然のままでは生きられないと主張した思想家だった。その矛盾がそのまま、一般意志の定義の、ひいては民主主義の混乱につながっているのである。

そしてそのうえでさらに、そのような矛盾によって生じた記述の空白が、いまでは技術的に解決可能な問題提起にみえるというもうひとつの混乱が生じた。一八世紀では謎でしかなかった一般意志に関する記述が、二一世紀においてはビッグデータ分析の出現を予見していたかのように読むことができる。この第二の混乱から人工知能民主主義が生まれた。本章では、ルソーからシンギュラリティへと至る、そのねじれて入り組んだ政治＝技術思想の理路を辿ってきた。

次章以降では、ここまでの議論を踏まえたうえで、人工知能の統治への応用が現実的になりつつあるいま、なぜ訂正可能性の観点を欠くと危険なのか、訂正可能性を実装するとはどういうことなのか、そしてそもそも民主主義の本質とはなんだったのか、視野をさらに広げて考えてみたい。

# 第7章　ビッグデータと「私」の問題

## 14

特殊意志は実在する。全体意志も実在する。しかし一般意志はそのように単純には実在するといえない。なぜならばうしろに訂正可能性の論理が隠されているからだ。人工知能民主主義はそんな訂正可能性を消してしまうので危険なのだ、というのが本論が言いたいことである。

それでは、統治に情報技術が活かされる時代において訂正可能性が消えてしまうと、いったいどのような問題が起こるのか。本章では、ふたたび現代の事例に戻り、具体的に検討してみよう。

人工知能民主主義はビッグデータから一般意志を取り出すことを考える。あらためてビッグデータとはなにか。

じつはこの言葉には明確な定義はない。オンラインで技術系の事典を引いても、「既存のシステムでは記録や分析ができないほど巨大なデータ群」といった説明が出てくるだけである。特定の新技術が名指されているわけではなく、情報環境の進歩により大量のデータが収集できるようになった、その事態への驚きを表現する言葉だと理解するぐらいでよいようだ。

そんな言葉が流行し始めたのは二〇〇五年のことだといわれている[★29]。カーツワイルの『シンギュラリティは近い』が出版された年で、前年には「ウェブ２・０」という別の流行語も生まれている。

第五章で記したように、この二〇〇〇年代の半ばは、スマホとＳＮＳが現れ、ネットのすがたが大きく変化し始めた時期にあたる。だれもがつねに情報機器を持ち歩き、ネットワークに接続し続ける新たな環境が生まれ、プラットフォームが収集できる個人情報の量と質が劇的に拡大した。それは当初は一部学者や市民の強い警戒心を招き、監視の拡大やプライバシーの侵害を批判する議論が相次いだ。そこで好んでもち出されたのは、国家や企業が市民ひとりひとりの一挙手一投足を監視し分析しているという、ジョージ・オーウェルの『一九八四年』に近い監視社会のイメージである。

けれどもそのような批判は二〇一〇年代に入ると急速に力を失っていく。変化の理由としては、各国で個人情報保護法制が整備されたこと、ビッグデータの利用の統計的で匿名的な性格について

---

★29　下記のウェブサイトの説明（二〇一三年に記されたもの）を参照したが、最近では一九九〇年代にすでに使用されていたという説も現れているようだ。Mark van Rijmenam, "A Short History of Big Data," *Datafloq*. URL=https://datafloq.com/read/big-data-history/

理解が進んだことなど複数の要因が挙げられる。しかし本質的には、ＳＮＳやクラウドサービスへの依存が進み、そもそも多くのひとが監視を気にかけなくなってしまったことが大きいだろう。

一九九〇年代から二〇〇〇年代にかけては、繁華街での監視カメラの設置や携帯電話のＧＰＳ機能でさえ、プライバシーの侵害として非難されることがあった。いまでは繁華街どころか住宅地や交通機関にも無数のカメラが設置されている。プラットフォームはユーザーの位置履歴や購買履歴を年単位で保存しているし、クラウドに保存された個人的なメールや写真も犯罪防止の名目のもと定期的にスキャンされている。もしかりに三〇年前に戻ってこの状況を伝えたら、未来はどんな過酷なディストピアかと驚かれるに違いない。けれども、多くのひとはその現実を抵抗感なく受け入れている。

第五章では、プラットフォームの「検閲」に対するこの数年の世論の変化にも触れた。落合や成田のような人工知能民主主義の主張が支持されるのは、人々がその構想が前提とするビッグデータの収集と利用を、すでにビジネスとして受け入れてしまっているからでもある。とくに中国では監視技術への抵抗が希薄だといわれている。二〇一九年には、その名もずばり『幸福な監視国家・中国』という題名の書籍が話題となった[★30]。二〇二〇年以降のコロナ禍では、感染拡大防止のため、監視がますます厳しくなったといわれている。

以上の変化は、ビッグデータの統治への利用を、いまや監視への懸念を根拠に批判するのがむずかしいことを意味している。多くの人々は、生活が快適になるのならば、監視を喜んで受け入れることがわかってきたからだ。

しかしだからといって、ビッグデータの利用に問題がないわけではない。そこには別の問題がある。そしてぼくの考えでは、その問題こそが訂正可能性の論点と深く関係している。


ビッグデータの利用が抱える倫理的な問題については、データサイエンティストのキャシー・オニールが『数学破壊兵器』という著作で出している例がわかりやすい。

アメリカに「FICO」と呼ばれる金融信用スコアリングモデルがある。一九九〇年代に普及し、いまも多くの金融機関が利用している。返済が滞ればFICOスコアは下がり、返済が続けばスコアは上がる。借入残高が多くなればまた下がる。金融機関は融資の可否を判断するにあたり、このスコアを多いに参考にするのだという。

オニールは、このFICOのような伝統的なスコアリングと、ビッグデータ分析を活かした新しいスコアリングを比較している。彼女の考えでは、前者の利用に倫理的な問題はない。特定の人間の返済能力を判断するために、そのひとの過去の返済記録が参照されるのは当然だからだ。けれども、同じ信用スコアでも、ビッグデータ分析を活かした新しいスコアの利用には問題があるという。なぜか。それは、そこで利用されているのが「代理データ」にすぎないからである。

★30 梶谷懐、高口康太『幸福な監視国家・中国』、NHK出版新書、2019年。

あるひとの資産状況をビッグデータ分析によって明らかにするとは、どういうことだろうか。それはじつは当人の資産そのものを調べることを意味しない。それが可能ならビッグデータを利用する必要はない。けれども一般にそのようなセンシティブな情報は厳重に守られている。だからビッグデータの分析者は、かわりに、そのひとがどこに住んでいるか、だれと住んでいるか、どんなものを買っているか、だれと交流しているかなどを調べ、類似した生活を送っている人々の資産状況と照合し、数学的なモデルをつくって目的の人物の資産状況を推測する。そこで利用されているのは、学歴、家族構成、コンピュータの位置情報から推測される住所、商品の購入履歴、ネットの閲覧履歴などのデータであって、資産の数字そのものではない。

ここで注意すべきは、そのような代理データによる判断は、数学的にいくら洗練されようと、本質は人間社会で古くから行われていた伝統的な推測と変わらないということである。高級車に乗っていれば金回りがいいだろうと推測する。貧困地域に住んでいれば危険だと判断する。それはかつて銀行家が、顔や服装を見て融資の是非を決めていたのと変わらないふるまいである。そのような推測には差別や偏見が入り込みやすい。だからこそＦＩＣＯのようなスコアリングが発明された。それなのにビッグデータの利用は時代の針を押し戻してしまっているのだ。

オニールは、ビッグデータ分析においては、「あなたは過去にどのような行動をとったのか」という質問が「あなたに似た人々は過去にどのような行動をとったのか」という質問によって置き換えられていると指摘している。

ぼくたちは無数の個人情報をばらまいて生活している。けれども、その集積であるビッグデータをいくらひっくり返しても、じつはこの「ぼく」という特定の個人の全体像を捕まえることはむずかしい。名前や住所、年齢、資産といったセンシティブな情報にはだれもがアクセスできるわけではないからである。だから分析者は、あなたを探すかわりに、「あなたに似ている人々」について計算を行うことになる。そして「[あなたに]「似た人々」が借金を踏み倒していたり、それどころか犯罪者であったりすれば、あなたも「そういう人」として扱われる」ことになるのである[★31]。

この指摘は現代の監視の本質を鋭く抉り出している。ぼくたちは確かにいま強力な監視の時代に生きている。しかしそれは「ぼく」や「あなた」という特定の個人が標的にされていることを意味しない。そのような監視の実施は、国家権力があらゆるデータベースに無制限にアクセスできる全体主義的体制を想定しないかぎり、法的にも技術的にもむずかしい。

現実に分析の対象とされるのは、たとえばぼく、本書の著者である東浩紀についてであれば、「深夜に東京からアクセスしツイートを多数投稿するユーザーがひとりいる」「あるフランス人作家の新刊を購入し、直後に哲学者の新刊をカートに入れたユーザーがひとりいる」「二〇一九年の夏

★31 キャシー・オニール『あなたを支配し、社会を破壊する、AI・ビッグデータの罠』、久保尚子訳、インターシフト、2018年、218-219頁。原題は「Weapons of Math Destruction」で直訳すると「数学破壊兵器」になる。

にヨーロッパ行きの航空券を三枚購入したが、二〇二〇年の夏には一枚も購入しなかったユーザーがひとりいる」といった断片的な行動履歴や購買履歴である。それらの履歴ひとつひとつはたいした情報ではない。漏洩しても深刻なプライバシー侵害にはつながらない。

にもかかわらずビッグデータ分析が力をもつのは、それら異質な情報のあいだに、統計的に有意な相関関係が発見されることがあるからである。ツイートと読書傾向と休暇の過ごしかたには、ふつうに考えればなんの関係もない。けれども、何百万、何千万、何億もの人々の同じようなデータを収集し分析すると、本人たちも意識しない意外な相関が見つかるかもしれない。たとえば、ある時期にある本についてツイートを投稿したひとは長い休暇を取る傾向があるとか、そういったものだ。現実にそのような相関があるかどうかはわからないが、あってもおかしくはない。

かりにそのような関係が定まったとすると、ぼくというサンプルについても、ツイートのパターンを分析することで、つぎになんの本を買うか、休暇はいつどこに行くのかをあてていど予測できるようになる。もしその予測が当たったとすれば、ぼくはまるで、私生活が丸裸にされ、頭のなかを覗き込まれたかのような不気味さを感じるだろう。けれども現実に行われているのは、けっしてぼくという個人の監視ではない。ぼくと同じようなツイートをぼくと同じようなタイミングで投稿するひとが一万人いるとしたら、うち一〇〇〇人はこの本を買うだろうし、一〇〇人はここに行くだろうといった確率的な予測にすぎないのだ。

## 15

ビッグデータ分析は、個人を対象とした予測はできず、群れを対象とした予測しか提供することができない。

それは裏返せば、ビッグデータ分析は、本性上、例外をつねに群れの一部として取り込み、その例外性を消去してしまうことを意味している。

どういうことか。ビッグデータ分析は代理データを用いてあなたを格付けする。かりにあなたが貧しいひとが多い地域に住んでいたら、それだけで低いスコアを割り当てられる。けれども実際にはむろん、貧しい地域に住むひとがみな貧しいわけではない。みなが借金を踏み倒すわけでもない。逆に豊かな地域に住んでいても、犯罪に手を染めて借金を返さないひともいるだろう。

あなたはそのことに不満を抱いた。不当なスコアリングに抗議し、自分の返済能力を証明したいと考えたとしよう。そして実際まじめに働き、借金を予定どおりにすべて返済したとする。

その努力はＦＩＣＯのような古典的なスコアリングであれば報われるだろう。あなたのスコアはあなた個人の行動履歴に基づいて変化するからだ。次回の審査では高いスコアを獲得し、未来も開ける。けれどもビッグデータ分析では報われることがない。あなた個人の努力は、同じ地域に住む人々が変わらず貧しく、借金を踏み倒し続けているかぎり、彼ら「あなたに似た人々」のデータのなかに呑み込まれてしまうからである。あなたの努力は外れ値として処理されるだけで、次回の審査でもスコアはほとんど変わらない。

その状況が変わるとすれば、スコアを算出するアルゴリズムそのものが見直され、変数に居住地以外の要素が加わるときだけだろう。実際、現実の運用ではそのようにしてたえずアルゴリズムが見直され、分析の精度を上げている。けれども、いずれにせよその恩恵を受けるのはあなたではない、別のひとだ。それにいくら変数が増え、アルゴリズムが洗練されたとしても、例外に位置する人々は現れ続ける。そしてその例外の人々はけっして自分の努力ではスコアを上げることができない。アルゴリズムを変えることができるのは、結局はエンジニアだけだからだ。

オニールはここにビッグデータ分析が抱える倫理的な欠陥をみる。ビッグデータ分析においては、「ぼく」の人生はどうあがいても「ぼくに似た人々」の平均に呑み込まれてしまう。「ぼく」は、「ぼくに似た人々」への差別や偏見からけっして自力で脱出できないのである。

この問題は、まさに本書が主題としてきた訂正可能性の論点と関係している。オニールが指摘したのは、要は、ビッグデータ分析から導かれるスコアが個人の力では「訂正」できないということだからだ。

あらためて考えてみよう。ぼくたちは加算を行なっている。みなそう信じている。そこにクワス算を主張する懐疑論者がやってくる。ぼくたちはその主張を排除できない。そこで規則を変えたり参加資格を変えたりしつつ、他方ではずっと「同じゲーム」を続けていたと過去を「訂正」していく。それが訂正可能性の原理であり、また社会の構成原理でもあるというのが、本書がここまで示してきたことだった。

けれどもビッグデータ分析においてはまったく裏返しの事態が起きている。ぼくは加算の共同体に属している。けれどもクワス算を行なっている。だから自分は加算ではなくクワス算を行なってきたと主張する。論理的には排除できない主張だ。にもかかわらずだれも話を聞こうとしない。「あなたに似た人々」はみな加算していたのだから、あなたも加算していたはずだとだけ言われて処理される。いくらクワス算の論理的な成立可能性を主張しても、あなたのような変わったひとが出てくるのは折り込み済みだ、だから加算の共同体にいても大丈夫だと宥められてしまう。規則が変わるわけでも参加資格が変わるわけでもなく、異議を唱えたのに共同体から排除されるわけでもない。なにも訂正されない。あえてクリプキの例に近づけるなら、これがビッグデータ分析において起きている事態である。

なぜこのようなことが生じるのだろうか。訂正可能性の論理が固有名の謎と連動していたことを思い起こしてほしい。一般名と固有名は区別される[★32]。一般名は定義の束に還元される。だから定義を否定する命題は意味をもたない。他方で固有名は定義の束に還元されない。だから定義を否

---

★32 ここでは話を簡略化しているが、第一部でも述べたように厳密にはこの区別は維持されない。第一部注33を参照。

定する命題も意味をもつ。「じつは……だった」という遡行的な訂正が起こる。これが第一部で確認したことだった。

ところが、ビッグデータ分析はまさにこの固有名を扱うことができない。「ぼく」ではなく「ぼくに似た人々」を扱うとは、つまりは固有名ではなく定義の束を扱うということだからである。そこではぼく、たとえば東浩紀についての予測は、ぼくという人間を分解して得られるさまざまな属性、男性だとか、日本国籍だとか、五〇代だとか、子どもがいるとか、都内在住だとか、会社を経営しているとか、そういったさまざまな特徴で定義される集団についての予測の集合（論理積）として得られるにすぎない。東浩紀という人間の固有性は最初から問題になっていない。それゆえ「じつは東浩紀は……だった」という遡行的発見＝訂正そのものが成立しないのである。

したがって、ビッグデータに基づく統治は人間の固有性を扱うことができない。ふたたび第一部の議論を思い起こしてほしい。そこでぼくはハンナ・アーレントと齋藤純一を参照しつつ、「表象の空間」と「現れの空間」という区別を紹介していた。

表象の空間では市民は属性の束として、現れの空間では市民は固有名として現れる。たとえば、前者ではぼくは、都内在住の子もちの五〇代男性として、後者ではかけがえのない「この東浩紀」として現れる。この区別は従来の公共性論において重要な役割を果たしていた。現れの空間への志向がなければ公共性への志向もない。けれどもここまでの議論で明らかなように、ビッグデータ分析は最初から表象の空間しかつくらないのだ。

ぼくとあなたは、同じ性、同じジェンダー、同じ国籍、同じ経済階層であってもまったく異なる政治信条をもつかもしれない。また逆に、異なる性、異なるジェンダー、異なる国籍、異なる経済階層であったとしても心からわかりあえるかもしれない。ひとはそれぞれ固有だからこそ、所属集団の平均から外れた意見をもつことができる。そしてそのような例外的な交流や出会いがあるからこそ、社会はたくさんのタコ壺に分裂せずに一体性を保つことができている。みたび第一部で用いた言葉を引けば「誤配」だ。ビッグデータ分析の導入は、原理的に、政治からそのような誤配＝訂正可能性を奪ってしまうのである。

## 16

同じ問題は思想界でも別の表現で提起されている。そちらもみておこう。法学者のアントワネット・ルヴロワと政治哲学者のトーマス・バーンズは、二〇一三年に「アルゴリズム的統治性」を主題とした論文を発表している。

アルゴリズム的統治性は、ビッグデータの統治への利用を意味する造語である。「統治性」は、戦後フランスを代表する哲学者、ミシェル・フーコーが晩年に好んで用いた言葉だ。それは、日常で使われる「権力」や「政治」よりも広く、法や経済やイデオロギーなど、社会と個人を関係づけるさまざまな装置の連携を意味している。ルヴロワとバーンズは、その言葉に「アルゴリズム」を加えることで、ビッグデータ分析の統治への導入は、社会と個人の関係そのものを変えてしまうので危険なのだと問題提起したのである。

ルヴロワとバーンズは、アルゴリズム的統治性は「主体化を生み出すことがな」く、それが問題だと記している。

どういうことだろうか。彼らはつぎのように記している。「アルゴリズム的統治性は、主体化を生み出すことがない。反省する人間主体を迂回し、回避してしまう。それは、個人より下位の、彼ら自身にとっては無意味なデータを素材として取り入れ、行動や属性についての個人を超えたモデルを、それぞれの個人に関わることがないままに設立してしまう。それゆえ、彼らに対して、あなたはなにものなのか、あなたはなにものでありうるのかと問うことがけっしてないのである」[★33]。

いささかややこしい表現だが、ここではさきほど検討したものと同じ問題が指摘されている。ビッグデータ分析は、ネットにばらまかれた断片的情報（個人より下位のデータ）をかき集めることで、特定のひとの状態や行動をあるていど予測可能なものにしてしまう。その予測は、そのひと自身の固有性（反省する人間主体）にいっさい触れることなく、彼あるいは彼女が属する群れの特性（個人を超えたモデル）だけに基づいて下されることになる。ルヴロワとバーンズはその過程を、「個人より下位の、彼ら自身にとっては無意味なデータ」を用いて「行動や属性についての個人を超えたモデル」をつくると表現している。そこでは主体性は「迂回」され「回避」されるというわけだ。

そのうえでルヴロワとバーンズが警戒を促すのは、そのような「迂回」や「回避」が治安維持の局面で現れることに対してである。ビッグデータ分析はいまはおもに商業目的で使われている。けれども同じ技術は、特定の人物がどのような犯罪を犯すか、どのような政治活動に身を投じるかといった、治安目的の予想を強化するためにも利用することができる。いささかＳＦめいた話だが、すでに一部の国ではそのような行動予測や予測結果に基づいた予防拘禁が実現しているともいわれる[★34]。

しかしそのような利用には大きな問題がある。なんども繰り返しているとおり、ビッグデータ分析は個人に関わらない。あくまでも群れについての予測を出すにすぎない。したがって、そのような分析に基づく権力は、「あなたはなにものなのか、あなたはなにものでありうるのかと問うことがけっしてない」ままに、個人の自由を奪うことになるからである。

具体的にはつぎのようなことだ。未来国家では、特定の人々がビッグデータ分析に基づいて「テロリスト予備軍」に分類され、つぎつぎに予防拘禁されることが日常になるかもしれない。あなたもそのなかに含まれるかもしれない。それはアルゴリズム的統治性がいまだ支配的でない現在の常

★33　Antoinette Rouvroy and Thomas Berns, tr. Liz Carey Libbrecht, "Algorithmic governmentality and prospects of emancipation," in *Réseaux*, vol. 177 issue 1, 2013, p.10. URL=https://www.cairn-int.info/journal-reseaux-2013-1-page-163.htm ページ数はダウンロード版ＰＤＦのもの。

★34　ジェフリー・ケイン『ＡＩ監獄ウイグル』、濱野大道訳、新潮社、２０２２年、参照。

識からすれば、とんでもない人権侵害にみえる。

けれども新しい時代の常識に従えば、そうでもなくなるかもしれない。そのような予防的処置は、「あなたに似た人々」、つまりあなたと同じ民族や同じ宗教や同じ出身地域の人々に統計的にテロリストが多いという「客観的な事実」があるのであれば、あるていど合理的でやむをえないと考えられるようになるかもしれないからだ。そこでは権力は最初からあなたを拘束するが「おまえは犯罪者だ」と告げるわけではない。権力は最初からあなた個人を相手にしていない。権力はただ単純に、「あなたに似た人々」にテロリストが多いのだから、犯罪の危険を減らすためにはあなたを含む「群れ」を隔離し、管理するのは合理的だと説得してくるだけなのだ。

裏返せば、そこでは予防拘禁された市民の側が、権力の視線を見つめ返し、「わたしはなにものなのか」と内省することもまたむずかしいことになる。権力におまえは犯罪者だと告げられるならば、そうではないと反抗することもできるだろう。犯罪とはなにかと問うこともできるだろう。けれども最初から、問題はあなた個人の行動ではなく、「あなたに似た人々」の予測される行動なのであり、予防拘禁もまた罪の認定ではなく合理的なリスク管理の結果なのだといわれてしまえば、抵抗するのはとてもむずかしくなる。「主体化を生み出すことがない」とは、そのような事情を意味している。

ぼくは前章で、統治者が命じたなら市民は死ぬべきだという『社会契約論』の悪名高い命題は、一般意志が特定の個人に死を命じるときは、そのひとはすでに自分自身死を欲しているはずだという命題として再解釈できるのだと記した。アルゴリズム的統治性の予防拘禁は、まさにそのルソーの論理にかぎりなく近い論理で動いている。そこでは、権力が特定の個人を拘束するときには、そのひとはすでに自分でも気がつかないまま犯罪を犯しかけているのだと、そう考えられているからである。

アルゴリズム的統治性は主体化を消去する。ぼくがさきほど訂正可能性の消去として捉えた問題を、ルヴロワとバーンズは主体化の消去として捉えている。そして彼らのこの指摘は、アルゴリズム的統治性の台頭を思想史や社会学史のなかでどのように位置づけるべきか、重要な示唆を与えてくれる。

さきほど紹介したように、統治性とはそもそもフーコーの言葉である。そしてフーコーは、権力からの「おまえはなにものなのか」という呼びかけを市民が内面化すること、すなわち「主体化」の過程こそが、近代国家の統治を安定させるため必要不可欠なものだと考えていた。

権力はふつうは、個人から自由を奪い取り、秩序を強制する力のことだと考えられている。ホッブズやロック、ルソーたちの社会契約説も、まさにそのような権力観のうえで形成されている。けれどもフーコーは、近代国家の権力はそのような単純なものではないと考えた。ヨーロッパで生まれ、発達した近代国家なるものの権力は、それ以前の、あるいはそれ以外の地域の国家権力と異なり、人々から単純に自由を奪うものではなく、むしろ人々の生に積極的に介入し、個人の自由そのものを管理し方向づけることで社会全体の秩序を形成するような、より巧妙なものに変わることになったというのだ。晩年のフーコーはその権力形態の研究を続け、統治性という言葉もそこから生まれた。彼の最後の仕事は『性の歴史』という未完で終わった長い歴史書だが、一九七六年に出版されたその第一巻では、前近代から近代への移行は「死なせる権利」から「生きさせる権力」への移行と表現されている[★35]。

近代の権力は「生きさせる権力」である。そこでは権力と生はもはや単純には対立しない。個人の自由な生はむしろ権力によって生み出される。そしてそのような権力と自由の新しい関係において、きわめて重要な役割を果たすのが「主体化」だとされていたのである。フーコーによれば、近代国家は、人々を「主体」にし、その内面に権力の視線を移植し、好き勝手に生きているようでいて自発的に秩序を形成するような両義的な存在に変えることで、かつてなく効率的で安定した統治を実現した。彼はそのような統治のありかたを「生権力」とも呼んでいる。

だとすれば、アルゴリズム的統治性が主体化を必要としないという前述の指摘は、現代の権力が、もはや近代の「生権力」とは異質なものに変わりつつあることを示唆していることになる。近代の生権力は主体をつくるが、現代のアルゴリズム的統治性は主体をつくらない。生権力は「あなたはなにものなのか」をたえず問うてくるが、アルゴリズム的統治性は「あなた」に関心をもたないのだ。

ちなみに付け加えると、生権力とアルゴリズム的統治性のこの断絶は、研究者のあいだではあまり意識されていないようである。

むしろ両者は連続して捉えられている。政治思想史家の重田園江が指摘しているように、フーコーは晩年の講義で、一九世紀における生権力の拡大と浸透を、同時代の統計の整備と関連づけて語っている［★36］。そして情報社会論者の大黒岳彦が強調するように、いまのビッグデータ分析を支えるデータサイエンティストの仕事は、ケトレや、その半世紀ほどのちに活躍したフランシス・ゴルトンら一九世紀の統計学者たちにまっすぐつながっている［★37］。したがって、アルゴリズム的統治性を一九世紀の生権力の継承者だと位置づけることは確かにできる。そもそもビッグデータ分析は、数学としては統計学の子孫にほかならない。

---

★35　ミシェル・フーコー『性の歴史I　知への意志』、渡辺守章訳、新潮社、１９８６年、１７５頁。なおここでフーコーは、正確には「死なせるか生きるままにしておくという古い権利に代わって、生きさせるか死の中へ廃棄するという権力が現われた」と記している（強調は引用元のまま）。フランス語では faire と laisser という動詞が使われているこの文章はなかなか日本語に訳しにくいのだが、意訳を怖れず言葉を補えば、ここで指摘されているのは、近代以前は「死を与えるか、そうでなければ放置して好きなままに生きさせておくか」（de *faire* mourir ou de *laisser* vivre）という二択として機能した権力が、近代においては「生に積極的に介入して権力の好きなように生きさせるか、あるいは社会の外側に放棄して殺すか」（de *faire* vivre ou de *rejeter* dans la mort）という二択になったという変化である。

★36　重田園江『フーコーの風向き』、青土社、２０２０年、とりわけ第2章と第4章参照。

★37　大黒岳彦『情報社会の〈哲学〉』、勁草書房、２０１６年、第2章参照。

けれども、ルヴロワとバーンズも注意を促していたように[★38]、ビッグデータ分析の政治思想的な重要性は、統計そのものの利用にではなく、そのようなかつての統計学が前提とした人間観をもはや共有していないことにある。

前章の紹介では触れなかったが、ケトレはじつは、社会物理学の構想と並んで「平均人」という理念を発明したことでも知られている。彼は、身長や体重だけでなく、身体能力や知能などさまざまな人間の属性を計測し数値化することに情熱を傾けた。そして、測定値の分布の多くが正規分布になることを発見し、その中心に位置する人物に規範的な意味をもたせようとした。具体的には、身長も体重も平均的、知能も年収も生活態度も平均的といった理想の人物を想定し、それを「平均人」と名づけたのである。平均的な人物を規範的、すなわち「ノーマル」なものだとみなし、そこからの逸脱を変異や劣化と捉える彼の人間観は、まさに「あなたはなにものなのか」とたえず問いかける生権力と呼応している。

それに対して、いまここで検討しているアルゴリズム的統治性、つまりビッグデータ分析に基づく権力は、そのような規範と逸脱の対立そのものを必要としていない。かりにアルゴリズム的統治性があなたをテロリスト予備軍だと認定し、予防拘禁を行なったとしても、それはたんに「あなたに似た人々」の分析に基づいてリスク管理を行なっているだけで、べつにあなたが平均的市民像から逸脱した「アブノーマル」だから悪だと裁いているわけではない。むしろアルゴリズム的統治性の暴力性は、さきほども記したように、かりにあなたが平均値から外れた例外＝アブノーマルだったとしても、それもまた新たなサンプルとして貪欲に取り込んでしまう例外性の消去への傾きのほうにある。

生権力は人々がノーマルかどうかをたえず問うてくる。いまの研究者や活動家はそのような権力にはとても敏感で、批判する言葉を豊富にもっている。たとえばジェンダー研究やクイア研究がそのような反生権力の武器として準備されている。けれども本当にいま考えねばならないのは、アブノーマルを平気で放置し許容し、それでも揺らぐことのないアルゴリズム的統治性の問題なのではなかろうか。

## 17

話を戻そう。ぼくは前章で、人工知能民主主義は訂正可能性を消去するから問題なのだと記して

★38 "Algorithmic governmentality and prospects of emancipation," p. 3. 正確を期すために注記すれば、ルヴロワとバーンズ自身は生権力とアルゴリズム的統治性の差異をここまではっきりとは記していない。彼らはむしろ晩年のフーコーにアルゴリズム的統治性に似た理論を読み込もうとしており、また他方で、アルゴリズム的統治性の時代においては権力による主体化が生じないからこそ、別の解放的な主体化が起きるはずだとも記している。とはいえそれらの主張はあまり明確ではなく、アルゴリズム的統治性の特徴はやはり生権力と対置させたほうが理解しやすい。ここではあえて差異を強調して紹介している。

いた。

なぜそれが問題なのか。ここまでの議論はその問いに簡単な答えを与えてくれる。人工知能民主主義、あるいはアルゴリズム的統治性、あるいはその実装としてのビッグデータ分析の政治的な利用、呼び名はなんでもよいが、そのような構想のもとで情報技術で支援される権力は、その原理上、ひとを固有名として扱うことができない。統計による予測は、いくら精緻になったとしても、ひとを個人ではなく群れの一部として扱うことしかできない。そこでは「じつは……だった」という訂正の論理も働かないし、市民の主体化も起きないし、「現れの空間」も立ち上がらない。一般意志の規定を素朴に受け取り、その逆説の背景にあるルソーの葛藤を無視し、群れとしての人民の意志をビッグデータから抽出し統治の基盤にするだけでは、民主主義にとって重要なものが欠けてしまうのである。

人工知能民主主義には訂正可能性がない。いちど定まった一般意志は「正しい」だけで訂正されない。だからそこでは市民は、いちど属性を与えられたら、永遠にその属性から脱出することができない。いくら善行を積み重ねても、「あなたに似た人々」が犯罪者であるかぎりにおいて、あなたは永遠にリスク集団の一員として分類され続ける。あなたは、あなたが男性であること、あるいは女性であること、ヨーロッパ人であること、アジア人であること、マジョリティであること、マイノリティであること、加害者であること、被害者であること、それらすべての規定から永遠に脱出することができない。あなたの行動はつねに「あなたに似た人々」に差し戻され続ける。それが人工知能民主主義の世界だ。
第五章で紹介したように、落合は『デジタルネイチャー』で、人工知能が市民の属性や能力を把握しそれぞれの人生の最適な選択肢を提案する、そのことで人々の幸福度は増すはずだと確信をもって主張している。けれどもぼくにはそれはきわめて歪で、まったく幸せから遠い社会にしか思えない。そしてそれは落合固有の欠陥ではない。人工知能民主主義の思想そのものの欠陥である。人工知能民主主義は、訂正可能性の実装で補われなければならないのだ。

訂正可能性を実装するとはどういうことだろうか。その議論に進むまえに、ふたつ新たな視点を付け加えておきたい。

ひとつめは生産関係の視点である。アルゴリズム的統治性は個人の固有性を認めない。ただ群れの分析だけを行う。それは権力の形態を変えるだけではない。社会心理学者のショシャナ・ズボフは、二〇一九年にベストセラーとなった著作で、その変化と連動し生まれる新たな経済構造を「監視資本主義」という言葉で捉えている。
監視資本主義はズボフの造語である。それは「人間の経験を、行動データに変換するための無料の原材料として一方的に要求」し、その「行動余剰」から「予測製品」を生産したうえで、最終的に、その予測を原材料となった経験を提供した人々とはなんの関係もない「行動先物市場」で販売することで、プラットフォームが莫大な利益を得ることを可能にする体制のことである[★39]。ひとことでいえば、プラットフォームが個人情報を集めて儲ける体制のことだ。

ズボフは、ぼくたちはいまや、産業資本主義や金融資本主義に加え、監視資本主義が支配する時代に足を踏み入れつつあるという。ここでキーワードは「行動余剰」である。

行動余剰もまたズボフの造語である。彼女はグーグルのビジネスモデルを例につぎのように説明する。

グーグルはいま利用者に対してほとんどのサービスを無料で提供している。利用者はそのかわりに位置情報や検索履歴などの個人情報を提供している。グーグルは提供された情報をもとにサービスを改善することになっている。多くのひとはそれを信じている。しかし実際のところは、集められた個人情報のうちその目的に利用されているのはごく一部である。では残りはどうなっているかといえば、人工知能に入力され、利用者がどのような生活を送っているのか、いまなにを買いたいと思っているのかなどを予測するために利用されている。

その「残り」の情報が、ズボフが「行動余剰」と呼ぶものである。そしてその余った個人情報から利用者の行動予測が引き出され、広告主に売られるかたちに整えられる過程を、彼女は「予測製品」の「生産」と呼んでいる。グーグルは利用者向けのサービスでは儲けていない。そもそもそこではなにも売られていない。グーグルは予測製品を広告主に売って儲けているのであり、彼らの真の顧客は利用者ではなく広告主である。ズボフによれば、このビジネスモデルが発明されたのは二〇〇二年のことで、それによってグーグルは爆発的に成長し始めた。それまでの同社はサービスの収益化に苦しみ、いつ潰れてもおかしくない企業だった。

ここでズボフは、本論でここまで「固有名を扱えないこと」や「主体化を生み出すことがないこと」といった言葉で検討してきた問題が、ビジネスではすでに利潤の源泉として組み込まれていることを鋭く抉り出している。

なんども繰り返しているように、ぼくたちは強い監視の時代に生きている。それは見かたによってはディストピアであり、かつてはそのような批判もあった。にもかかわらず多くの消費者が現状を受け入れているのは、あるていどの個人情報の提供にさえ同意すれば、グーグルに限らず、無数の便利なサービスを対価なく利用できるからである。その状況は、利用者がプラットフォームに個人情報を提供し、逆にプラットフォームがその対価として利用者にサービスを提供するという、一種の等価交換だと捉えることもできる。だとすれば、無料の出現は有料のサービスに加えて新たな選択肢が増しただけのことなのだから、現代は消費者の力が大きく増した時代だということになる。実際二〇一〇年代には、そのような認識のもとで、「フリー」(無料)の時代の到来を歓迎するクリス・アンダーソンのような論者が力をもった[★40]。

★39 ショシャナ・ズボフ『監視資本主義』、野中香方子訳、東洋経済新報社、2021年、8頁。

けれどもズボフの分析は、そのような無料肯定論が根本的に浅く的外れであることを教えてくれる。「行動余剰」や「予測製品」といった概念による整理は、利用者とプラットフォームのあいだには、等価交換どころか、売り手と買い手の関係すら成立していないことを明らかにしているからだ。

利用者は自分たちこそがグーグルの顧客だと感じている。グーグルも対外的にはそのようなふりをしている。だからこそ、個人情報とサービスの等価交換という幻想が生まれる。けれども前述のように、現実にはグーグルの顧客は利用者ではない。広告主である。利用者はグーグルに一銭も払っていないし、払っていたとしてもあまりに少額でサービスの質に見合わない。広告主が支払う資金こそがサービスの開発を支えている。売り手と買い手の関係が成立しているのはグーグルと広告主のあいだなのであり、利用者はそこにはなんの位置も占めていない。同じことは、むろんグーグル以外の多くのプラットフォームについてもいえる。

では利用者はどの立場にいるのか。ズボフはつぎのように残酷に記している。「わたしたちはもはや、価値実現の主体ではない。また、一部の人が言うような、グーグルの「商品」でもない。そうではなく、わたしたちはグーグルの予測工場で原材料を抽出・没収される物にすぎない。わたしたちの行動に関する予測がグーグルの商品であり、それらを買うのは、グーグルの真の顧客である広告主であって、わたしたちではない。わたしたちは他者の目的を達成するための手段なのだ」[★41]。

監視資本主義においては、プラットフォームの利用者は商品の売り手ではない。むろん買い手や作り手でもない。流通する商品をつくりだすための「物」、つまり素材にすぎない。

このような理解が可能なのは、ここまでなんども繰り返してきたように、ビッグデータ分析がその本性上、個人を固有の存在として扱わず、属性の束に分解してしまうからである。プラットフォームは、無料のサービスを餌にして多数の利用者を集め、彼らから膨大な量の個人情報を引きずり出し、それらをほかの利用者の情報と結合し、数学的に加工して「予測製品」を生産し、それを顧客に販売している。その製品のなかには利用者の個別性はいっさい保存されていない。そこでは利用者はみな、「予測製品」の素材となるデータを提供する、無名の存在にすぎない。利用者にはいかなる主体性も与えられていない。

この整理はまた、現代人が監視資本主義に抵抗することがなぜむずかしいか、その理由をわかり

★40　クリス・アンダーソン『フリー』、小林弘人監修、高橋則明訳、NHK出版、2009年、参照。
★41　『監視資本主義』、104頁。強調は引用元のとおり。ところで本論では人工知能民主主義は民主主義のひとつの帰結だと位置づけられており、したがって監視資本主義も民主主義と単純には対立しないことになる。しかし一般には監視社会や資本主義は民主主義の敵だと考えられており、ズボフもその立場から議論を進めている。それゆえズボフは同書の最終章で、監視資本主義は反民主主義的であり、だから政治による抵抗や介入が必要なのだと強調している。けれどもぼくの考えでは、その抵抗や介入の正当化は、彼女が想定するよりもはるかにむずかしい。同書、587頁以下。

やすく教えてくれる。

ズボフの「行動余剰」は、おそらくはマルクスの「剰余労働」や「剰余価値」を意識してつくられた言葉である。産業資本主義においては、労働者の剰余労働、すなわち働きすぎた部分が、商品に剰余価値を与え、それが資本家に不当な富の蓄積を許すことになっていた。だからこそ、労働者は資本家の「搾取」に抵抗すべきだという話になっていたのである。

けれども監視資本主義においては、「予測製品」を生産し、商品に剰余価値を与えているのは人間ではない。人工知能である。利用者である人間は労働していない。ただ個人情報を提供しているだけだ。その位置は、産業資本主義の構図に強引に準えるならば、労働者でもなければ消費者でもなく、製品の原材料の提供者、たとえば繊維工場において羊毛を提供する羊に近い。

人間という羊が、個人情報という羊毛を人工知能に提供する。その羊毛から予測製品という布がつくられる。そこでのグーグルは、いわば、羊牧場と繊維工場をともに経営している資本家である。プラットフォームという牧場を開き、無料を餌に人間という羊を集め、サービスの柵のなかに囲い込んでいる。そして個人情報という羊毛を集め、それを加工して人工知能という繊維工場に送り、布をつくって販売している。集められた羊毛に羊の固有性は保存されていない。だからプライバシーが侵害されることもない。そこではぼくの羊毛もあなたの羊毛も、すべて融合し一枚の布になる。

そこで羊が資本家に「搾取」を訴えることができるだろうか。ぼくにはなかなかいい理屈が思い浮かばない。人工知能民主主義と監視資本主義の世界においては、人間は搾取の被害者にすらなれない。主体になれないとは、つまりは被害者にもなれず、抵抗もできないということなのである。

## 18

そしてもうひとつ付け加えたいのが、生命科学あるいは「自然」の視点だ。人工知能民主主義そのものを提唱したわけではないが、同じ二〇一〇年代にそれと近い場所で民主主義について考えていた人物のひとりに、鈴木健という物理学者がいる。二〇一二年にスマートニュースを立ち上げ、現在は日本を代表するＩＴ起業家としても知られている。

鈴木は二〇一三年に『なめらかな社会とその敵』という著作を出版している。同書の主題は「分人民主主義」である。「分人」は鈴木の造語で、個人よりも小さな単位を意味している。

個人は英語で individual という。これは、ひとつの身体をもった人間＝個人が、意志決定の単位として、それ以上に小さく分割（divide）できないものであることを意味している。

けれども、意志決定が個人より小さな単位に分割できないというのは、最新の脳科学や精神医学に照らすと幻想にすぎない。ひとりの人間は矛盾した複数の思考を抱くことができるし、複数の共同体に属することもできる。解離性人格障害の存在が示すように、複数の人格すらもつことができる。それゆえ鈴木は、個人よりも小さな単位として「分人」を導入し、政治的な意志決定も個人ではなく分人に基礎を置くべきだと提案する。ひらたくいえば、ひとり一票をやめ、もっと小さい単位で投票できるようにすべきだというのである。これが「分人民主主義」の思想だ。

しかも鈴木によれば、有権者が自分の一票を分割し、複数の選択肢に投票できるだけでも不十分である。そもそも人間は、なにかを決めるとき、完全に自分だけで決定することはできない。ぼくのなかにはあなたの意見が流れ込み、あなたのなかにもぼくの意見が流れ込む。ぼくたちはそれらを相互に比較衡量して決定を下しているのであり、すべての意志決定は他者との相互依存のなかで生成している。それはいわば、ぼくのなかにあなたという分人が存在し、あなたのなかにぼくという分人が存在しているような状況である。意志決定の基礎を分人に置くのであれば、その複雑な相互依存もまたそのまま写し取れる制度が好ましい。

このように要約すると空想的な思考実験に聞こえるが、鈴木の著作の重要性は、彼がそのような思想に基づいて、技術的に実装可能なまったく新しい投票制度を提案していることにある。

その制度は「伝播委任投票」と呼ばれている。そこでは有権者は一票を分割できるだけではなく、ほかの有権者に委任することもできる。たとえばいまA案、B案、C案のいずれかを選ぶ投票があるとする。あなたとしてはA案にもっとも惹かれているが、B案とC案も捨てがたい、そもそもそれ以前に信頼する友人Xにすべてを任せたい気持ちもあるのだとしよう。そのとき、あなたは、A案に0・5票、B案とC案にともに0・1票というかたちで分割的に投票できるだけでなく、友人

Xに残りの0・3票を「委任」することができる。

委任された票はどうなってしまうのだろうか。鈴木はそこで「伝播」という考えかたを提示する。たとえばいまの例で、あなたが0・3票を委任したXが、A案に0・8票を投じ、さらにあなたの知らない第三者Yに0・2票を委任したとする。そうするとあなたの0・3票はその比率に従い、A案に0・24票、Yへの委任に0・06票というかたちで分割される。そしてYに委任した0・06票もまた、Yの投票先や委任先へと分割され、以下それが委任先がなくなるまで続いていくのである。最終的な結果は、すべての有権者のすべての分割された票数が計算され、それらを総計することで決定されるのだという。

たやすく想像できるように、この伝播委任投票の票数計算は、一般的な投票の票数計算とは比較にならないほど複雑なものになる。とりわけ有権者が増えると計算量が急速に増える。あっというまに発散し計算が不可能になりそうだが、鈴木によればいくつかの制約さえ設ければ発散を抑え込むことが可能らしい。

この提案はたいへん魅力的だ。現代的でもある。

グーグルの創業者のラリー・ペイジとセルゲイ・ブリンは、一九九八年に「ページランク」と呼ばれるアルゴリズムを発表したことで知られている。ページランクはウェブページの重要度を決定する技術で、ひらたくいえば、より重要なページからリンクされているページはより重要だろう、という推測に基づいて膨大な数のページに順位づけを施していくアルゴリズムである。伝播委任投票は、そのページランクの思想を政治に応用したものだといえる。ページランクでは重要度がリンクで伝播するが、伝播委任投票では信頼が委任で伝播する。グーグルのアルゴリズムが混沌としたネットに秩序をもたらしたように、鈴木の提案がポピュリズムへの解決になる可能性もないではない。

しかしもし実現するとなると、そこではやはり、さきほどまで人工知能民主主義やアルゴリズム的統治性について指摘してきたものと同じ懸念が生じることになるだろう。伝播委任投票でも有権者は確かに投票している。意志も表明している。けれどもその行為は「主体化を生み出すことがない」のではないか。

どういうことだろうか。いまの民主主義国家において、選挙はそもそも有権者の意志を集約するためだけに行われているわけではない。社会を統合する儀式としての役割があるし、教育的な機能も備えている。投票した党が政権を担えば、いくら消極的な選択でも責任の感覚が多少は芽生える。悪政が続けば後悔も感じる。その経験が有権者の成長を促しもする。

けれども鈴木の提案からは、そのような契機が完全に拭い去られている。たとえばかりにいま国政選挙があったとして、あなたが与党に0・5票、野党に0・2票を投じ、残り0・3票を若い友人に新世代への期待を込めて委任したいと考えたとする。いかにもありそうな配分だが、その投票はあなたにほとんど感情的な負荷をかけないだろう。なぜならば、それは結局のところ世のなかの情勢に合わせて票を分散させただけの話でしかなく、個人としてはなにも「選んで」いないからだ。結果として与党の悪政が続いたとしても、次回は多少分配率を下げようと思うくらいで終わりだろう。伝播委任投票では、投票は投資のポートフォリオに似てしまう。しかもリスクもリターンもない投資だ。

伝播委任投票では有権者が主体化しない。これは考えてみれば当然である。そもそも分人民主主義とは、個人の単独性と統一性を解体し、分人の束に分解することを理想とする思想だったからである。したがって鈴木はもしかしたら、このような批判に対しても、分人民主主義は主体をつくらない、それはじつにけっこうなことではないかと答えるだけかもしれない。けれどもぼくは、ここまで論じてきたように、主体化が回避されることには、社会を維持し運営していくうえで大きな問題があると考える。

分人民主主義は人工知能民主主義には分類できない。鈴木はビッグデータやシンギュラリティについてほとんど語っていないし、計算力の成長にも期待していないからだ。『なめらかな社会とその敵』は、第五章で紹介したような二〇一〇年代の「大きな物語」とは一線を画す書物である。にもかかわらずここで最後に検討しているのは、それだけに逆にこの書物が、近代において、民主主義を追求することがかえって人間の解体や排除につながるという危険な逆説があることを、あらためてはっきりと示してくれているからである。

鈴木の著作にはじつは、分人民主主義とべつに、もうひとつ「構成的社会契約論」という軸になる概念がある。それはひとことでいえば、近代民主主義の起源に位置する社会契約説を、生命科学やネットワーク理論の知見を援用して根本から組み立てなおす試みのことだ。

鈴木はつぎのように記している。「ホッブズ、ルソー、ロックら、啓蒙思想家は、社会システムの自然状態を、人間が自我をもった一個の人間として最初から存在しているものとして想定していた。だが、現代の生命科学が明らかにしているのは、人間は細胞から構成された動物であり、生態系の一部として進化的な位置づけをもった生命のひとつであるという事実である。[……]私たちは、まず生命を語り、その延長線上の存在として人間と社会制度について語らねばならない」[★42]。人間は最初から個人であるわけではない。多数の細胞から「構成」されている。社会が個人の集まりであるならば、個人は細胞の集まりだ。だとすれば、細胞が個人を「構成」し、個人が社会を「構成」するといったように、それらの集積の過程を統一的に理解し、そのうえで社会契約についても考えるべきではないか。鈴木はそう主張する。

それゆえ彼の構想においては、必然的に、民主主義の基礎となる単位は人間の個体ではないことになる。民主主義の範囲はもっと広い。

鈴木は民主主義の条件として「自分たち自身で自分たちのことは決める」という自律性を重視する[★43]。自分のことは自分で決める。あたりまえのように響くが、そこで「自分」とはなにか。自分があれば自分以外があることになる。けれども鈴木の考えではそのような境界の実在は怪しい。

むしろ生命科学的には、自分と自分以外の境界なるものは、局面に応じて動的に生成されるものだと考えたほうがよい。そのような考えかたを「オートポイエーシス」と呼ぶ。鈴木はそのようにさまざまな知見を参照したうえで、最終的に、個人だけでなく、地域や企業、国家といったあらゆるまとまりの境界が、すべて「なめらか」に横断され、意志や欲望がネットワーク状につながって社会という大きなシステムが立ち上がる、「新しい民主主義」のヴィジョンに辿りつく。そこでは民主主義は人間を超え、世界を構成する秩序の原理そのものになる。自然そのものになる。鈴木自身は言及していないが、それはまさに、一般意志を事物の秩序に準えたルソーの思想のひとつの継承だといえる。

そのヴィジョンはとても美しい。けれども、民主主義が自然と一体化するということは、そこには人間の居場所はないということである。鈴木は、分人民主主義は「自己の結晶化」を「否定」する「新しい社会規範」の思想なのだと記す。そこでは「「私というかたち」がさまざまな部分グラフとしてソーシャルネットワーク上に溶けていくことになる」のだという[★44]。民主主義の理想を達成するためには、個人や主体や固有名は解体され、人々は群れのなかに溶け込んでいかなければならない。そう考える点で、分人民主主義は人工知能民主主義と同じ価値観を共有している。

★42 鈴木健『なめらかな社会とその敵』、勁草書房、2013年、10頁。引用に際しては読点の表記を本論に揃えた。
★43 同書、130頁。
★44 同書、174-175、226-227頁。

権力はあなたに死を命じる。戦地に行って敵と戦えと命じる。あなたは行きたくない。でも行かなければならない。というよりも、行きたくないと思うのはあなたの「思い違い」で、本当は行きたいはずなのだといわれる。なぜならば、ビッグデータ分析によれば、現に「あなたに似た人々」のほとんどは戦地に行って敵と戦うことを望んでいるからだ。これが人工知能民主主義の論理であり、アルゴリズム的統治性の論理であり、現実に稼働しつつある監視社会の予防拘禁の論理である。

これはまったくおそろしい論理だ。確かに人工知能からすれば「ぼく」も「ぼくに似た人々」も変わりはない。だからこそ行動予測が可能なのだから。

けれども現実に生きるぼくからすれば「ぼく」と「ぼくに似た人々」は大違いだ。後者がいくら死んでもぼくの人生に影響はないが、前者が死んだら終わりだ。人間は統計の一部ではなく、固有の生を生きている。ひとは一回しか生きることができないし、一回しか死ぬことができない。少なくともほとんどのひとはそう感じている。これは理念や哲学の問題ではなく、いま人間が実際にどう感じどう生きているかという、きわめて具体的な現実の話である。

したがってぼくは、人間の社会について考えるにあたり、その「私」という固有性の感覚に直面しない思想は、すべて原理的な欠陥を抱えていると考える。人工知能民主主義は現行の民主主義より効率的なのかもしれない。意志決定は迅速で、資源配分も巧みで、多くの人々を幸せにしてくれるのかもしれない。しかし、それでも、それが生の一回性を無視し、人々の意志を群れの表現としてしか理解することができないかぎりにおいて、けっして持続的な統治は実現できない。いくら人間を家畜のように管理するのが合理的だったとしても、実際には人間は家畜ではないので手痛いしっぺ返しに遭うだけだ。それが言語ゲーム論の教えであり、だからぼくたちは訂正可能性の哲学を必要とする。

# 第8章 — 自然と訂正可能性

## 19

二〇二〇年代のいま、日本でも世界でも、統治から不安定な人間を追放し、政治的な意志決定はアルゴリズムとビッグデータに任せたほうがいいという思想が台頭している。ぼくはそれを人工知能民主主義と名づけた。それがこの第二部の出発点だった。

人工知能民主主義のなにが問題なのか。社会は人民の意志に導かれねばならない。それは民主主義を民主主義たらしめる重要なテーゼである。しかしそれは同時に危険なテーゼでもある。そこで想定された「人民の意志」、すなわち一般意志は、じつのところ遡行的に発見された統計的な法則性でしかありえないからだ。けれども人工知能民主主義は、一般意志の観念を単純化して捉え、そこに付随するはずの「訂正可能性」の契機を消してしまう。そこに欠点があるというのがぼくの考えである。

ウィトゲンシュタインとクリプキの言語ゲーム論を援用すれば、ここまでの議論はつぎのように要約することができる。ルソーによれば、一般意志は、あたかも自然の秩序であるかのように、人間社会の外部に絶対的に君臨している。それはゲームにおいて、ルールがゲームプレイの外部に絶対的に君臨しているのと同じことである。ルソーは市民は一般意志に従うべきだと記したが、それもまた、ゲームのプレイヤーがルールに従うしかないのと同じことだ。このかぎりにおいて、一般意志もルールもたんに絶対的で超越的な存在にすぎない。よい統治を行うこと、よいゲームを行うことは、その絶対的存在へのアクセスの成否で決まる。

しかしそのような理解には欠陥がある。ルールはプレイヤーを制御するものであるが、しかしまた同時にプレイヤーによって生み出されるものでもあるからだ。それこそが言語ゲーム論が明らかにしたことだったが、人工知能民主主義は単純に、ルールがプレイヤーのうえに位置するのと同じように、一般意志もまた特殊意志のうえに位置するものだと考える。だからその超越的な意志をビッグデータから引き出せさえすれば、あとは理想の統治が導かれるという発想が出てくる。その発想においては、一般意志は特殊意志を超えるもの(自然)であるが、しかしまた同時に特殊意志によって生み出されるもの(社会)でもあるという、ルソーの葛藤がきれいに消し去られている。

一般意志は社会の外部に絶対的な力の源泉として君臨する。しかし同時に社会の内部から訂正可能なものでもある。これはいっけん矛盾している。けれども、ここまで繰り返し述べてきたように、それは本当は矛盾にならない。ゲームのルールはゲームプレイの外部に存在する。プレイヤーはルールに一方的に従うしかない。しかしルールそのものは、プレイヤーの予想外のプレイや新しい提案によって柔軟に変更されるものでもある。ゲームはむしろそのような訂正可能性によって持続する。一般意志を、静的で計測可能な集合的無意識としてではなく、動的に訂正可能な言語ゲームとして捉えることで、ぼくたちは全体主義への傾きを封じ込め、『社会契約論』の構想をあらためて大きく未来に開くことができる。

一般意志は、人民主権を基礎づける絶対的な力の源泉だが、同時につねに訂正のダイナミズムに開かれていなければならない。一般意志のこの両義性をきちんと理解せず、素朴に実体化し、前衛党の指導、独裁者の直感、「意識の高い」市民による熟議、あるいは人工知能が生み出す新しいアルゴリズム、なんでもよいが、そのようなものによって「正しい」一般意志を把握でき、それに従うことで正義の政治が実現できると考えることは、人間のコミュニケーションのゲーム的な本質を無視したたいへん危険な行為である。そこでは民主主義はたやすく暴力に変わる。二〇世紀の共産主義がわかりやすい例であり、二一世紀の人工知能民主主義も新たな例になりつつある。本論はそのような危機感のもとで書かれている。

それでは、一般意志が訂正のダイナミズムに開かれているとは、具体的にどのようなことを意味するのだろうか。残る二章では、人工知能や情報技術の話題から離れ、あらためて人文思想の言葉で考えてみたい。

一般意志の理念を補足する訂正可能性の思想。その萌芽はじつはルソー自身の著作にも隠されている。この第八章では、まずはそれを探ることにしよう。

## 20

ルソーについてはここまで『社会契約論』を中心に読んできた。けれども、第六章でも触れたように、じつは彼は同時期に『新エロイーズ』という小説も書いている。書簡集形式で、日本語版全集でほぼ二巻を占めるほどの長大な作品だ。ルソーは同作以外に小説は発表していない。

ルソーはこの小説の出版においても、例によっていささか奇妙なふるまいをしている。『新エロイーズ』には「第二の序文」と呼ばれる長い文章が付随している。第二と呼ばれるのは、べつに「第一の序文」があり、一七六一年の一月にアムステルダムで刊行された初版にはそちらしか付されていなかったからである。

第一の序文は短いもので、同書で語られる物語が実話なのか架空のものなのか、その判断は読者に委ねたいといった内容が簡潔に記されている。ところが初版の一箇月後、同年の二月にパリで刊行された版から第二の序文が現れる。そちらはこんどはたいへん長い文章で、対話体になっている。『新エロイーズ』の出版を非難する架空の対話相手に対して、作家あるいは「書簡集の編者」であるルソーが疑問に答え、出版を擁護するといった内容だ。

『新エロイーズ』はいわゆる恋愛小説である。スイスの湖畔に住む田舎貴族の娘「ジュリ」と、その家庭教師である平民の青年「サン＝プルー」の恋の行方が、彼らふたりが交わした手紙を中心に、関係者が残した記録によって描かれていく。ふたりの恋は一〇年のあいだ断続的に続いたあと、ジュリの突然の死で終わりを告げる。道徳や宗教に関わる記述もあるが、基本的にはただの恋物語だ。それなのになぜそんな厄介な序文が必要とされたのだろうか。

それはひとことでいえば、それまでのルソーが、小説の執筆を含め、芸術について総じて否定的な見解を表明していたからである。ルソーは、人間は自然状態で十分に幸せだったのであり、文明は人間を堕落させただけだと主張していた。そこからは必然的に、芸術もまた人間を堕落させただけだとの見解が導かれる。

実際にルソーはそう明示的に主張している。哲学者としてのキャリアのはじまりとなった『学問芸術論』には、すでに芸術は「人間がつながれている鉄鎖を花飾りでおお」うものにすぎないとの記述がある[★45]。そんなルソーが小説を、それも若い男女の恋物語を書くというのは明らかに矛盾にみえる。彼自身もそれは自覚していた。『告白』にはつぎのように記されている。「私の大きな当惑は、そんなふうに非常にはっきりと、しかも公然と、自分自身に矛盾するという恥ずかしさであった。［……］恋愛や柔弱さをもたらす女性的な書物に反対して、あれほど激しく罵ったあとで、自分がかくも手厳しく非難した書物の著者たちのあいだに、自分の名前をみずからの手で書きこむのを見るほど、予想外で人の気にさわることを想像できるだろうか」[★46]。

ルソーは創作の価値を否定していた。それなのに創作を始めた。『新エロイーズ』はその矛盾への言い訳から始まっている。実際には矛盾を指摘し非難しているのも、それに対して反論しているのも彼自身なのだが、とにかく言い訳から始まっている。つまりはルソーを読むことの厄介さは、小説でもあまり変わらないのだ。ルソーの著作に訂正可能性の思想を発見する作業は、まずはここが出発点になる。

ルソーはなぜ、そんな言い訳を用意してまで小説を書いたのだろうか。一般には単純に気持ちが変わったからだと考えられている。社交界が嫌になり、静かな田舎に引っ越したところ、あらためて青春時代の情熱が蘇り、物語を書く気になったというわけだ。

さらに付け加えれば、ルソーはこの小説の執筆と並行して現実に大恋愛をしてもいる。彼は当時すでに四〇代の半ばを回っており、事実婚の妻もいた。けれども二〇歳ほど年下の伯爵夫人に恋をしてしまった。女性には夫の伯爵とはべつに愛人がいて、それはルソーの友人だった。夫人との関係は精神的なものにとどまったらしいが、その経験は『新エロイーズ』の物語に大きな影響を与えた。この小説には三角関係がいくつも現れるが、描写の一部は彼自身の体験を反映しているといわれている。

---

★45 山路昭訳。『ルソー全集』第4巻、16頁。
★46 小林善彦訳。『ルソー全集』第2巻、48頁。

けれどもここでは、そのような伝記的事実は横におき、彼が記した言い訳の論理のほうを追うことにしたい。ルソーの議論はいつもながら曲がりくねっているのだが、強いて要約すればつぎのような主張が展開されている。

ルソーの主張はふたつある。ひとつめは、さきほども記したように、物語が実話なのか虚構なのか、判断できないところがよいというものである。彼は第一の序文で、この書物は恋人たちの手紙を集めたものであり、彼自身は編者にすぎないと断りを入れている。かといって収められた手紙の実在を積極的に証明するわけでもなく、実際にはルソーが創作したものであることはだれの目にもわかる。けれども、とりあえずそのような「ふり」をしている。

なぜそんなことをしたのだろうか。第二の序文で、ルソーが対峙する架空の批判者は、『新エロイーズ』の物語は「ごく自然でごく単純で[……]予想外のことが何もな」く、にもかかわらず登場人物の言葉ばかりが「実にわざとらし」く「仰々しい」ところがよくないと非難する[★47]。これはひとことでいえば、展開がメロドラマ的で、文体も甘ったるいからだめだという非難である。この指摘は現代の読者の視点で読んでも頷けるところがある。ルソーは自作の弱点を正確に把握していたわけだ。

にもかかわらずルソーはその批判に対して、そこにこそむしろ小説の挑戦があったのだと反論している。彼の考えでは、そのような拙さこそが、逆に小説に真実性を与え、読者の心を動かす。ルソーはつぎのように記している。「人が精力的にしゃべることを学ぶのは、社交界のなかだけです。

［……］本当に恋が書かせた手紙、真に情熱を抱いた恋人の手紙は、しまりがなく、冗漫で、実にくどくどと、入り乱れて、同じことばかり言っています。［……］彼らの誤謬は賢者の知識よりも価値がある」[★48]。巧みな言葉はそれだけで嘘くさく、読者の心を摑まない。そのためにはあえて稚拙な文体で書く必要すらある。第二の序文によれば、ルソーはこの小説では、わざわざ単語を綴りまちがえたり、誤った地名を記載したりしているらしい。

そしてふたつめは、自分の作品は都会でなく田舎で読まれることを目指しているのであり、だからよいのだという主張である。

ルソーは第二の序文で、繰り返し都会と田舎を対比している。都会の文学は無力である。都会ではひとは作品そのものに向かいあわず、「読んだことを見せびらかすために急いで読む」ことしかしないからだ。そこでは作品は社交の道具にしかならない。けれども田舎では事情が異なる。田舎に社交の空間はない。だから人々はなにも見せびらかすことなしに、作品に向かいあうことができる。作家もまた、「大きな社会の道徳」や「自分とは違う境遇の魅力らしきもの」に振り回されず、等身大の「読者の果たしうる義務」を描くことができる。「名声にあこがれるなら、パリで読まれ

★47 松本勤訳。『ルソー全集』第10巻、436－437頁。
★48 同書、438、440頁。

なければならない。人の役に立ちたいと思うなら、田舎で読まれなければならない」[★49]。

このふたつの主張は深く結び合わされている。ルソーにおいては、真実と嘘、自然と文明、田舎と都会という二項対立はたがいに連動しているからである。

第二の序文の最後で、ルソーは批判者につぎのように語らせている。「これがすべて作り話にすぎないのなら、確かに、あなたは悪い本をつくったことになる。が、あの二人の女性が実際にいたとあなたが言うなら、私は死ぬまで毎年この書簡集を再読します」[★50]。そのうえで相手はあらためて嘘なのか真実なのかと問う。けれどもルソーは答えない。つまり『新エロイーズ』は、真実か嘘かの二項対立に入らないと宣言して始まっている小説なのである。

なぜ二項対立を避けるのか。前述のように、その理由としては、まずはそのほうが小説の説得力が増すということがある。

けれどもそれだけでもない。その奇妙なはぐらかしはルソーの哲学全体から導かれたものでもある。繰り返すが、彼の哲学においては、自然と文明、自然と社会、自然と作為、事物と社会といった二項対立は、善と悪、真実と嘘といった価値判断と切り離しがたく結びついている。自然は善で真実、文明は悪で嘘、すべての不平等は人為から生まれるのであり、ひとは自然に戻ればいいというのが、ルソーの基本的な構えだった。これはとてもわかりやすい。だから彼は都会を離れたし、いったんは学問や芸術も否定していた。

にもかかわらず、ルソーは四〇代半ばになって小説を書いてしまった。つまり嘘に手を染めてしまった。この選択は彼に独特のねじれを強いることになる。

ルソーは第二の序文で、「〔理想の小説では〕あらゆる人為のものを遠ざけねばならない。すべてを自然に戻さねばならない」と記している。対話相手が語る言葉だが、彼自身の考えの表現でもある。小説はいうまでもなく人為のものである。にもかかわらず「すべてを自然に戻」すものだというのは、明らかな矛盾に聞こえる。その矛盾はどうしたら解決できるのか。ルソーはそこで、「空想による著作にそれが持ちうる唯一の効用を与えるには、著者の目指すところとは反対の方向へ作品を導かねばならない」のだと記す[★51]。読者を作者の意図どおりに誘導するだけでは、人為が勝る。読者を作者の意図を超えた場所に誘導できて、はじめて小説は、人為でありながら「自然に戻」す効果をもつ。ルソーはそのように考えた。だからこそ彼は序文で、自分は『新エロイーズ』の著者ではないと主張することになったわけである。

ここで『社会契約論』の読解を思い起こそう。第六章で論じたように、ルソーは自然が善で文明が悪だといいながら、にもかかわらず社会契約説を引き継ごうとした。その結果、一般意志は人為の産物でありながら、自然の産物だと主張するほかなくなってしまった。いいかえれば、一般意志

---

★49 同書、443、446、447頁。
★50 同書、454頁。
★51 同書、445頁。

は、自然と文明の二項対立を揺るがすような独特の歪んだ概念にならざるをえなかった。同じ歪みが『新エロイーズ』でも働いている。ルソーはここでは、自然が善で文明が悪だといいながら、にもかかわらず小説を書いてしまっている。その結果、彼はそのテクストそのものが、一般意志と同じように、創作でありながら創作でないのだと、すなわち人為の産物でありながら自然の産物だと主張するほかなくなってしまったのである。

それはまたルソーの「自然」が抱える概念的なねじれとしても捉えることができる。ルソーは自然を讃え、「自然へ帰れ」と主張した哲学者として知られている。けれどもその有名なスローガンはじつは彼の言葉ではない。ルソーの自然観はもっと入り組んでいる。

そのねじれを理解するうえで重要なのは、これもまた『新エロイーズ』と前後する時期に書かれた『ピグマリオン』という短い脚本である。音楽伴奏付きの寸劇で、最後に数単語だけ主人公以外のセリフがあるが、一般には独白劇に分類されている。『社会契約論』が刊行された一七六二年に記され、一七七〇年にリヨンで初演された。当時は音楽伴奏付きの独白劇という形態そのものが新しかったため、商業的に大きな成功を収めた。

表題にある「ピグマリオン」はギリシア神話に登場する彫刻家の名前である。自作の女性像である「ガラテア」に恋をし、最終的に妻にした。ルソーの作品はその神話に想を得たもので、ピグマリオンの思慕に答え、ガラテアが命を宿す奇跡の瞬間が描かれる。つまり、創作物が自然に変わる瞬間が主題となっている。

ただしルソーの脚本はそれだけでは終わらない。彼はそこで、ガラテアが自分の新たな身体に触れたあと、つぎにピグマリオンの身体に触れる官能的な場面を挿入し、彫刻家が自分の被造物を抱きしめて一体化する瞬間を理想として描き出している。ピグマリオンは孤独な天才である。それが理想の女性と出会い、ひとつになることで幸せになる。『ピグマリオン』は単純に要約すればそういう物語であり、それは自然＝女性への回帰のいかにもロマンティックな肯定であるかにみえる。けれども、いまの紹介で明らかなように、その自然＝女性はそもそもピグマリオン自身が制作した人工物なのだ。自然と人為の対立は、ルソーにおいては、このようにときにねじれてしまっている。ルソーは確かに自然を讃えていた。そして文明を批判した。けれどもよく彼の文章を読んでみると、讃えられる自然のなかに複雑なねじれが隠されていることが多い。『ピグマリオン』はその典型的な作品である。

同じねじれが『新エロイーズ』にも見出せる。ルソーは第一の序文の冒頭で、「大都会には演劇が必要であり、腐敗した国民には小説が必要である」と記している[★52]。ここで演劇は文明を象徴している。そして国民は田舎の人々を意味している。都会と田舎の対立は文明と自然の対立と連動している。

★52 松本勤訳。『ルソー全集』第9巻、13頁。

都会の人々は社交に染まり、自然な愛のすがたを忘れている。だからせめて田舎の人々だけでも、彼の小説を読み、「腐敗」を脱して自然に立ち戻ってほしい。ルソーはそのような希望を抱いている。だから田舎の人々に読んでほしいと記す。

しかしそこで帰るべきものとして設定された自然なるものは、そもそもルソー自身が制作したものでしかないのだ。田舎が本当の自然ではなく、人為的に制作された自然でしかないように。のちに論じるように、『新エロイーズ』の後半はまさにその「つくられた自然」を主題としていた。その位置はまさにピグマリオンにとってのガラテアと同じである。

## 21

ルソーはもともと自然と人為を対立させる哲学者だった。にもかかわらず、ときに、自然を守るために人為＝創作を利用するという、矛盾した課題を抱え込んだ。

その矛盾の構造を明らかにするため、しばらく『新エロイーズ』を離れ、同時期に記された別の著作を参照してみることにしたい。そこでは演劇が主題とされている。第一の序文の冒頭にもあったように、ルソーはときに演劇と小説を対立させている。それゆえ、彼の演劇論を追うと、逆に小説への期待がみえてくる。

ルソーは、『新エロイーズ』刊行の三年前、一七五八年に『演劇についてのダランベール氏への手紙』という著作を刊行している。この著作は表題どおり、ダランベールという人物への公開書簡である。ここで「演劇」と訳されているのは spectacle というフランス語で、いまは「見せもの」と訳されることが多い。「演劇」と「見せもの」では語感が異なるが、日本語版全集ではそう訳されている。なお、théâtre というフランス語は、同全集では「劇場」あるいは「芝居」と訳されている。

宛先になっているジャン・ル・ロン・ダランベールは、ルソーより六歳年下のパリ生まれの哲学者である。当時彼は、同世代のドニ・ディドロらとともに、『百科全書』という名の巨大な百科事典の編纂事業を進めていた。そしてその第七巻で「ジュネーブ」の項目を担当し、解説を執筆した。そこでダランベールは、ジュネーブはいい都市なのだが、演劇が禁止されるのが欠点で、劇場を建てるとよいと記した。

ルソーはこの提言に強く反発した。ジュネーブは彼の生まれ故郷であり、特別の思い入れがある土地でもあった。そこで彼はダランベールに対して長い反論の手紙を書き、のちに著作として公刊した。それが『ダランベール氏への手紙』である。ルソーは手紙のなかで、劇場の設立に反対しているだけでなく、演劇の社会的効用をほぼ全面的に否定している。

ルソーはなぜ演劇を否定したのだろうか。全集に付された訳者の解説によれば、背景には政治があったらしい[★53]。演劇を認めるか認めないかは、当時のジュネーブにおいて、宗教や階級、そして外交などと関係するセンシティブな話題だった。演劇を支持する側には啓蒙思想に親しむ上流階級が多く、演劇の危険を訴える側には宗教的伝統を支持する下層市民が多かった。ジュネーブは当時は独立の小さな共和国で、一六世紀の宗教改革にまで遡るプロテスタントの伝統を誇りにしていた。演劇の禁止はその歴史のなかで生まれた政策だった。裏返せば、演劇の解禁は列強の世俗文化を受け入れることに直結していた。そんななかでフランス人のダランベールが劇場を建てろと提言することには、強い政治的な含意が伴っていた。ルソーはそこに反発し、いわば愛国者の立場から、ダランベールを批判することになったわけである。

とはいえ、ここでもまた、伝記的事実はいったん横におき、ルソーが編み出した論理に集中することにしよう。彼はいったいどのような理屈で演劇を否定していたのか。

ルソーの議論はまたもや要約がむずかしい。しかし、あえて整理すればつぎの二点を取り出すことができる。

第一に、演劇は嘘である。役者とは「己れを偽る術、自分の性格とは別の性格をまとう術、現実にある自分とは異なったふうに見せる術」に長けた人々である[★54]。彼らがいくら舞台のうえで悲劇を演じ、正義や公正を訴えたとしても、観客はけっして真に受けない。

そしてルソーの考えでは、そのような表現が力をもつことは健全な統治を脅かす否定的な効果をもつ。それは公と私のあいだの葛藤を覆い隠してしまうからだ。

ルソーはつぎのように記している。「人間の心は、自分に個人的にかかわりのないことに関してはつねに正しい」。しかし「そこにわれわれ自身の利害が混入するとき、われわれの感情はたちまち腐敗」する。そこには鋭い矛盾があるにもかかわらず、演劇を観る経験においては人々は「少しも自腹を切らず」に「虚構に涙を流す」ことができる[★55]。

ここで指摘されているのは、『社会契約論』の言葉で表現すれば、特殊意志と一般意志の葛藤をめぐる問題である。特殊意志は私的な利害でしかない。統治を維持するためには公共的な一般意志が必要になる。だから特殊意志と一般意志はときに衝突する。

それなのに、演劇においては、ひとは自分の特殊意志（私的な利害）を脅かされる危険を意識することなしに、一般意志（公的な感情）に同調することができてしまう。ルソーはそこにはごまかしがあると考える。彼はつぎのように続けている。「彼［＝観客］は自分に対しては少しも美徳を望んでいません、というのも美徳は彼自身には高くつくからです。それではいったい、彼は何を見に芝居に行くのでしょうか。まさしく彼がいたるところに見出したいと願っているもの、すなわち彼自身は含まれていない公衆のための美徳に関するさまざまな教訓、さらには彼自身には何も要求しないが自分たちの義務のためにすべてを犠牲にする人々なのです」［★56］。

★53 『ルソー全集』第8巻、554頁以下。
★54 西川長夫訳。同書、98頁。
★55 同書、36–37頁。

第二に、演劇は親密で自律的な議論の空間を破壊する。ルソーによれば、当時のジュネーブ市民のあいだでは、セルクル〔サークル〕と呼ばれる小さな寄合いがあちこちでつくられていた。ここで「寄合い」と訳されているフランス語は société で、「社会」とも訳すことができる。

セルクルは一二人から一五人ていどの男性市民で構成される「小さな社会」である。おもに食事やピクニックなど娯楽のための集まりだが、「尽きることのないおしゃべり」を特徴とし、政治的な討論の母体にもなった。ルソーは、そこには「共和主義的な習俗にふさわしいなにか単純で素朴なもの」があり、その小さな社会の遍在こそがジュネーブの統治を健全なものにしていたと記している[★57]。

演劇の導入はまさにそんな「小さな社会」を破壊し、健全な統治を破壊する。彼はつぎのように主張している。「この〔演劇の〕成功は、われわれの〔ジュネーブの〕習俗を攻撃することによって間接的な仕方でわれわれの政体を攻撃するだけでなく、集団全体を健全な状態で保持するために国家のさまざまな部分のあいだにゆきわたるべき平衡を破ることによって、直接的にわれわれの政体を攻撃することになる」[★58]。

なぜ演劇は親密な社会を壊すのだろうか。じつはこの点について『ダランベール氏への手紙』にはたいした説明がない。いわく、みなが芝居に行くようになると少人数で集まる時間がなくなる。

いわく、みなが芝居にばかり関心をもつようになると仲間内の話題がなくなる。いわく、みなが芝居にばかり金を使うようになると貧富の差が広がる、云々。

そこでほかの著作を参考に補足してみよう。当時の演劇は新しく現れた巨大な娯楽産業だった。その導入には社会全体を変える力があった。大きな劇場が建設される必要があったし、多数の市民が毎晩のように観劇する新しい習慣も求められたからだ。

ルソーは、その変化によって社交の必要性が増すことへの懸念をあちこちで表明している。たとえば『新エロイーズ』には、主人公のひとりであるサン゠プルーが、パリで演劇文化に触れ、その感想を記した書簡がいくつか収められている。そこには、「［パリでは］みんな芝居の楽しみを求めて劇場に行くのではなく、人の集まりを見に、人から見られるために、終わったあとのおしゃべりの種を拾い集めに行くのでして、見ているものを心に留めるのはあとでなにか言うことを見つけておくためにすぎません」と辛辣な批判が書かれている[★59]。演劇を観るとは社交の場に行くことにほかならず、じつはだれも舞台など見ていない。主人公の感想というかたちをとってはいるが、こ

★56 同書、36−37頁。
★57 同書、120−121頁。
★58 同書、136頁。
★59 松本勤訳。『ルソー全集』第9巻、292頁。第2部書簡17。以下『新エロイーズ』本文からの引用には書簡番号を付す。

れは明らかにルソー自身の観察だろう。

社交の拡大がなぜ問題なのか。それはじつは『社会契約論』の議論と関係している。第六章で記したように、ルソーは一般意志が討議や合意によって生まれるものだと考えていなかった。一般意志は確かに特殊意志の集まりではある。ただしそれは、社会契約によって一気に出現するものであり、けっして市民が議論を交わして生み出すものではない。ルソーはむしろ、市民が集まり、論争したり党派をつくったりして相互に利害を調整する過程は、特殊意志の表出を歪め、一般意志の形成にとって障害になると考えていた(第二篇第三章)。同じことが社交についてもいえる。社交とは要は、他者からの視線を意識することで、市民ひとりひとりが特殊意志の表出を歪めるふるまいのことだからである。演劇はまさにその社交を強化するものであり、したがって一般意志の形成を阻害し、健全な統治も阻むという結論になるのである。

この懸念は二一世紀のいまも有効である。演劇が社会を壊すという主張に戸惑う読者も、さきほどの引用の「みんな芝居の楽しみを求めて劇場に行くのではなく」を「みんな作品の質を求めてリンクをクリックするのではなく」と置き換えれば、多少の想像力が働くのではないか。ルソーの危惧は、かりに現代の娯楽に対応させるならば、ツイッターやYouTubeが導入されることで、人々が「いいね」とリツイートばかりを気にするようになり、つまりは虚飾と社交ばかりを求めるようになり、親密な対話と観賞の空間が壊れて社会が荒れるといった事態に向けられている。それはまさに、いま世界が直面しているポピュリズムの問題そのものである。

## 22

それでは、あらためて『新エロイーズ』に戻るとしよう。じつはここまでの演劇論を裏返すことで、逆にルソーがなぜ小説執筆に可能性を見出したのか、そしてなぜ序文で「真実」と「田舎」の問題にこだわったのか、その理由が見えてくる。

ルソーは第一に、演劇は嘘だから社会を壊すと主張していた。演劇の言葉は絶対的に嘘である。そこでは役者が目のまえにいて、明らかに他人のふりをして言葉を発しているからだ。けれども小説はそうではない。少なくともルソーの小説はそうではない。『新エロイーズ』は書簡集であり、真実か嘘かは外見からは決定できないからだ。それゆえ彼は、そこでは演劇のような安易な乖離は起きず、一般意志の形成を妨げることもないと考えることができた。

ルソーは第二に、演劇は「小さな社会」を壊すので社会を壊すと主張していた。けれども小説にそのような破壊力はない。少なくとも『新エロイーズ』にはない。同書は都会では読まれないはずだからだ。

ルソーによれば、都会では「本を読む人が、本を読んだくらいでは断ち切れない鎖で、社会の悪徳に結ばれている」。ここで悪徳とは社交のことである。けれども「人のひしめく社会から遠ざかるにつれて、障害も減ってゆき」、ある地点を越えて田舎に入ると、人々は「孤独に生き」るようになり、「書物がなにがしかの有効性をもちうる」ようになる[★60]。ここで孤独は、文字どおりひとりきりということではなく、セルクルのような小さな親密な場のなかにいることを意味している。ルソーは自作の理想的な受容についてつぎのように記している。「私は夫と妻が一緒にこの書簡集を読んで、共同の仕事に耐える新たな力を汲み取り、おそらくは仕事を有効にするための新たな視点を汲み取ってくれるだろうと、好んで考えるのです」[★61]。彼は『新エロイーズ』という小説を、あくまでも小さな親密な関係のなかで読まれることを期待して送り出した。そのように読まれれば、虚構を受容しても社交を生み出すことがなく、それゆえ一般意志の形成を妨げることもないはずだからだ。

都会は嘘と社交に満ちている。演劇はそれを強化することしかできない。他方で田舎には真実の愛が残っている。小説はそれを守り育てることができる。演劇と小説の対立は、このように、嘘と真実、都会と田舎、文明と自然といった対立と連動している。『ダランベール氏への手紙』の演劇否定論と『新エロイーズ』の序文は、相互に鏡のように照らしあったテクストなのである。

ルソーはもともとは創作を否定する立場の哲学者だった。創作とは本質的に嘘をつくことであり、そして嘘の流通は自然を歪め、一般意志も歪めてしまうからである。それが小説を書いてしまった。そこで彼は、真実か嘘かわからない言葉で、親密な「小さな社会」のなかでのみ流通するような作品を書くのであれば、その害も最小化できると主張した。それが『新エロイーズ』の第二の序文でいわれていることである。

しかし、それではなぜ、そもそも彼は、そんな厄介な防衛線を張ってまで創作に手を染めたのだろうか。この最初の問いにあらためて向きあってみよう。

前述のように、それはふつうは伝記的な事実に基づき、作家の心理の変化として説明されている。けれども、ここまでの議論を踏まえるならば、そこにはすぐれて思想的な問題意識も見出せるように思われる。

ぼくは第六章で、ルソーの思想を支える「しまった」の論理に触れた。人間は自然状態でも幸せだった。にもかかわらず社会状態に移行して「しまった」。自然状態から社会状態への移行はけっして必然ではなく、また望ましいものでもなかったが、起きてしまったからにはしかたがない。人間はその状態から遡行して、社会契約の必然性を再構築するほかない。ルソーの哲学の核心にはそのような屈折が仕込まれているというのが、ぼくの理解だ。

そしてその「しまった」の過程は、じつはけっして過去に生じただけではない。いまも生じているし、これからも生じうるものなのだ。それがルソーが『ダランベール氏への手紙』で訴えていることである。

---

★60 『ルソー全集』第10巻、443頁。
★61 同書、447頁。

ジュネーブには素朴な人々が住んでいる。市民はセルクルをつくり、親密で共和主義的な関係を楽しんでいる。にもかかわらず、いったん劇場が設立されてしまえば、彼らもまた虚飾と社交に惑わされ、悪徳に侵されて健全な統治を歪めて「しまう」だろう。それが一七五〇年代半ばのルソーが憂慮したことだった。したがって彼は、『ダランベール氏への手紙』でその「しまった」に対し警鐘を鳴らすとともに、悪徳の進行を止めるために別の対抗手段を展開することも考えるようになった。そこで構想されたのが『新エロイーズ』の執筆なのではないか。ぼくはそのように推測する。

だからこの小説は、人為によって自然を守り、嘘によって真実を守り、創作によって純粋な愛を守るという矛盾した課題を抱えることになった。その課題から、実話のふりをした書簡形式の恋愛小説というかたちが導かれている。そこではもはやルソーは、自然の価値を称揚するだけの理論家ではない。自然を守るために逆に人為が必要とされるという逆説のうえで、自然を捏造しようとする実践家へと足を踏み出している。

ふたたび『ピグマリオン』を参照すれば、それはまさに、大理石の女神に偽の生命を吹き込んだピグマリオンのすがたそのものでもある。独白劇の主人公は、『新エロイーズ』を書いた作家自身の自画像でもあったのだ。

だとすれば、『新エロイーズ』は、まさに本論が「訂正可能性」と呼んできた問題に正面から取り組んだ著作だと考えることができるだろう。

ここで訂正可能性とは、一般意志の正しさ、いまの文脈でいえば自然の純粋さが、絶対的なものとして立ち現れながら、同時に遡行的に再構成可能でもあるという両義的な性格をもつことを意味している。『新エロイーズ』の執筆は明らかにそのような両義的な実践として行われている。サン゠プルーとジュリの物語はだれがみても嘘である。ルソーが創作したものにすぎず、なにも自然ではない。にもかかわらず、ルソーは、その嘘を流通させることで人々の自然を守ると主張していたのだからだ。

ルソーは『社会契約論』と『新エロイーズ』をほぼ同時に出版していた。前者では一般意志について理論的に議論し、後者では創作として訂正可能性を実践していた。いまの哲学者や政治学者の多くは、政治思想のルソーとロマン主義のルソーをあまりにはっきりと切り離し、両者の相補関係を見落としているのではないだろうか。

## 23

それでは小説そのものを読んでみよう。『新エロイーズ』は、ぼくの考えでは、自然の絶対性を訴えつつ、同時にその絶対性そのものが訂正可能であることを示そうとした著作である。その主題は物語のなかでどのように表現されているのだろうか。

なんども繰り返しているように、『新エロイーズ』は恋愛小説である。しかもたいへん甘ったるい恋愛小説だ。

主人公はサン＝プルーという青年とジュリという少女である。サン＝プルーは平民でジュリは貴族の娘。物語の開始時点で前者は一九歳、後者は一七歳。ふたりは、サン＝プルーがジュリの家庭教師という関係にある。

物語の舞台はスイスのヴォー地方、レマン湖に面したヴヴェイという地方都市とその周辺地域である。小説後半ではヴヴェイ近くのクラランという小さな村が中心になる。途中サン＝プルーがヴァレ地方（アルプス）やパリに行き、そこからジュリに対して手紙を出すことがあるが、物語はほぼヴヴェイ周辺の小さな地域で完結している。ちなみに、同じレマン湖にはルソーの生まれ故郷であるジュネーブが面しており、またヴヴェイはルソーの初恋のひと、ヴァランス夫人の生まれ故郷でもある。

小説は、ふたりが一〇代の終わりから三〇代に入るまで、一〇年あまりに交わした手紙を集めた書簡集という形式をとっている。ふたり以外の人物、ジュリの親友であり同じ年齢の従姉妹「クレール」、サン＝プルーの友人である英国貴族の「ボムストン卿」などが出した手紙も、物語の展開に関わるかぎりで収録されている。投函された手紙ではなく書きかけのメモが収められていることもある。いわゆる「地の文」は存在せず、ルソーの語りはまれに「編者」の注というかたちで挿入されるだけである。

小説内で日付は明示されていないが、研究者は、物語の時間は一七三二年から一七四五年までの一三年間だと推定している。これは、小説冒頭が出版から三〇年ほど過去の話として設定されていることを意味している。ルソーが実話かもしれないと記すことができたのは、そのような設定があったからだ。この計算に基づくと、サン゠プルーはルソーとほぼ同じ年の生まれになる。

あらすじはつぎのようなものである。サン゠プルーとジュリは、最初から惹かれあっている。読者は小説の冒頭で、いきなり背中がむずがゆくなるようなラブレターを延々と読まされる。けれども蜜月は長くは続かない。ジュリの父である「デタンジュ男爵」が、娘とサン゠プルーの交際を認めないからである。父はかわりに彼の友人、外国出身の「ヴォルマール氏」を婚約者に指定する。ヴォルマールとジュリは親子ほども年齢が離れている。ジュリは気が進まないが、従わざるをえない。ジュリとサン゠プルーのやりとりは徐々に悲劇性を帯びていくが、クレールなどの協力でひそかに交際を続けていく。その過程で肉体的な関係も結ぶ。そのまま二年ほどの時間が経過するが、一七三五年の秋、密会はついに父の知るところとなり、サン゠プルーはヴヴェイを離れざるをえなくなる。ふたりは結婚が不可能であることを悟るが、それでも文通だけは続け、精神的なつながりを確認しあう。さきほど引用したパリについての手紙は、このときサン゠プルーが滞在先から送付したものである。

しかしその状況もまた長くは続かない。秘密の文通がデタンジュ男爵に知られ、ふたたび激怒を招いてしまうからだ。しかも折悪くデタンジュ男爵の妻、つまりジュリの母が病に倒れ、亡くなってしまう。父は結婚話を強引に進め、ジュリも受け入れざるをえなくなる。かくして一七三八年の春から夏にかけての時期に、ジュリはついにヴォルマール氏の妻になる。

サン＝プルーはジュリからの最後の手紙で、結婚の事実とともに、かつて彼女がふたりの子を孕み、彼に告げる機会がないまま不幸にも流産していたことを知る。サン＝プルーは衝撃を受けて自殺を考える。けれどもボムストンの説得でなんとか思いとどまる。そして一七四〇年の秋、同じくボムストンの紹介でイギリス海軍の世界一周航海に同行することになり、長くヨーロッパを離れることになるのである。

『新エロイーズ』はかなり長い小説である。前述のように日本語版全集ではほぼ二巻分を占め、岩波文庫版では四冊に分けられている。ここまでの展開でようやく前半を終えたところだ。

後半の物語は、前半の最後の手紙から四年後、一七四四年の春から始まる。ジュリとクレールは二八歳になっている。それぞれ子どももいる。ヴォルマールとジュリのあいだには三人の子どもがいて、家族でクラランという村に住んでいる。クレールもヴヴェイを離れてほかの街に住んでいるが、彼女のほうは夫と死に別れている。けれどもクレールはジュリとは異なり、恋愛や結婚に対してドライで、未亡人であることにも負い目がない。

後半はそんなふたりの文通から始まるのだが、そこにサン゠プルーからクレールに宛てて、世界一周から帰還したことを告げる手紙が届く。クレールはそれをジュリに知らせ、夫のヴォルマールからサン゠プルーに宛ててクランへ招く手紙が出される。サン゠プルーは招待を受け入れて、その夏ついにジュリに再会する。ヴォルマールはかつてのふたりの関係を知ったうえで、サン゠プルーを「友」として受け入れたいと述べる。サン゠プルーは感銘を受ける。

後半は前半とほぼ同じ分量がある。けれども物語のなかの時間は、前半では八年が経過するのに対して、後半は一年半ほどしか経過しない。

この非対称性は、前半の手紙が具体的な事件の記述を中心にしているのに対して、後半の手紙が、複雑な心情の揺らぎの描写や、愛や徳といった抽象的な話題についての議論を多く含んでいることに起因している。それゆえじつは要約がむずかしくもあるのだが、逆にこの後半の文章は、ルソーの宗教観や社会観を反映したものとして物語とは独立して参照されることがある。たとえば後半にはジュリが信仰について語る手紙がいくつか収められているのだが、それらは『エミール』に収められた「サヴォワの助任司祭の信仰告白」を先取りするものだと位置づけられている。また、サン゠プルーがヴォルマール夫妻の農地経営について記した手紙は、ルソーの自然観や理想社会像、経済道徳などが表現された重要な文章だと考えられている。

いずれにせよ、単純に事件を記すとすれば、後半はつぎのように展開していく。ジュリとの再会のあと、サン゠プルーは三人の子どもの家庭教師という立場で、ヴォルマール夫妻とともにクラランで共同生活を始めることになる。サン＝プルーとジュリのあいだには、当然のことながら、かつての情熱が甦りそうな事件がいくどか起きる。けれども表面的には、もはや恋愛感情はなく、ただの友だちになったという言葉が交わされ続ける。秋になるとクレールもクラランに移住する。さらに冬には旅で立ち寄ったボムストンも加わり、友人たちのあいだで家族のように親密な時間が実現する。そのようななか、ジュリはサン＝プルーとクレールが結婚することを夢見るようになる。クレールもまんざらではない答えを返す。

年が明け、一七四五年の春、サン＝プルーとボムストンは仕事でイタリアへ行くことになる。サン＝プルーが旅立つと、ジュリは七年ぶりに彼に手紙を書き、クレールとの交際をはっきりと勧め始める。

けれどもその試みは九月に突然断ち切られてしまう。ジュリは家族とともにピクニックに行き、ちょっとした事故で湖に転落する。そして溺れたのをきっかけに熱病にかかり、生死の境をさまよったすえに死んでしまうのだ。

サン＝プルーとボムストンは、ジュリが死んだときはちょうど帰国の道中にあった。ヴォルマールは彼女の死を知らせる手紙を書く。そこにジュリが死の床で記した手紙を同封する。その手紙が最後から二番目の書簡として収められている。

その内容は、『新エロイーズ』の読者にとって驚くべきものである。というのも、ジュリはそこで、ヴォルマールとの結婚以降、サン＝プルーやクレールに対して発し続けてきたすべての言葉をあっさりと翻してしまうからである。彼女は、本当に愛していたのはサン＝プルーだけだったと告白する。そして、いま死ぬことができるのは喜びだ、なぜならば、死によってようやく道徳から切り離され、真実の感情に立ち戻ることができるからだと告げる。彼女は最後につぎのように記している。「あたしはこの甘美な期待を抱いて死ぬのです。あたしの命と引きかえに、罪にならずにいつまでもあなたを愛する権利を、またもう一度あなたを愛しますと言う権利を手にするよろこびに心みちて」[★62]。この告白に対するサン＝プルーの反応は、手紙として収められていないので読者が想像するほかない。

最後の書簡は、それから数箇月後、帰ってこないサン＝プルーに向けてクレールが発送したものである。そこでクレールは、彼女は確かに彼を愛していること、けれどもジュリの死のあとでふたりが結ばれるのはありえないことを告げ、彼女自身の死を暗示して手紙を終えている。それに対するサン＝プルーの反応もまた小説には収められていない。

以上が『新エロイーズ』のあらすじである。この小説で描かれる恋愛は、表面的にみればじつに単純なものである。サン＝プルーとジュリは最初から愛しあっている。クレールやボムストンら、周囲の友人もそれを応援している。頑固な父親と時代の偏見に阻まれてふたりは結ばれないが、最

---

★62　同書、427頁。第6部書簡12。

後の手紙で愛は貫かれていたことがわかる。その一貫性が胸を打つ。

けれども、もう少し詳細に読むと、この小説の恋愛描写が意外と複雑な構造を備えていることがわかる。まず第一に、この小説には多くの三角関係が登場する。サン゠プルーとヴォルマールはともにジュリを愛している。ジュリとクレールはともにサン゠プルーを愛している。あらすじでは省略したが、じつはボムストンもジュリへの求愛を考えたことがある。

本章の冒頭で触れたように、ルソーはこの小説の執筆中に友人の恋人に恋をしている。頻出する三角関係は、伝記的な事実としてはその経験が影響したと考えられている。けれども、それは同時に欲望のルソー的な理解の本質を表すものだと理解することもできる。

かつて哲学者のルネ・ジラールが分析したように、ルソーがその起源のひとりであるロマン主義文学には、他者の欲望を欲望するという「三角形的欲望」が頻出する[★63]。ひとはなにかをじかに欲するのではない。だれかが欲しているからこそ、ますます欲しくなるということがありうる。男女間の三角関係はその典型である。たとえばクレールはたんにサン゠プルーを愛しているのではない。サン゠プルーを愛しているジュリを愛するからこそ、サン゠プルーを愛するのである。それはいいかえれば、サン゠プルーへの愛が、ジュリへの愛の代補でしかないということでもある。この小説の愛は、じつは登場人物が信じているほど純粋なものではないのだ。

加えて第二に、この小説には、ある障害が消えるためには別の障害が必要になるという、いささか逆説的なモチーフが繰り返し現れている。さきほど引用したジュリの最後の言葉が典型である。

ジュリの愛は長いあいだ道徳という障害に阻まれていた。最後でその障害は消滅するが、それは死という新たな障害が現れたからにすぎない。ジュリの愛は、結局のところサン＝プルーにそのまま届くことはない。

ここでは触れるにとどめるが、批評家のジャン・スタロバンスキーは『透明と障害』と題された著作で、この小説に潜む「透明」と「障害」の葛藤を詳細に分析している[★64]。その葛藤へのこだわりは、ルソーが書簡集の形式を選んだ理由を説明するものでもある。サン＝プルーとジュリは確かに愛しあっている。けれどもこの小説では、読者は彼らの言動をじかに見聞きすることはできない。サン＝プルーとジュリ自身の解釈を通して、間接的に推測することしかできない。ルソーはひとは自然のままであるべきだと訴えた。社会や文明は障害でしかないと告発した。だから若者たちの純粋な恋愛を描いた。にもかかわらず、文明という障害（書簡への依存）はけっして排除できな

---

★63 ルネ・ジラール『欲望の現象学』、古田幸男訳、法政大学出版局、1971年。原書出版は1961年。この著作の原題は、直訳すると『ロマンティックな嘘とロマネスクな真実』となる。

★64 J・スタロバンスキー『ルソー 透明と障害』、山路昭訳、みすず書房、1993年。原書出版は1957年。じつはデリダの『グラマトロジーについて』はこのスタロバンスキーの議論を承けて書かれており、部分的に反論を含むが全体として大きな影響を受けている。透明を追求するあまりに逆に障害を呼び寄せてしまうという読みの構図そのものが、第六章の注19で紹介したエクリチュールの論理にそっくりである。そんなスタロバンスキーの著作では『新エロイーズ』の読解が重要な位置を占めており、ジュリの死の場面で彼女の顔にヴェールが被されることが、透明と障害の統合の隠喩として評価されている。同書、190頁以下。

かった。愛は最後まで透明にならない。この不能性の意味については、本書でときおり名前が出てくるデリダも、『グラマトロジーについて』の第二部で論じている[★65]。

## 24

さて、ぼくはさきほど、『新エロイーズ』の主題は、自然の絶対性を保持しつつその絶対性が再構成できると示すことにあると記した。その主題はじつは、ある人物の言動に集約されている。しかもそれはサン＝プルーでもジュリでもない。ヴォルマールである。

ヴォルマールはサン＝プルーの敵役である。ジュリとの結婚は本人の意に反したものであり、読者は自然に反発を覚える。

設定も親しみを覚えにくい。ヴォルマールはジュリと親子ほども年齢が離れている。遠くの大国（ロシアだと推測される）から来た外国人で、無神論者だ。ジュリは熱心なキリスト教徒であり、夫婦のあいだには葛藤がある。ジュリは夫を尊敬する立場をけっして崩さないが、それでも信仰については愚痴をこぼしている。

さらに付け加えれば、ヴォルマールは神を信じないだけでなく、感情に欠けた人物としても描写されている。「私は生まれつき穏やかな魂と冷たい心の持主です。人を侮辱するつもりで、あれは何も感じない人間だと言うことがありますが、私はそういう人間に属します」[★66]。サン＝プルーが若さと熱さを象徴するとすれば、ヴォルマールは老いと冷たさを象徴している。そのようなヴォルマールの言葉は、ルソー自身の思考から離れたものだと思われるかもしれない。

けれども話はそれほど単純ではない。というのも、ヴォルマールには別の役割も与えられているからである。

さきほど触れたように、サン＝プルーはクラランで暮らし始めたのち、ヴォルマール夫妻の家政と農地経営の巧みさについていくつかの手紙を記している。そこでの描写はたいへん詳細で、召使いの扱い、小作人への報酬、娯楽や料理の内容、庭の手入れ方法から資産運用の秘訣、さらには地産地消の勧めまで多岐にわたる。しかし要約すれば、そこで説かれているのは必要性と親密さを重

★65　第六章注19を参照。なおこの『グラマトロジーについて』の第二部は四章に分かれているのだが、ルソーが扱われるのは第二章以下で、最初の章ではレヴィ＝ストロースが論じられている。同書出版時は構造主義の全盛期で、レヴィ＝ストロースはルソーをみずからが切り開いた文化人類学の祖として評価していた。デリダはそんなレヴィ＝ストロースの哲学に自然と文化の強引な切断を見てとり、その切断の自己矛盾をルソーにまで遡って検証しようとしたのである。第二部は「自然、文化、エクリチュール」と題されているが（これはフランス語だとナチュール、キュルチュール、エクリチュールと韻を踏んでいる）、このタイトルは、自然と文化の対立そのものがエクリチュールによって生み出されるというデリダの思想をきわめて簡潔に表現している。

★66　『ルソー全集』第10巻、１２２頁。第４部書簡12。

要視する経営哲学である。サン゠プルーはつぎのように記している。クラランでは「すべてが豊かで清潔な感じを与え、富と贅沢を思わせるものは何ひとつありません」。だから「[そこでは]互いの必要と互いの好意によって結ばれた、優しく穏やかな少数の人々が、あれこれと気を配って共通の目的のために協力して」おり、「一人一人が自分の身分のうちに十分満足するにたるものを見出していて、そこから離れたいと思」わないのだと[★67]。

この記述は一般に、ルソーの社会思想のひとつの側面を強く反映したものだと考えられている。ルソーは『社会契約論』で、一般意志は社会契約によって一気に産出されるものなので、その実現には市民間の議論はむしろ障害になると主張していた。それならば市民はみな孤独のままひとりでいるのがよいことになるはずだし、実際に彼はそのように解釈できる命題も書き記している。

けれども彼は同時に、『ダランベール氏への手紙』の読解で示したように、統治を健全にするためには「小さな社会」の下支えが不可欠だとも主張していた。その二面性について、同書の訳者はつぎのように説明している。「ルソーには、ユートピアを構築するさいに、契約といった法律的な関係(強制)によって考える立法者的な思考と、人間の心の自然な結びつきというようなけっして強制されえない関係(自由)を媒介にして考える恋人的、あるいは文学者的な思考の二つがあってその両者が緊張関係を保っている」のだと[★68]。『ダランベール氏への手紙』におけるジュネーブのセルクルは、まさにその「恋人的」で「文学者的」な関係の例として挙げられていた。そして『新エロイーズ』の後半で長々と描写されるクラランは、そのさらに包括的で具体的な提示だと解釈できる。

ルソーは『新エロイーズ』の後半で、『社会契約論』の「立法者的な思考」では取りこぼす、「小さな社会」の理想を文学的に提示しようと試みていた。そしてヴォルマールは、まさにその理想社会を構築し運営している人物として導入されていた。だとすれば、その人物像もまた、あるていど作家の理想が投影されていると考えなければならない。

ここに『新エロイーズ』を読むことのおもしろさとむずかしさがある。物語をふつうに読めば、ルソーは明らかにサン゠プルーのほうに自分を投影している。彼らはほぼ同年生まれで、同じ平民で、同じレマン湖畔に生きている。対してヴォルマールはさまざまな点でサン゠プルーの裏返しの人物だ。にもかかわらず、作家はけっしてサン゠プルーの情熱だけを讃え、ヴォルマールの老練を貶めているわけではない。

ふたりはともにジュリを愛し、彼女の愛を手に入れようとした。最後のジュリの告白から遡行して読むと、サン゠プルーだけがその試みに成功したかにみえる。実際に多くのひとがそのように読んでいる。

---

★67 同書、66、188頁。第4部書簡10、第5部書簡2。
★68 『ルソー全集』第8巻、560頁。

けれどもその読解は十分ではない。なぜならば、それではなぜ小説の後半でクラランの村の描写にあれほどの紙幅が割かれているのか、まったく説明がつかないからである。

むしろぼくたちは、この物語においては、ヴォルマールもまた成功を収めていたのだと理解しなければならない。彼は「小さな社会」の運営に成功し、ジュリとの穏やかな家庭生活を手に入れていた。それはサン＝プルーの帰還によっても壊れることがなかった。もしジュリが事故死しなければ、サン＝プルーはむしろ最後まで成功することがなかっただろう。ヴォルマールの愛こそが成功し続けていただろう。ルソーはそのような小説を書いたと理解すべきなのである。

『ピグマリオン』においてガラテアは自然の隠喩だった。同じように『新エロイーズ』でジュリは自然の隠喩で、ジュリへの愛は自然への愛の隠喩である。それゆえ、以上のようなサン＝プルーとヴォルマールのライバル関係は、この小説のなかに、サン＝プルーの愛が目的とする素朴な自然とヴォルマールの愛が目的とする人工的な自然、ふたつの「自然」があるということだとも理解できる。

サン＝プルーとヴォルマールはふたつの異なった自然観を体現している。それは実際、小説の前半と後半の舞台の違いに表れている。サン＝プルーにとっての自然がアルプスの山々だとすれば、ヴォルマールにとっての自然はクラランの農地である。

その対照は両者のある会話にもはっきりと表れている。そこで話題になっているのは庭園管理術である。ヴォルマール夫妻が管理するクラランの庭や森は、草木が自然に生え、そして朽ちるまま、あたかもひとの手が入らずに放置されているかにみえる。にもかかわらず美しく保たれている。サン＝プルーはその謎を問う。ヴォルマールは「真の趣味は、とりわけ自然がつくりなすものに関しては、人の技を隠すことにあります」と答える[★69]。

本論の『新エロイーズ』解釈にとって、この発言はきわめて重要である。ヴォルマールは自然に作為を加えている。にもかかわらずその痕跡を隠すことで自然のままにみせかけている。これは庭だけに限った話ではない。クララン経営の根幹にある哲学の話でもある。ヴォルマールは「小さな社会」においても、たえず人間関係に手を入れている。けれども同時に、作為の痕跡を隠すことで、人々が自然の感情が促すまま、自発的に親密に交際しているかのように計らっているというのだ。

ここでは直接には触れられていないが、それはまたジュリとの愛の話でもあるだろう。サン＝プルーとジュリのあいだには自然の愛が成立している。ヴォルマールとジュリのあいだにそんな愛は成立していない。ヴォルマールはその残酷な現実をよく知っている。だから彼は愛を作為するしかない。そしてその痕跡を隠し、ふたりの愛が自然のものであるかのように偽装するほかないのである。クラランは人工的自然のユートピアなのだ。

ルソーは一般にサン＝プルーに自分を重ねている。けれども、ここでは彼はむしろ、作家である

---

★69 『ルソー全集』第10巻、112頁。第4部書簡11。

自分をヴォルマールのほうに重ねている。『新エロイーズ』はそもそもが、人為によって自然を守り、嘘によって真実を守り、創作によって純粋な愛を守るという矛盾した課題を抱えて執筆された小説だった。その課題が強いる屈折はサン＝プルーには重ねることができない。サン＝プルーは最初から自然の愛の絶対性を信じており、最後までそれを信じ続けている人物だからだ。ヴォルマールこそが屈折を体現している。

『新エロイーズ』はひとことでいえば恋愛小説であり、ジュリという女性を取り合うサン＝プルーとヴォルマールの対立の物語だ。

けれどもそれはたんなる恋愛小説ではない。なぜならば、彼らふたりの対立は、素朴な自然と人工的自然の対立であり、社会契約の絶対性と「小さな社会」の対立であり、それゆえ一般意志と訂正可能性の対立でもあるからだ。ぼくたちはこの小説を、そのような哲学的な視野のもとで読みなおさねばならない。

## 25

一般意志は超越的で絶対的な存在である。自然と愛も超越的で絶対的な存在である。けれどもそれらは同時に訂正可能性に開かれていなければならない。

その困難な命題は、ルソーにおいては、哲学の言葉によって理路整然と語られているのではなく、

『新エロイーズ』という文学によって実践的に示された。これが本章の結論である。クラランを経営し、ジュリとの愛を作為しようとするヴォルマールは、偽の書簡集を出版し、読者の自然な心を作為しようとするルソーの自画像にほかならない。

最後にもうひとつヴォルマールの興味深い発言を紹介しておこう。前述のように、ヴォルマールはサン゠プルーと「友」になりたいと述べる。それだけではない。彼は、サン゠プルーとジュリの過去の関係を知ったうえで、ふたりもまた「友」になるべきだと提案するのである。

それはかなり倒錯的な提案である。実際の記述を読むとその印象はますます強まる。ヴォルマールはジュリに、かつてサン゠プルーとジュリが交わした手紙を見せる。彼はふたりの過去を知っているだけではない、じつは彼らの手紙をすべて手に入れて保存していたのだ。

その事実を示したうえで、彼はあらためてふたりが彼の目のまえで友人としてふるまうことを要求する。そしてその成否を確かめるために、彼はわざわざ、妻とサン゠プルーを部屋でふたりきりにしたり、屋敷に残して数日間の出張に出かけたりする。とくに印象的なのは森でのエピソードだ。ヴォルマールはそこでふたりを、彼らが一〇年以上まえに初めてキスをした木立に連れて行く。すべての手紙を読んでいる彼は、むろんその場所も知っている。そしてなんと、もういちど自分の目のまえで抱擁し、キスを交わすように求めるのである。

ルソーはなぜヴォルマールにそんなことをさせるのだろうか。理解の鍵はある発言にある。

その発言は、サン＝プルーがクラランに到着し、ヴォルマールと彼の妻になったジュリに対面した当日になされている。そこでヴォルマールは、サン＝プルーに対して友になろうと提案するだけでなく、ひとつの要求を出す。それは「［ジュリと］二人きりでいて私がそこにいるかのようになさるか、それとも私の前で私がいないかのようになさるか」、そのどちらかを選択してほしいというものである。たとえば、ふたりきりのときは「ジュリ」と、ヴォルマールがいるときは「奥さま」と呼び分けるようなことはやめてほしい、もしジュリと呼びたいなら自分のまえでも一貫してそう呼んでくれというのだ。サン＝プルーが戸惑って「礼儀」に触れると、ヴォルマールはそんなものは「悪徳の仮面」にすぎないと返す［★70］。

ここには、ヴォルマールの欲望の核心が、そしてその背後にあるルソーの思想の厄介さがよく表れている。なぜならば、ここでヴォルマールは、自然と文明、自然と社会、真実と嘘というルソー思想のたがいに連動している二項対立、その連鎖そのものを無効化しようと試みているからである。サン＝プルーとジュリは自然の愛で結ばれている。彼らはふたりきりだと自然状態に帰る。つまり真実に戻る。「ジュリ」という呼びかけがその状態を表す。

ヴォルマールがいるとそうはならない。彼が同席すると、サン＝プルーとジュリは、自然状態を離れ、「礼儀」をもってしまう。つまり虚飾と社交のなかに入ってしまう。嘘をついてしまう。そして「奥さま」と呼びかける。

ヴォルマールはそのどちらも選んではならない。なぜならばヴォルマールは自然の愛を作為しなければならないからである。自然と作為、「ジュリ」と「奥さま」、どちらを指定しても自然は作為されなくなってしまう。

だからヴォルマールはさきほどのような要求を出すのだ。彼はけっして、サン＝プルーに自分の気持ちに正直になれと頼んでいるわけではない。そんなことをされたら自分だけが自然から疎外されるからだ。かといって嘘をつけと頼んでいるのでもない。それではジュリの自然は手に入らないからだ。彼の望みは、ジュリがジュリのまま、あくまでも自然の心に従うようでありながら、しかしそれでも彼のもとにとどまってくれることにある。それゆえ彼は、サン＝プルーに、そして彼への言葉を通してジュリに、真実を話しても嘘を話してもどちらでもいいが、真実と嘘の境界、それだけは見せるなと命じるのである。

ルソーはここでふたたび作家である自分をヴォルマールに重ねている。真実と嘘の境界を消去しろと命じるヴォルマール、それはまさに、『新エロイーズ』が実話なのか虚構なのか、その質問にはけっして答えないと告げたルソーそのものだ。

真実と嘘の境界をなくすことで、はじめて自然は「訂正」される。そして自然が人工的かつ遡行的に発見される。

---

★70 同書、45頁。第4部書簡6。

『新エロイーズ』に隠されたこの思想は、真実と嘘を峻別し、統治の正当性を自然と真実の絶対性のうえに基礎づけようとした『社会契約論』の構想、そしてそれを素朴に継承した全体主義や人工知能民主主義の構想とは、いっけんまったく相反するものである。

しかし、第一部からなんども繰り返しているように、それは矛盾しない。むしろそこで示された絶対性と訂正可能性の両立は、人間のコミュニケーションに対するルソーの深い理解を示している。家族と家族でないもの、ゲームとゲームでないものを区別することが原理的に不可能であるように、ぼくたちは本当は、自然と自然でないもの、社会と社会でないもの、嘘と嘘でないもの、愛と愛でないものを区別することもできない。ルソーの「小さな社会」は、真実と嘘の境界で現れる人工的自然のことなのだ。

ヴォルマールは、サン＝プルーとジュリのふたりに、彼らがはじめてキスを交わした場所でもういちどキスをさせた。それは、自然の情熱を冷めた人工的自然で上書きする行為であり、思い出の絶対性を訂正可能性で上書きする行為である。ジュリはクレールへの手紙でその経験をつぎのように振り返っている。「今度の接吻、あたしがこの木立を怖ろしく思うようになった、あの時の接吻とは全然違っていた。あたしは悲しい気持でそれを喜びました」[★71]。

ジュリの恋は上書きされた。自然の愛は人工の愛に「訂正」された。ジュリはそれが必要だったことを知っている。しかし同時に寂しくも思う。だから「悲しい気持でそれを喜」ぶ。ルソーはここで、絶対性の訂正に対してひとが抱く複雑な思いを、じつに簡潔な表現で言い当てている。

ひとはしばしば、家族なり国家なり企業なりのいまのすがたを、絶対で永遠に続くものだと信じる。でも現実には状況が変わる。家族にしても国家にしても企業にしても、いくらでもすがたが変わる。むしろその柔軟性こそが共同体を持続させる。

ぼくたちはそれを知っている。だから変化を歓迎する。けれどもやはり、自分が永遠だと信じていたものが訂正され、過去に遡って書き換えられてしまうとき、同時に寂しさも感じざるをえない。それがルソーが描いた感傷である。ヴォルマールは、クリプキの懐疑論者が加算の記憶をクワス算の記憶に書き換えようとしたように、情熱的なファーストキスの記憶を、つまらない乾いたキスの記憶に書き換えようとしていたのである。そしてその試みは、ジュリが死に瀕するまでは成功していた。

---

★71　同書、129頁。第4部書簡12。

# 第9章 対話、結社、民主主義

## 26

一般意志は、社会の外部に位置する絶対的なものであり、自然に比較される。しかし同時に社会の内部に位置し、文明によって訂正可能なものでもある。それでは、絶対的なものが同時に訂正可能であるとはどういうことなのか。それが本書に残された最後の問いだった。

前章ではルソーの著作に戻り、その問いへの答えを『新エロイーズ』という小説に求めた。自然は、自然のまま放置すると、自然以外のものへと堕落してしまう。同じように一般意志は、一般意志のまま放置すると、一般意志以外のものへと堕落してしまう。そこでルソーは、自然を自然のまま守り、一般意志を一般意志のまま守り、統治を健全なまま維持するためには、「小さな社会」という人工的自然を創出する必要があると考えた。『新エロイーズ』は、そんな思想を寓話化するために書かれた小説だと解釈できる。

一般意志を単純に善だと理解すると、統治はその善さえ実現すればよいという単純な民主主義理解に導かれる。なんども繰り返しているとおり、その理解はいま人工知能民主主義として再来している。そこでは一般意志は、情報技術の支援によってデータとして把握可能な新たな自然＝デジタルネイチャーとして捉えなおされ、それを可視化し、統治の原理とすることが正しい民主主義につながるのだと信じられている。確かにその解釈には一定の妥当性がある。しかしそれは、最先端の技術用語で語られていたとしても、本質的にはじつに古くさいルソー主義の再来である。常識的な哲学史の理解においては、ルソーこそが、自然は善で、文明は悪で、人間は自然に導かれてさえいれば幸せに生きていけると主張した、近代最初の思想家だったからである。落合や成田は自覚のないルソー主義者なのだ。

人工知能民主主義は、現代に復活したルソー主義である。だから彼らは自然が善だと信じた。それでは、ぼくたちはルソーにまで遡って思想を破棄すべきなのだろうか。

そうではない。なぜならば、ぼくの考えでは、じつはそもそものルソー自身が、自然は善で、文明は悪だという二項対立を単純には信じていなかったからである。少なくとも、彼はいくつかの著作でその対立からはみ出る主張をしている。そこでは、文明によって自然を創作し、嘘によって真実を維持する必要性を訴えているように思われる。そしてそれこそが、この二世紀半前の思想家が、けっしてたんなる時代遅れのロマン主義者なのではなく、第一部で議論したような、人間のコミュニケーションなるもののゲーム的本質を熟知したアクチュアルな哲学者であることを証拠立てているのである。ぼくたちが継承すべきは、素朴なルソー主義ではなく、むしろそちらの認識のほうだ。そこではルソーは、健全な統治を維持するためには、一般意志を導きの原理とするだけではなく、無数の「小さな社会」を存在させなければならないと主張している。

この主張は『社会契約論』からは導かれない。『新エロイーズ』から導かれる。前者ではむしろルソーは、社会が小さな部分に分かれることを批判していた。一般意志は人民の主権の源泉であり、分割されたり代表されたりしてはならなかった（第二篇第二章、第三篇第一五章）。だから彼は「小さな社会」の理想を、みずからの理論的な一貫性を犠牲にすることを覚悟のうえで、恋愛小説である後者に託して展開するほかなかった。一般意志は真実の言葉（哲学あるいは法の言葉）によって構成されるが、「小さな社会」は真実か嘘かわからない言葉（小説あるいは恋愛の言葉）によって構成される。「小さな社会」が緩衝材として存在することで、一般意志は虚飾と社交に呑み込まれずに済み、真実は嘘に転化せずに済む。

かりに真実を理論的に語るだけで健全な統治が維持されるならば、「小さな社会」の構想は必要なく、『新エロイーズ』も書かれる必要はなかっただろう。しかし現実には真実を語るだけでは自然は腐敗し、一般意志も腐敗する。劇場もやってくる。それが一七五〇年代のルソーが直面した問題であり、だからこそ『新エロイーズ』は書かれた。ルソーの社会思想は、自然と文明、理論と実践、真実と嘘、哲学と文学を横断するかたちでじつに複雑に展開されている。『社会契約論』のような哲学的なテクストだけを読んでも、全体像は見えてこないのだ。

ルソーにおいて、訂正可能性の思想は「小さな社会」の導入で表現されていた。それではあらためて、「小さな社会」とはなにか。最後にルソーから離れたふたりの思想家を参照し、この長い議論を閉じることにしたい。

## 27

ひとりめの思想家はロシア／ソ連の哲学者、ミハイル・バフチンである。バフチンは一八九五年生まれで、独自の文学理論や言語哲学で知られる。革命直前のサンクトペテルブルクでキャリアを開始し、早くも一九二〇年代にはすぐれた仕事を展開していたが、多くは政治的理由のため発表することができなかった。

バフチンの仕事が広く知られるようになるのは、スターリニズムが終わり、彼がようやく七〇歳近くになってから、一九六三年の『ドストエフスキーの詩学の諸問題』と一九六五年の『フランソワ・ラブレーの作品と中世・ルネサンスの民衆文化』が相次いで出版されて以降のことである。前者は一九二九年にいちど刊行されていた著作を増補改訂したもの、後者は一九四〇年に書き上げられていた学位請求論文を修正し四半世紀越しに出版したものであり、いかに長く不遇が続いたかがわかる。両者の出版は衝撃的で、一九六七年にジュリア・クリステヴァがフランスに紹介すると、流行の構造主義などと結びついてバフチンの名は一躍世界的な注目を浴びるようになった。けれども彼自身は、その恩恵をほとんど受けることなく一九七五年に亡くなってしまう。

バフチンは晩年に長いインタビューを受けているが、それを読むと、圧政下に哲学者として生きることの困難に胸が締めつけられる[★72]。彼はまさに悲劇の哲学者だった。

とはいえ、バフチンの思想そのものは、そんな人生の暗さと裏腹に、人間や文学への力強い信頼を基調としている。そんな力強さを特徴づける言葉として、とくに「ポリフォニー」と「対話」がある。

ポリフォニーは文学のジャンルを意味し、対話はそれを支える人間のありかたを指し示している。バフチンは、人間は本質的に対話的な存在であり、ポリフォニーと呼ばれる小説のジャンルはその条件をとくに鮮烈に描き出すと主張した。ドストエフスキーがポリフォニー小説を代表する作家だとされている。

どういうことだろうか。バフチンの思想の核心をひとことで要約すれば、対話とはとことん「開かれた」ものだというものになるだろう。ぼくたちは、言葉で交流するかぎりにおいて、相手がなにを言おうとつねにひっくり返すことができるし、新しい話題を始めることもできる。それが言葉の本質なのであり、だからこそ人間には自由がある。バフチンはそのように考えた。

確かに日常の会話において、ぼくたちはしばしば「おまえはこれこれだ」という決めつけに出会う。相手が強者であれば、萎縮して受け入れてしまうこともある。権力関係とはそういうものである。けれどもそのような決めつけは、原理的には必ず跳ね返すことができる。正面から反論することがむずかしくても、無視したり、はぐらかしたり、笑ったりすることで、相手の発話から力を奪い、主体性を奪還することが必ずできる。バフチンの思想はそのような明るい信頼に貫かれている。スターリニズム下のソ連でこのような哲学を追求したことには、いうまでもなく大きな政治的意味がある。

　そして、バフチンによれば、ドストエフスキーは人間のその「開かれた」条件にとりわけ敏感な作家だった。「ドストエフスキーの主人公は常に、彼を決めつけ、死人扱いするような他者の評言の枠を打ち破ってやろうとしている」と彼は記している[★73]。これはドストエフスキーの小説において、作家自身を含め、だれも登場人物に価値判断を押しつけることができない仕組みになっていることを意味している。

　ドストエフスキーの小説は観念的な論争が多いことで知られる。登場する人物はみな、ほかの人物の言葉に耳を澄まし、相手の考えを先取りし、対話の主導権をめぐって争い続けている。だから小説を最後まで読んでも、だれの言葉が正しかったのか、だれが作家の主張を代弁していたのか、結局のところよくわからない。これはドストエフスキーの長編を読んだことがあるならば、多くの

---

★72　ミハイル・バフチン、ヴィクトル・ドゥヴァーキン『バフチン、生涯を語る』、佐々木寛訳、水声社、2021年。

★73　ミハイル・バフチン『ドストエフスキーの詩学』、望月哲男、鈴木淳一訳、ちくま学芸文庫、1995年、122頁。強調を削除。

ひとが頷く印象なのではないかと思う。

バフチンはさきほど触れた『ドストエフスキーの詩学の諸問題』で、まさにこの印象を与える仕組みを解明しようとしている。分析は文体の特徴やジャンルの歴史など多岐にわたるが、そこで仕組み全体を指す言葉として使われるのが「ポリフォニー」である。

ポリフォニーはもともと音楽用語だが、ここでは文学分析に転用されている。文字どおりには「多声性」という意味で、複数の声が並び立ち、ひとつの声に収斂しないさまを表している。ひとつの声に収斂しないとは、裏返せば、対話が終わることがないということでもある。バフチンはつぎのように記している。「それぞれに独立して互いに融け合うことのないあまたの声と意識、それぞれがれっきとした価値を持つ声たちによる真のポリフォニーこそが、ドストエフスキーの小説の本質的な特徴なのである。［……］［そこでは］主人公の言葉は極度の自立性を持っている。それはあたかも作者の言葉と肩を並べる言葉としての響きを持ち、作者の言葉および同じく自立した価値を持つ他の主人公たちの言葉と、独特な形で組み合わされるのである」。「ドストエフスキーの主人公の自意識は不断に対話化されている。それはどんな場合にも外部に向けられており、自分自身、相手、第三者に対して、緊張した呼びかけを行なっている。自分自身および他の者たちに対するそうした生々しい呼びかけなしでは、自意識それ自体も存在しない。［……］存在するということ――それは対話的に接触交流するということなのだ。対話が終わるとき、すべてが終わるのである。だからこそ、対話は本質的に終わりようがないし、終わってはならないのである」［★74］。

ここでバフチンが対話は「本質的に終わりようがない」と述べていることに気をつけよう。対話という言葉は日常でよく使われる。まずは対話を、というのは政治的な呼びかけのクリシェでもある。そこでは参加者が話し合ったすえに、みなが同意するなんらかの結論が出ることが想定されている。なんの結論も出ないのであれば、対話は失敗だとみなされる。

けれどもバフチンの対話はそのような対話とはまったく異なる。彼が想定する対話は終わることがない。いかなる結論も暫定的なものにすぎず、あとでいくらでも転覆しうるからだ。人間のコミュニケーションは、みなが同意する安定した「真実」にけっして辿りつくことがない。そして**それは失敗ではない**。バフチンの考えでは、むしろその完結不可能性こそが人間の自由を保証するのである。

## 28

バフチンはぼくの知るかぎり、ルソーに断片的にしか言及していない。ウィトゲンシュタインについてはまったく言及していない。

けれどもぼくはこの対話の概念こそを、ここまで展開してきた訂正可能性の議論と接続してみた

---

★74 同書、15-16、527-528頁。強調を削除。

いと思う。というのも、そこでバフチンが対話の完結不可能性やポリフォニーという名で発見した問題は、じつは哲学的には、本書の第一部で紹介したクワス算の問題と同じものだと考えられるからである。

なぜそんなことがいえるのだろうか。バフチンは、ドストエフスキーが一八六四年に発表した『地下室の手記』という中編小説をたいへん重視している。彼によればその小説には、バフチンの考える「出口のない対話」の特徴がもっとも「剝き出し」かつ「明快」なかたちで表れている[★75]。『地下室の手記』は作家が四〇代はじめに記したもので、晩年の傑作長編につながる転機となった作品である。ドストエフスキーといえば大長編の印象が強いが、同作は手頃な長さなので読んだことのあるかたも多いかもしれない。『観光客の哲学』でも取り上げている。

この小説は二部構造になっている。第一部は四〇代の主人公が記した手記で、第二部は、その主人公がさらに二〇年前の自分の失敗を思い出して書いた手記という設定になっている。

主人公は独身の男性で、かつては役所に勤めていたが、親戚の死で遺産が転がり込んだのでいまは無職の人物である。家族も友人もおらず、人生の目的もないが、暇だけはあり、ひとり自室（地下室）で世界への呪詛を書き連ねている。それが第一部である。

この設定そのものにすでに救いがないが、第二部に記された二〇年前の失敗も救いがない。事件そのものはけっしてたいしたものではない。友人との会合を被害妄想によってぶちこわし、高ぶった感情を抑えるために売春婦と関係し、こんどはその女性に滑稽な説教を垂れ、さらにはそのせいで自責の念と屈辱感に囚われるというだけの話である。けれども彼はその屈辱感が忘れられない。以上がこの小説のすべてであり、常識で判断すればあまりに内向きで、物語らしい物語もない憂鬱なだけの作品だともいえる。けれども二〇世紀には熱狂的に支持され、実存主義文学の傑作として評価された。いまでは読者を選ぶ作品だろう。

さて、そんな『地下室の手記』は手記という設定なので、文法的には一人称で書かれている。けれどもふつうの一人称ではない。なぜならば、以上の要約からも推測できるように、この小説の主人公は、たえず他人の視線を気にし、勝手に想定した非難や反論に勝手に答え続けている人物として描かれているからである。現代風に表現すれば、彼はとにかく「自己ツッコミ」を続けている人物なのだ。

バフチンはそこに注目する。というのも、主人公のそのような性格は、この小説において、彼ひとりの声のなかにすでに複数の声が入り込んでいること、いいかえれば、一人称の内部に他者との対話が畳み込まれていることを意味しているからである。バフチンはつぎのように記している。

「《地下室の人間》［主人公］は、他者との間で行なうのとまったく同様の出口のない対話を、自分自

---

★75 同書、474頁。

身との間でも行なっている。彼には、他者の声を自分の外部に完全に閉め出し、自分自身と融合して一つのモノローグ的な声［……］になりきってしまうことができない」［★76］。

ここでモノローグになれないとは、ひらたくいえば、自分の声を自信をもって発することができないということである。『地下室の手記』の主人公は、あまりに自己ツッコミを繰り返しているので、もはや自分の考えがなにかすらわからなくなってしまっている。

バフチンは、まさにこの状態こそがポリフォニーの雛形だと考える。『地下室の手記』は一人称の小説であり、常識で考えれば主人公ひとりの声から成立している。そこにはポリフォニーも対話もあるわけがない。けれどもバフチンの考えでは、ドストエフスキーは、そんなひとつの声ですら、複数の他者の声に浸透され、対話的な構造を抱え麻痺してしまう可能性があることを、滑稽な主人公のすがたを通して文学的に示している。人間はたったひとりでいても、たえず内なる対話に、つまり自己ツッコミの声に悩まされている。それは人間の自由の不可避な副作用なのだ。

本書の読者のなかには、この記述から、以前紹介したルソーの被害妄想や自己言及癖を連想するかたもいるかもしれない。実際ルソーは『対話』や『新エロイーズ』の第二の序文で、架空の対話相手を設定し、架空の非難に反論する病的な自己ツッコミを展開していた。

その連想は正しい。そもそもドストエフスキーの文学はルソーにたいへん強い影響を受けている。とくに『地下室の手記』では影響は明らかである。この中編はじつは当初はルソーの代表作と同じく『告白』と題されていた。冒頭にはルソーへの間接的な言及まである。ルソーからドストエフスキーへ、そしてバフチンへは、文学史の標準的な理解でもつながっている。バフチンのポリフォニー分析はルソーの言葉にも適用可能だろう。

けれども、ここで論を閉じるにあたりわざわざバフチンを参照しているのは、けっしてそれだけが理由ではない。加えて注目してほしいのは、そこでポリフォニーの雛形として分析された『地下室の手記』という小説が、合理的で進歩主義的な世界観への強い反発を主題としていたということである。

『地下室の手記』は世界への呪詛だけを描いているわけではない。この小説が書かれた一九世紀の半ばは、ヨーロッパで共産主義が勃興し、産業革命がロシアにおいても急速に人々の生活を変え始めた時期にあたっている。それは、人類は賢く、未来は明るく、社会の悪は理性の力でどこまでも解消できるという、二一世紀の人工知能民主主義にまで連なっていく「大きな物語」が、哲学者や科学者や活動家たちによって活発に唱えられ始めた時代である。

ドストエフスキーはそのような進歩主義的な言説に強い反発を抱いていた。この作家の小説では登場人物の思想は必ずしも作家のそれを反映しないというのがバフチンの分析だが、ことこの点については、『地下室の手記』の主人公の立場は明らかに作家と一致している。そしてじつは、その

★76 同書、484頁。

反発こそがこの小説の執筆動機のひとつになっている。主人公はつぎのように記す。「そうした統計学者だの、賢人だの、人類を愛する人々だのが、人間の利益を数えあげるときに、いつも必ずある利益を数え損ねてしまうのだ。［……］それは他でもない、人間はいついかなる時も、いかなる人間であっても、決して理性や利益が彼に命じるようにではなく、自分の望みどおりに行動することを好んできたのである。自己の利益に反することを望むこともありうるし、ときにはまったくそうならざるを得ないこともあるのだ」［★77］。

たとえかりに「人類を愛する人々」の提案がすべて正しく、人類全体の快や幸せがなんらかの方法で最大化できるとしても、個人としての人間には必ずその全体を拒否し破壊する自由がある。だからいかなるユートピアもけっして全員を救うことはできない。それがドストエフスキーの哲学だった。

そしてここで興味深いのが、そんな進歩主義への反発が、この『地下室の手記』という小説において「2×2」という数式への懐疑として表現されていたことである。この数式は作品内にいくども登場する。

2かける2の答えは4である。答えはそれしかない。その圧倒的な自明性が進歩への信頼を支えている。

にもかかわらず、作家はこの小説で、主人公になんとかその自明性に挑戦させようとする。そして記されるのがつぎのような文章だ。「二、二が四なんぞ、俺に言わせれば、厚かましいにもほどがある。偉そうに恰好をつけて、腰に手を当てて人の行く手に立ちはだかり、頭から人を蔑んでいるじゃないか。二、二が四が実に申し分のない結構なものであることは認めるよ。でもなにからなにまで誉めるというなら、二、二が五だってときにはそれは可愛らしいものだと言えるんじゃないか」[★78]。つまりはドストエフスキーはここで、進歩主義者のユートピアがなぜうまくいかないのか、その理由を説明するために、2かける2の答えは4でなく5であってもよいのではないかという懐疑を記しているのである[★79]。

2かける2の答えは5かもしれない。この申し立てはとても奇妙に響く。それはおそらく多くの読者には、科学的な思考と文学的な思考の対比を強調するための、一種の誇張表現だと受け止められている。むろんその理解にもあるていどの妥当性がある。

しかし本書のここまでの議論と照らすならば、その申し立てはじつは逆説でもなんでもなく、むしろ文字どおりに理解すべきものであることがわかる。2かける2の答えは5かもしれない。それは第一部で紹介したクワス算の懐疑そのものである。

クリプキは、「68+57」の答えが5であると言い募る懐疑論者に対し、加算の共同体がけっ

---

★77 ドストエフスキー『地下室の手記』、安岡治子訳、光文社古典新訳文庫、2007年、44、53頁。強調を削除。

★78 同書、69頁。

して完璧なかたちでは反論できないことを証明した。同じようにぼくたちは「2×2」の答えが5であると言い募る懐疑論者に対しても、けっして完璧なかたちでは反論できない。ドストエフスキーはそのような懐疑論者が出現する可能性を指摘している。だからそれはじつは文学や実存についての話ではない。理系思考と文系思考の対立の話でもない。人間のコミュニケーションが抱える本質的な限界の話であり、全体主義の本質的な不可能性の話なのである。『地下室の手記』は、この点において、なによりもまずウィトゲンシュタインやクリプキと併せて読まれるべき小説なのだ。

2かける2の答えは5かもしれない。それはいままで築き上げてきた乗算の蓄積をすべてひっくり返しかねない、とんでもないクレームである。にもかかわらず、いままで繰り返しみてきたように、ぼくたちはそんなクレームを投げかける懐疑論者をけっして排除できない。「地下室人」の出現を阻止できない。だから社会主義者たちの最大多数の最大幸福の理想は、原理的に実現しない。これが『地下室の手記』の主張だ。

バフチンの著作はこの2かける2の例になぜか触れていないが、ここには彼の対話の哲学の核心がきわめてコンパクトなかたちで表現されている。ゲームのルールはつねに新しいプレイによる訂正の可能性に晒されている。対話もまたつねに新しい応答による訂正の可能性に晒されている。だからゲームは終わらず、対話も終わらない。裏返せば、だからこそゲームも続き、対話も続く。ぼくはこのウィトゲンシュタイン／クリプキ／バフチンのゲーム＝対話の概念こそが、ルソーが『新エロイーズ』で提起した「小さな社会」を理解する鍵だと考えている。

# 一般意志は自然である。善である。公共の力の源泉である。しかし放置すると虚飾と社交によっ

★79　本文では話が複雑になるので触れていないが、2かける2の答えは4でなく5であってもよいのではないか、といった懐疑そのものはけっして荒唐無稽なものではない。むしろそのような懐疑によってこそ数学は拡張してきた。実際ドストエフスキーが生きた一九世紀には、非ユークリッド幾何学が発見され、平行線が複数ある空間や平行線がない空間の幾何学が考えられるようになった。ドストエフスキーはその発見に強い関心をもっていたようで、『カラマーゾフの兄弟』の有名な会話でも触れている。

ただし興味深いことに、そこでの数学への態度は『地下室の手記』のちょうど裏返しになっている。『地下室の手記』では数学の硬直性（2かける2は4）が抵抗の対象になっていたが、『カラマーゾフの兄弟』では数学の柔軟性（非ユークリッド幾何学の発見）こそが抵抗の対象になっている。イワン・カラマーゾフはアリョーシャにつぎのように告げる。「ところがいまでも、全宇宙、いやもっと広く全存在がユークリッド幾何学だけにしたがって創られたってことに、疑いを挟んでいる幾何学者や哲学者はいくらでもいるし、おまけにきわめて有名な学者さんたちのなかにさえいるくらいなのさ。そういう連中は、ユークリッドによればこの地球上ではぜったいに交わりえない二つの平行線が、ひょっとするとどこか無限の彼方では交わるかもしれないなどと、大胆にも空想しているんだよ。［……］でもな、たとえそうしたことがすべて生じ、実現したところで、このおれはそんなものは受け入れないし、受け入れたくない！　やがて平行線も交わり、おれ自身がそれをこの目で見て、たしかに交わったと口にしたところで、やはり受け入れない」。ドストエフスキー『カラマーゾフの兄弟』第2巻、亀山郁夫訳、光文社古典新訳文庫、２００６年、２１７、２１９頁。ここではいわば、「幾何学者や哲学者」の既存の数学への異議申し立てこそが異議申し立ての対象になっている。ドストエフスキーのクレームはとどまることがない。

て腐敗する。暴力になる。

それゆえ「小さな社会」による介入とメンテナンスが必要になる。ルソーは『ダランベール氏への手紙』で、その例であるジュネーブのセルクルを「尽きることのないおしゃべり」の場と表現していた。その「おしゃべり」の構造を理論化したのがバフチンだ。一般意志は、真実か嘘かわからない言葉で構成された、けっして安定した真実に辿りつくことのない、自己ツッコミに満ちた終わらない対話の場の確保で補われなければならない。


一般意志の理念には欠陥があり、なにかで補わねばならないという考えはめずらしいものではない。たとえばドイツの社会哲学者、ユルゲン・ハーバーマスは、一九六二年の『公共性の構造転換』でつぎのような議論を展開している。第一部でも触れたように、この著作は、アーレントの『人間の条件』と並び公共性についての近年の研究の基礎文献となっている。

公と私の対立は国家と個人の対立に重ねられることが多い。けれども近代では、国家がつくる公共性に加えて、市民社会がつくるもうひとつの公共性も大きな役割を果たしている。とりわけリベラルはそちらの重要性を強調する傾向にある。

ハーバーマスによれば、そのような「市民的公共性」の理念は一七世紀から一八世紀にかけてイギリスやフランスで誕生し成長した。それは出版やサロンで育まれた「文芸的公共性」が役割を拡張し、政治的な話題も扱うようになったことで生まれたもので、なによりもまず開かれた議論を重視する。

公開性こそが市民的公共性を基礎づけるというこの思想は、一八世紀末にカントによって理論化され哲学にまで高められたが、一九世紀の半ばには大衆社会と消費社会の出現により早くも解体し始めた。『公共性の構造転換』は、そんな公共性の変質を批判するため、あらためて起源にまで遡った歴史書である。そしてそこではルソーの一般意志の構想は、まさにそのような市民的公共性の重要性に無自覚な、過去の時代の思想として位置づけられている。ハーバーマスは記している。

「ルソーは政治に滲透された社会という非市民的理念を構想するが、そこでは自律的な私生活圏、国家から解放された市民社会は、存立する余地がない。〔……〕〔ルソーの構想においては〕非公共的意見は、「公論」という新しい名のもとに、唯一の立法者へ高められる。しかも、論議する公衆の公共性を排除した形においてである。ルソーが用意した立法手続きは、この点に疑いの余地をのこさない」［★80］。

ハーバーマスは、一般意志の構想は、市民的公共性を排除したので未成熟だと記していた。それは裏返せば、一般意志の構想は、近代的な市民的公共性の理念、つまり開かれた議論の場の理念で補われる必要があるということである。

社会がよく統治されるためには、だれにでも開かれていながら、かつ理性的な議論が交わされる

---

★80 ユルゲン・ハーバーマス『公共性の構造転換』第2版、細谷貞雄、山田正行訳、未來社、1994年、137頁。

場が整備されねばならない。その条件の探求はのちにこの哲学者の大きなテーマとなった。ハーバーマスは一九八〇年代に、「コミュニケーション的合理性」を主題とした大著を出版している。

一般意志は「小さな社会」で補われるべきだという本書の提案は、このハーバーマスの議論にいっけんよく似ている。

とはいえ決定的に違うところもある。ハーバーマスが考える「市民的公共性」においては、議論なるものは、「コミュニケーション的合理性」に導かれた理性的で倫理的なものだと考えられている。一般意志の暴走や腐敗は理性の力で抑え込まれるというわけだ。それはとてもわかりやすい主張だ。

けれどもぼくが重視したい「小さな社会」における対話は、必ずしも理性的で倫理的なものではない。

ぼくはここまで、クリプキのクワス算、バフチンの対話、『新エロイーズ』におけるヴォルマールの嫉妬や『地下室の手記』の呪詛などを、一般意志＝ゲームの絶対性を覆す言葉の例として挙げてきた。それらはけっして理性から生まれた言葉ではない。私的で、価値転倒的で、ときに反社会的ですらありうるような雑多な言葉たちである。「小さな社会」の対話は、バフチンの表現を借りれば、けっして「最終的な真実」に辿りつかない。それゆえよき公共にもよき統治にも辿りつかない。けれどもそれは、だからこそ逆に、一般意志が押しつける絶対的な真実をたえず訂正し、「脱構築」することで、その暴走と腐敗を抑制する役割を果たすのである。

それはつぎのようにいいかえることもできる。一般意志の暴走は理性によって正しく抑え込まれるのではない。それは文学によって正しさとは無関係に抑え込まれる。政治の真実は、文学の嘘がともなってはじめて統治を人工的自然に変えることができる。だからこそぼくはここまで、『社会契約論』と『新エロイーズ』の相補性が重要だと強調してきたのである。


第二部の最初に記したように、ぼくは二〇一一年に、同じようにルソーを扱った『一般意志2・0』という著作を出版している。

ぼくはじつは同書では、ルソーの一般意志はビッグデータのことだと解釈すべきであり、未来の民主主義はビッグデータの分析に導かれるべきだという、ここまで人工知能民主主義と呼んできたものに近い主張を展開していた。当時はそれを「データベース民主主義」と呼んでいた。一二年前のぼくは落合や成田に近い考えを抱いていた。

ただし完全に同じではない。ぼくは同時に、データベース民主主義の本質は統治を人民の集団的無意識に委ねることにあるので、それだけでは政治の暴走を止めることができない、だからその力は「熟議」で抑え込まれるべきだと指摘していたからである。当時のぼくはそれをふたつの民主主義の組み合わせと表現し、つぎのように説明している。「熟議民主主義とデータベース民主主義。ネットワークを介し、市民同士がとことん話し合えばうまく行くはずだと考える理想主義と、巨大なデータベースを構築し、膨大な数のデータさえ集めればあとは集合知によって最適解が出てくるはずだと考えるもうひとつの理想主義。〔……〕本書が主題としてきた一般意志2・0の構想は、それら両者の組み合わせとして考えられている」〔★81〕。

本論はこの構想を引き継ぐかたちで書かれている。一般意志は暴走する。だから別の契機で補われねばならない。ぼくはいまでもそう信じている。

けれどもその契機を熟議と表現したのは、いま思えば過ちだった。熟議という言葉は政治思想の世界では、まさにハーバーマスが「コミュニケーション的合理性」によって基礎づけを試みたような、理性的で公共的な議論を意味するものとして用いられている。それゆえ熟議民主主義の理想にも、対立する立場の市民もしっかり時間をかけて話し合えばなんらかの合意に達するはずだという、根本的な楽観主義が伴っている。じつは『一般意志2・0』が出版されたとき日本は民主党政権で、マスコミはこの言葉を好んで使っていた。ぼくもまたその流行に無縁ではなかった。

しかし実際のところ、ぼくはそのような意味での熟議の力には関心を向けていなかった。むしろまったく異なったことを考えていた。同書には、ぼくの考える熟議は公的なものだが、にもかかわらず私的にしか成立しないという奇妙な命題が登場する。それはつぎのように記されている。「民主主義2・0の社会においては、私的で動物的な行動の集積こそが公的領域（データベース）を形づくり、公的で人間的な行動（熟議）はもはや密室すなわち私的領域でしか成立しない」〔★82〕。

この命題はほとんど注目されなかった。しかしじつはそれこそが重要で、ぼくの主張とハーバーマスの公共性論や熟議民主主義の差異を示すものだった。なぜならば、そこではぼくは、一般意志の力を脱臼し、抑え込む言葉は、結果的に公共的な役割を果たすだけで、けっして事前に公共性を保証されるものではないと主張しようとしていたからである。

★81 『一般意志2・0』、242−243頁。強調を削除。

★82 同書、227頁。この逆説の命題は、二〇一一年にはあくまでも抽象的な問題提起だったが、二〇二三年のネットではあからさまな現実になっているといえる。たとえばツイッターでは、まさにユーザーの「私的で動物的な行動の集積」が歪んだ公共性を形成している。ユーザーの多くは目のまえを流れる投稿に動物的に反応しているだけであり、その集積として生まれる「炎上」もほとんどが理不尽で不合理なものだが、政治家や芸能人や企業はそれこそが公共性であるかのようにふるまっている。他方で相互信頼が必要な「公的で人間的な」コミュニケーションは、いまや有料や会員制の壁で守られた「密室」でしか成立しない。無料の開かれたネットが熟議を育てるといった楽観主義は、この数年ですっかり退潮した。

ちなみに、本文では触れることができなかったが、この主張は本書第一部の家族の議論とも密接に関係している。ぼくがそこで展開したのは、公的で人間的な領域（ポリス）と私的で動物的な領域（オイコス）の区別は維持できないという主張だった。じつはその区別はルソーにおいてとりわけ維持がむずかしい。ルソーの思想がそもそも政治（ポリス）と文学（オイコス）の往復で成立しているから、というだけの理由ではない。『社会契約論』において、ルソーは、公的な意志（一般意志）を私的な欲望（特殊意志）の集積から直接生まれると定義する一方、一般意志の公共性と議論や多数決が生み出す別の公共性（全体意志）もまた区別している。一般意志、全体意志、特殊意志の三項鼎立はポリスとオイコスの二項対立と相性が悪い。これはもしかしたら、第一部の最後で触れたアーレントの問題とも関係しているかもしれない。アーレントにおいてもまた、活動、制作、労働の三項鼎立はポリスとオイコスの二項対立と相性が悪いという困難がみられたのだからである。

理性的で公的な言葉ではなく、感情的で私的な言葉こそが、一般意志の暴走を、すなわち「自然」や「公共」や「真実」や「正義」の絶対性を切り崩す。というよりも、それらの絶対性は、むしろその脱構築によってこそ可能になり持続する。

本論のここまでの議論を追ってきた読者には、その逆説がもはやまったく逆説ではないことがよくわかるだろう。それは、ゲームのルールを訂正するラフプレイ（私的な行動）が、けっして事前にはルール（公共）に書き込まれていないのと同じことである。あるいは別の例にあてはめれば、「人類を愛する人々」のユートピアを転覆する地下室人の呪詛が、けっして事前には包摂できないのと同じことだ。

一般意志は「私」を必要とする。政治は文学を必要とする。これは統治者には文系の教養も必要だとかなんとかいった、感情論の話ではない。人間のコミュニケーションの条件そのものから導かれる、厳密に論理的な話である。ぼくたち人間は、絶対的で超越的で普遍的な理念を、相対的で経験的で特殊的な事例による「訂正」なしには維持できない、そのようなかたちの知性しかもっていない。政治の構想もまたその限界には制約される。

だからぼくたちはけっして、民主主義の理念を、理性と計算だけで、つまり科学的で技術的な手段だけで実現しようとしてはならない。それが本論の主張であり、本当は『一般意志2・0』でも伝えたいことだった。

## 30

本書の議論も終わりに近づいてきた。ここまでずっとルソーの言葉を手がかりに考えてきた。けれども、民主主義の哲学はけっしてルソーだけによって形作られたものではない。一般意志の理念だけが重要なわけでもない。

そこでここでは最後、本を終えるにあたり、近代の民主主義の歴史を考えるうえで欠かせないもうひとりの思想家、アレクシ・ド・トクヴィルの仕事に触れておくことにしたい。トクヴィルは民主主義について、ルソーとは異なった視点で考えた。にもかかわらず、そんな彼もまた、本書が訂正可能性という言葉で提示してきた問題に近づいていたように思われる。

トクヴィルは一八〇五年に生まれた。フランス革命の一六年後で、ルソーの生誕から約九〇年後にあたる。思想家と記したが、歴史的には政治家や法律家と記したほうが公平かもしれない。ノルマンディの古い貴族の家系で、二〇代で判事になり、三〇代で国会議員に選出され、四〇代で外務大臣まで務めた華やかな経歴をもつ。ただし生涯は短く、一八五九年に五〇代半ばで病死してしまった。

そんなトクヴィルが思想家として記憶されているのは、三〇代で出版した『アメリカの民主主義』が後世の社会思想に大きな影響を与えたからである。トクヴィルは一八三一年から三二年にかけて、フランス政府の派遣でアメリカに九箇月のあいだ滞在し、各地を旅した。同書はその経験をもとに記された著作だ。民主主義論とアメリカ論の古典とされている。

アメリカではなぜ民主主義が成功し、共和制が維持されているのか。それが同書を貫く問いだ。トクヴィルはこの問いに対して、さまざまな観点からアメリカ固有の条件を分析し、答えを出そうと試みている。

この問いは当時のフランスの読者にとって重要なものだった。フランスでは一七八九年に革命が起き、共和制が誕生した（第一共和政）。けれどもすぐにナポレオンが権力を掌握して皇帝に即位し（第一帝政）、その皇帝が追放されたと思ったらこんどは革命前の王朝が復活した（復古王政）。一八三〇年には第二の革命が起こるが、結局はこれも新しい王を立てて終わってしまう（七月王政）。したがって、アメリカでなぜ皇帝や王がいないまま長期間秩序が維持できるのか、フランスとなにが違うのかという問いは切実なものだった。それはまた、貴族出身で、周囲に王党派が多かったトクヴィル自身にとっても切実なものだっただろう。

アメリカはなぜ共和制を維持できているのだろうか。トクヴィルの答えはひとことでいえば、アメリカは権力の分散に成功したからだというものだった。

トクヴィルは民主化の本質は「平等」にあると考えた。貴族と平民の境がなくなり、みなが対等な市民になる。その変化はアメリカだけでなくヨーロッパでも起きており、歴史的な必然だといえる。

ただしそこには危険もある。みなが対等になるとは、社会が画一化するということであり、そうなると一極に集中した巨大な権力が求められるようになるからだ。トクヴィルは記している。「われわれの時代のような啓蒙と平等の世紀には、主権者は古代のいかなる主権者がなしえたよりもたやすく、あらゆる公権力をその手中に収め、私人の利害の領域により習慣的に、またより深く浸透するのに成功するであろうことを私は疑わない」[★83]。現実にフランスでは主権者が「あらゆる公権力をその手中に収め」ることに成功した。そして共和制は壊れた。

裏返せば、アメリカの成功の秘訣はそのような権力の集中を抑制できたことにある。トクヴィルがアメリカを旅し、まず驚いたのはその点だった。彼は「合衆国の行政権の仕組みには、組織の中心も頂点もまったく見られない」とまで述べている[★84]。

なぜそのような分散が可能だったのか。トクヴィルはまず地理的な条件に注目している。アメリカは旧大陸から遠く離れている。だから他国の侵略に怯える必要がなく、迅速に動ける強い軍も必要としない。それゆえ中央集権がなくても国の安全が保たれた、というのが彼の分析だ。いまのア

★83 トクヴィル『アメリカのデモクラシー』第2巻(下)、松本礼二訳、岩波文庫、2008年、255頁。
★84 『アメリカのデモクラシー』第1巻(上)、松本礼二訳、岩波文庫、2005年、116頁。

メリカは世界最大の軍事国家だが、当時は軍が必要ない国だと考えられていたのである。

けれどもそれだけでもない。トクヴィルの考えでは、アメリカの市民はそもそも、入植時に遡る歴史的な経緯や宗教的な背景、民族的な画一性、経済的な条件などさまざまな要因によって、個人の自律を尊重し、権力の集中を避ける「習俗」を育て上げていた。それが大きい。彼は『アメリカの民主主義』で、その「習俗」がいかに制度のなかに実装されているかを、さまざまな例を挙げて記述している。いわく、アメリカでは連邦と州に主権が分離している、タウンという基礎自治体が強い行政権をもっている、結社や出版の自由がほぼ全面的に認められている、陪審制が発達しほとんどの市民が司法に参加できる、などなどだ。

そのなかでもとりわけ重要だとみなされているのが「結社の自由」である。結社は英語でアソシエーションという。中間団体とも訳される。

アメリカの市民はすぐ集まる。結社をつくる。そして新聞を発行したり選挙運動を始めたりする。そこにはほとんど法的な制約がない。トクヴィルははじめそのことに驚きを表明している。結社の自由は一八三〇年代の常識では、「人民を無政府状態の中に投げ込みはしないとしても、いわばいつでもその縁に立たせる」「危険極まりない」自由だと考えられていたからである。けれども彼は、アメリカを長いあいだ旅し、その社会を身近で観察することで、じつは「多数の全能がアメリカの共和国にとって非常に大きな危険」なのであり、「結社の自由は多数の暴政に抗する必要な保証となっている」ことに気がついていく[★85]。

つまりトクヴィルは、本論の言葉で表現すれば、結社こそが一般意志の暴力を抑え込むと主張していたわけだ。この二〇〇年近く前の記述は、民主主義の健全なありかたを示すものとしてたびたび参照される。

ところで少しだけ触れておけば、このような読解そのものにも歴史的な背景がある。ぼくはさきほどトクヴィルの『アメリカの民主主義』は後世に大きな影響を与えたと記した。しかし政治学者の宇野重規によれば、それはあくまでもアメリカでの話で、フランスではこの著作はかなり長いあいだ忘れられていたらしい。

それが二〇世紀の末にまた急に読まれるようになった。宇野はその変化の背景に、「マルクス主義の、さらにいえば、その背景となる階級対立や革命を主眼とする言説一般の影響力の後退」を見てとっている[★86]。じつはこのような環境の変化はトクヴィルにだけ起こったものではない。ぼくは第一部でアーレントを読解した。そこでも触れたように、アーレントの公共性論も、同じ時期にやはりマルクス主義の後退に伴って再発見されている。

二〇世紀は共産主義が優勢だった。共産主義は階級を軸に社会を理解する。けれどもトクヴィル

---

★85 『アメリカのデモクラシー』第1巻（下）、松本礼二訳、岩波文庫、2005年、45、44頁。
★86 宇野重規『トクヴィル　平等と不平等の理論家』、講談社学術文庫、2019年、100頁。

もアーレントも階級について語らなかった。だから重視されなかった。ところがそれゆえに、共産主義が実質的に消滅し、政治を階級闘争として捉えるのが不可能になった二一世紀においては、彼らの仕事が逆に再評価されることになったのである。この価値転換は歓迎すべきことだが、安易な言及も生み出した。「公共性」や「アソシエーション」は、革命の物語なきあと、一部左派のあいだで連帯を語るための魔法の言葉ともなった。ここではあえて例を挙げないが、日本でもこの四半世紀、アソシエーションという言葉はじつに便利に使われ続けている。

## 31

さて、いま記したような背景からか、トクヴィルの結社への注目は、その公共的な機能を重視したものだと理解されることが多い。結社をつくるとは、なによりもまず政治に参加することだというわけだ。

その理解はむろん誤りではない。『アメリカの民主主義』は二巻に分かれている。トクヴィルは、その第一巻の第二部第四章および第二巻の第二部第五章から第七章の二箇所で結社を主題にしている。第一巻の章はそもそも「合衆国の政治的結社について」と題されている。結社の自由こそが「多数の暴政」を抑え込むという、さきほど紹介した命題はそこに記されている。

第二巻の章のひとつは「市民的結社と政治的結社の関係」と題されているが、そこでもトクヴィルは、政治的結社の自由こそが市民的結社の隆盛をもたらすのだと強調している。政治的結社があって、はじめて市民的結社がある。その逆ではない。結社について考えるとき、彼がまず政治的目的のため結成される集まりを念頭に置いていたことはまちがいない。

けれども『アメリカの民主主義』を丹念に読むと、トクヴィルは別のことも指摘していたように思われてくる。たとえば彼は、いま言及した政治的結社の章でつぎのように記している。少し長くなるが引用しよう。

「アメリカは世界中で結社をもっとも多く利用する国であり、この有力な行動手段をこのうえなく多様な目的のために使う国である。タウンや市や郡という名の、法律によってつくられる恒久的結社と別に、発足するのも発展するのも諸個人の意志次第である結社が無数にある。／合衆国の住民は、人生の禍や悩みと戦うのに自分しか頼りにならぬことを生まれたときから学ぶ。社会的権威には疑い深い不安げな視線しかやらず、どうしても必要な場合以外はその力に訴えない。［……］［たとえば］公道に障害ができ、通行が遮断され、交通が止まったとする。住民はすぐに集まって相談し、この臨時の会議体から執行権ができて、災害を復旧してしまうであろう。関係者が集まる以前から存在するなんらかの機関に頼ることを誰かが思いつくのは、その後である。［……］諸個人が力を合わせて自由に活動することでは達成できない、と人間精神があきらめるようなことは何一つない」［★87］。

アメリカではすぐに市民が集まる。結社をつくる。そして問題を自律的に解決してしまう。そのダイナミズムが国家への権力の集中を妨げる。トクヴィルはそのように記している。

この文章はいっけん、アメリカ人の積極的な政治参加を記しているものにみえる。確かにそう読んでも矛盾は起きない。しかし虚心坦懐に読むと、トクヴィルがここで描写している人物像は、いま一般に「政治的」で「公共的」だと考えられている人物像からは大きく離れていることに気がつく。

アメリカ人は自分の力しか信用していない。社会を当てにしない。困難は可能なかぎり自分たちで解決する。

これはつまり、トクヴィルが観察したアメリカ人が、徹底した個人主義者で、いまふうにいえば、公的扶助やセーフティネットなどまったく信用しない「自己責任」志向の人々だったことを意味している。アメリカ人が結社をつくるのは、大きな公共に参与するためではない。むしろ逆で、彼らはそんなものの価値を信じないからこそ、「社会的権威」の指示を待たず、勝手に連帯し自己の利益を守ろうと試みるのである。この自助の精神は二一世紀のアメリカでも生きている。それはいまではリバタリアニズム（自由至上主義）と呼ばれ、共和党支持の一翼を支えている。信奉者はとくに情報産業の従事者に多いといわれる。ピーター・ティールやイーロン・マスクはリバタリアニズムに近い主張で知られている。

だとすれば、トクヴィルは、ハーバーマスが理論化を試みたような「市民的公共性」の精神ではなく、むしろそのような公共など頼りにしない、孤独でときに脱公共的なリバタリアニズムの精神こそが、多数者による暴政を抑え込むと指摘していたことになる。

トクヴィルは市民の連帯が一般意志の暴走を抑え込むと記した。しかしそこで連帯する市民は、必ずしもいまリベラルが想定するような「政治」や「公共」を志向する人々ではなかったかもしれない。

そもそもトクヴィルはアメリカの政治家を評価していなかった。いまの引用に続く章で、彼は辛辣な筆致でつぎのように記している。「合衆国に着くとすぐに、私は被治者の中にすぐれた人はいくらでもいるのに、為政者の側にはそれがどれほど少ないかに驚いたものである。［……］アメリカの政治家の質が、この半世紀、著しく低下したことは明らかである」［★88］。

だからトクヴィルは、いわゆる政治的で公共的な市民が結社をつくり、合理的な討議により権力が監視されると、単純に考えていたわけではなかった。むしろ彼は結社については、アメリカでは、とにかくいろいろなひとがいろいろなことを勝手にやっている、それが重要だと考えていたのではないか。結社の自由は、それによって悪が正されるから重要なのではない。現実には正しい目的の

★87　『アメリカのデモクラシー』第1巻（下）、38-39頁。改行を削除。
★88　同書、53頁。

必要なのだ。

結社があるのと同じように、悪い目的の結社やくだらない目的の結社もあるだろう。けれどもそれでいい。重要なのはそのような多様な結社が存在することであり、自由はその環境を整えるために必要なのだ。

ぼくの考えでは、トクヴィルのこのような認識は「喧騒」というなにげない言葉に集約されている。その言葉はさらにつぎの章に登場する。同章は「アメリカ社会が民主政治から引き出す真の利益は何か」と題されている。ふたたび長くなるが、印象的な一節なので引用しよう。

「アメリカの地に降り立つやいなや、ある種の喧騒［tumulte］に巻き込まれる。至るところで侃々諤々の声があがる。無数の声が同時に耳を打ち、その一つ一つがなんらかの社会的要求を訴えている。周囲はすべて騒がしい。こちらで一地区の住民が集まって教会の建設の可否を論じているかと思うと、あちらでは代表者の選出が行なわれている。さらに遠くでは、田舎の代表が、地方における社会改良の必要を訴えるために町に向かう道を急いでいる。別の場所では、学校や道路の建設計画を議論するために、村の農夫が畑を後にする。政府の方針に異を唱えるためだけに集会を催す人々があれば、政権にある者こそ祖国の父であると宣言するために集まる人たちもある。また別の人々は飲酒酩酊こそ国家の病弊の主要な根源であるとして、節酒の範を示すことを厳粛に約束しようと集まってくる。外からは、アメリカの各議会を絶えず騒がせる大きな政治の動きしか見えないが、これは最末端の民衆に始まり、次第にすべての階級の市民に及ぶ全体の動きの一挿話、一種の尾鰭にすぎない。幸福の追求にこれほど懸命に努める国民はあるまい。［……］この絶えず沸き起こる喧騒［agitation］は民主政治がまず政治の世界に導入したものであるが、やがてそれは市民社会にも及ぶ。民主政の最大の利点は結局この点にあるのではないだろうか。私が民主政を称賛するのは、政府の業績以上に、この政府の下で市民がなすものを考えるからである」［★89］。

トクヴィルはここで、アメリカの社会を満たす「無数の声」の例として、政権の是非や教会建設の可否といった公共的な話題と飲酒論争を等価なものとして描写している。アメリカではすべてが政治になる。それは裏返せば、政治と政治でないもの、公と私の区別の感覚が希薄だということでもある。だからこそ前述のような自助努力の精神が尊ばれる。アメリカでは、みなが自分の「幸福の追求」に懸命であるのが正しいことなのだ。トクヴィルはここでその状態を喧騒と呼び、それに対してこそ驚きを表明している。

トクヴィルは民主主義を手放しで称賛していたわけではなかった。民主主義の導入は統治の質を下げるし、前述のように暴政のリスクもあると考えていた。

にもかかわらず彼がアメリカの民主主義を擁護したのは、この引用で雄弁に示されているように、じつはそこに「喧騒」があったからなのである。彼はそのような公私を貫くダイナミズムこそが、人々の能力を拡大し、生を豊かにし、新しい事業の可能性を開くものだと考えた。彼はつぎのように記している。「民主主義を敵視する人々が、一人の支配の方が万人の統治より立派な仕事をする

★89　同書、132－134頁。改行と注番号を削除。

と主張するとき、彼らは正しいであろう。〔……〕民主政治は国民にもっとも有能な政府を提供するものではない。だがそれは、もっとも有能な政府がしばしばつくり出しえぬものをもたらす。社会全体に倦むことのない活動力、溢れるばかりの力とエネルギーを行き渡らせるのである」[★90]。

トクヴィルはここで、民主主義の名のもとに、いま政治学者が同じ言葉で名指しているものよりも、はるかに大きな問題について語ろうとしている。民主主義は統治形態の名称ではない。イデオロギーの名称でもない。それはなによりもまず社会のありかたの名称なのだ。『アメリカの民主主義』は、そのような洞察に辿りついたからこそ、民主主義論の古典になりえたのだとぼくには思われる。

民主主義の本質は喧騒にある。終わることのない対話が一般意志を取り巻くことで、統治は健全なものになる。

かりにトクヴィルの思想をそう要約してよいとすれば、それはここまで議論してきた訂正可能性の思想にとても近い。トクヴィルの結社は、「コミュニケーション的合理性」に従うハーバーマス的な市民によってのみ構成されるものではない。それは、クリプキの懐疑論者も、嫉妬に狂うヴォルマールも、世界を呪詛する地下室人も包含する雑多な人間のつながり(アソシエーション)なのであり、だからこそ終わらない対話によって一般意志の絶対性を制約しうる。考えてみれば、そもそもルソー自身が、パリの社交界でそのような「喧騒」をたえず起こし続けていた人物だった。

トクヴィルはけっして、民主主義が最良の統治をもたらすとは主張していなかった。彼はむしろ民主主義の利点を、そのような喧騒があるために、統治者の誤りがたえず修正されるところにあると考えていた。

もうひとつ例を挙げておこう。彼は「合衆国で多数の暴政を和らげているものについて」と題された章で陪審制に触れている。

トクヴィルは前述のように、アメリカにおける権力の分散が、陪審制が発達し、市民が司法に参加できることに表れていると主張していた。けれども陪審制が裁判の質そのものを上げるとは考えていなかった。彼はその点ではむしろ逆の意見で、「陪審制が訴訟の当事者のためになるかどうか、私には分からない」と記している。

にもかかわらずなぜ陪審制を高く評価したのか。それは「陪審制はあらゆる階級の人々を法的な考え方に親しませる」のであり、「人民の判断力の育成、理解力の増強に信じられぬほど役立つ」ものだと考えたからである。これはつまり、トクヴィルが、陪審制を、判決の場というより、むしろコミュニケーションの場として評価していたことを意味する。実際彼は、「陪審制を司法制度として見ることに限るとすれば、思考を著しく狭めることにな」るのであり、「人民主権の一つのあり方」として分析されねばならないと繰り返し強調している[★91]。陪審制は正しい判断はもたらさ

★90 同書、135-136頁。

ない。けれども陪審員の喧騒はもたらす。その経験が市民を育てる。この論理の組み立ては、さきほど民主主義をめぐる議論にみたものとまったく同じである。

トクヴィルはアメリカに、終わることのない喧騒による統治の訂正可能性を発見し、それを民主主義と名づけた。ぼくは第一部の終わりで、正義とは訂正可能性のことだと記している。それに倣えば、民主主義もまた訂正可能性のことだといえるだろう。一般意志は、つねに正義と民主主義によって訂正され続けなければならない。これをもって第二部の結論としたい。

---

第一部でアーレントを読んだ。そこで『革命について』という本に少しだけ触れている。アメリカ独立革命とフランス革命を対比的に捉え、前者を高く評価し、後者を低く評価した書物だ。アーレントは、フランス革命が誤ったのは「自由の創設から、苦悩からの人間の解放へとその方向を変えたとき」なのだと記している[★92]。

ここで「自由の創設」がいかなる意味なのか、詳しく議論することはできない。けれどもつぎのようにはいえる。アーレントは、新しいものを生み出すことだけでなく、それを持続させることも大切にした哲学者だった。解放にはそのような時間的持続の契機がない。いったん解放したら終わりだ。だからアーレントは、ひとを苦しみから解放するだけでは、革命の目的は達成されないと考えたのだろう。

フランスは革命という花火を打ち上げただけで終わった。アメリカはそのあとも共和制を維持した。だからアメリカのほうが革命と民主主義の経験としてすぐれている。トクヴィルもおそらく同じように考えていた。

トクヴィルは、『アメリカの民主主義』第一巻の出版から約二〇年後、早すぎる死の三年前に『旧体制と大革命』と題する大部の歴史書を出版している。そこで彼は、革命で旧体制は破壊され、世界は決定的に新しい時代に足を踏み入れたのだといった通説を、丹念に歴史資料を示すことで無効化しようと試みている。多くのひとが、革命でなにもかもが変わったと信じている。いまふうにいえば「リセット」に幻想を抱いている。けれどもトクヴィルは、そんな幻想と民主主義の現実にはなんの関係もないことを知っていた。その冷淡な視線は『アメリカの民主主義』と『旧体制と大革命』で連続している。そしてアーレントにも受け継がれている。

リセットの幻想はいまも世界を覆っている。シンギュラリティの思想がそのひとつの例だ。だからこの第二部は人工知能民主主義の話から始めた。けれども例はそれだけではない。

---

★91 同書、189、181、188、184、186頁。

★92 『革命について』、165頁。

この本が出版される二〇二〇年代は、「政治的な正しさ」という言葉がとても大きな力をもっている時代である。その言葉は、日本で社会問題として知られるようになってすでに一〇年近く、人文学内部においてはすでに四半世紀以上猛威を奮っているが、まだまだその力は治まりそうにない。むろん、正しさを求めるのは大事だ。けれども、あまりに長いあいだその言葉が便利に使われてきた結果、人々はむしろ本当の正しさとはなにかを考えなくなってしまった。いまの基準で過去を断罪さえすれば、それが正しさなのだと信じるようになってしまった。いまや多くのひとが、かつて世界は性差別と人種差別に満ち、マイノリティや被害者の声は封殺されていたが、みなが意識を変え、アップデートされた「正しさ」を導入しさえすれば、明るい公正な未来が訪れるはずだと単純に信じている。少なくともそう信じるふりをしている。これもまたリセットの幻想である。

けれども、ぼくは、そのような「正しさ」の理解は哲学的に誤っていると考える。正しさを追い求めることが誤っているわけではない。それは正しいに決まっている。けれどもその正しさは、いま信じられているほど強固で絶対的なものではありえない。正しさの基準は時代や文化に応じて驚くほど変わる。そもそもそのようなものだからこそ、過去の過ちを正す運動が可能になっている。正しさとは本当は、正しい発言や行為なるものが確固として存在するようなものではなく、つねに過ちを発見し、正しさを求める運動としてしかありえない。

政治的な正しさは英語ではポリティカル・コレクトネスという。コレクトネスはコレクトという形容詞の名詞形だ。そしてこのコレクトには、「正しい」という意味の形容詞とはべつに、「訂正する」という動詞としての用法もある。

だからぼくは、政治的な正しさなるものは、本当は、ポリティカル・コレクトネスではなくポリティカル・コレクティング、すなわち「政治的に訂正していく」運動として、動詞的なかたちでしか表現できなかったはずだと考える。いま正しいこともいつ訂正されるかわからない。いまのマイノリティもいつマジョリティになるかわからない。いまの被害者もいつ加害者になるかわからない。いまコレクトな発言や行為も、いつ「コレクトされる」かわからない。それこそがウィトゲンシュタインとクリプキが教えてくれたことである。政治的正しさは、政治的な訂正可能性としてしかありえないのだ。

ぼくたちはつねに誤る。だからそれを正す。そしてまた誤る。その連鎖が生きるということであり、つくるということであり、責任を取るということだ。本書は、そんなおそろしくあたりまえな認識を、哲学や思想の言葉でガチガチになってしまったひとに思い出してもらうために書かれた書物でもある。

哲学とはなにか、と問いながらこの本を書いた。本書の主題である「訂正可能性」は、その問いに対する現時点での回答である。哲学とは、過去の哲学を「訂正」する営みの連鎖であり、ぼくたちはそのようにしてしか「正義」や「真理」や「愛」といった超越的な概念を生きることができない。それが本書の結論だ。

正義なんて本当は存在しない。同じように真理もないし愛もない。自我もないし美もないし自由もないし国家もない。すべてが幻想だ。

みなそれは知っている。にもかかわらず、ほとんどのひとはそれらが存在するかのように行動している。それはなにを意味するのか。人間についての学問というのは、究極的にはすべてこの幻想の機能について考える営みだと思う。

その機能は自然科学によって解明できる。人間が正義の観念をもつのは、きっとそのほうが進化の過程で優位だったからだ。真理も愛も自我も美も自由も国家も、おそらく同じように説明できる。ぼくたちは進化の過程で獲得した幻想に囲まれて生きている。唯物論的にはそれだけの話である。だとすれば、遠くない将来、ぼくたちはそれら幻想の脳生理学的メカニズムも解明してしまうだろう。そのときぼくたちは、ぼくたち自身の正義や愛の感覚、それそのものを技術的に操作できるようになるだろう。クリックひとつで、ひとを愛したり、また嫌いになったりすることができるようになるだろう。

現代はそのような未来が現実に見えてきた時代である。みながその可能性に興奮している。ぼくもむかしは興奮していた。

けれども最近では違うふうに考えるようになった。かりにそのような技術的な操作が可能になったとして、ではそこで、だれがだれを愛すべきで、だれを憎むべきなのか、ぼくたちはどのようにして決めるのだろう。人工知能に政治的な判断を委ねるとして、なにとなにを委ねるのか、どのようにして決めるのだろう。幻想を操作するためには、また別の幻想が必要になる。正義や愛のメカニズムを解明し、その操作性を高めたとしても、じつはぼくたち人間はなにひとつ正義や愛の錯覚から解放されはしない。自分たちが幻想の世界に囚われていることを、より厳格に突きつけられるだけだ。

それゆえ、ぼくは、いつごろからか、哲学者の使命は、正義や愛について「説明する」ことにあるのではなく、それらの感覚を「変える」ことにあるのだと考えるようになった。それが本書でいう「訂正」である。

人間は幻想がないと生きていけない。自然科学はそのメカニズムを外部から説明する。本書で参照した言語ゲーム論の比喩を使えば、正義や愛のメカニズムを、まるでゲームを統べるルールであるかのように説明する。

けれどもいくら成り立ちが解明されても、人間が人間であるかぎり、ぼくたちは結局同じ幻想を抱いて生きることしかできない。同じルールのもとで、同じゲームをプレイし続けることしかできない。正義や愛を信じることしかできない。だとすれば、ぼくたちに必要なのは、ルールを解明する力ではなく、まずはそのルールを変える力、ルールがいかに変わりうるかを示す力なのではないか。

哲学はまさにその変革可能性を示す営みであり、だから生きることにとって必要なのだというのが、ぼくがみなさんに伝えたかったことである。

思えばそれなりに長く哲学をやってきた。ぼくの最初の本『存在論的、郵便的』は、いまから四半世紀前、一九九八年に出版されている。

同書にも、本書と同じく短いあとがきが付されている。そこにはすでに、「ひとは何故哲学をするのか。僕は途中から半ば本気で、その大きな問題について考え始めていた」と記されている。ぼくはむかしからずっと同じ悩みを抱えてきた。若いときはその悩みをうまく解くことができなかった。それゆえ三〇代のころは、なぜ哲学をするのかわからなくなって、著述のスタイルを大きく変えたこともあった。けれどもいまは、かつての問いに明確な答えを与えることができる。それが本書である。

本書はその意味では、五二歳のぼくから二七歳のぼくに宛てた長い手紙でもある。四半世紀前のぼくは、はたしてこの返信に満足してくれるだろうか。

本書は二〇二一年から二〇二三年まで、足掛け三年の時間をかけて書かれた。執筆を支えてくれた株式会社ゲンロンの仲間たち、そして家族に感謝したい。

二〇二三年六月二八日

# 文献一覧

アーレント、ハンナ『カント政治哲学の講義』、ロナルド・ベイナー編、浜田義文監訳、法政大学出版局、1987年
――『人間の条件』、志水速雄訳、ちくま学芸文庫、1994年
――『革命について』、志水速雄訳、ちくま学芸文庫、1995年
Arendt, Hannah. *The Human Condition*, Second edition and Sixtieth anniversary edition, The University of Chicago Press, 2018.
東浩紀『一般意志2・0――ルソー、フロイト、グーグル』、講談社、2011年。講談社文庫、2015年
――「アクションとポイエーシス」、『新潮』2020年1月号
――『観光客の哲学』増補版、ゲンロン、2023年
アリストテレス『政治学』、山本光雄訳、岩波文庫、1961年
アンダーソン、クリス『フリー――〈無料〉からお金を生みだす新戦略』、小林弘人監修、高橋則明訳、NHK出版、2009年
飯田隆『言語哲学大全Ⅲ　意味と様相（下）』、勁草書房、1995年
――『クリプキ　ことばは意味をもてるか』、NHK出版、2004年
石井洋二郎『科学から空想へ――よみがえるフーリエ』、藤原書店、2009年
イシグロ、カズオ／倉沢美左「カズオ・イシグロ語る「感情優先社会」の危うさ」、「東洋経済オンライン」、2021年3月4日。URL=https://toyokeizai.net/articles/-/414929
伊藤穰一「創発民主制」、公文俊平訳、『GLOCOM Review』第8巻第3号、2003年
ウィトゲンシュタイン、ルートヴィヒ『ウィトゲンシュタイン全集』第8巻、藤本隆志訳、大修館書店、1976年
上野千鶴子『おひとりさまの老後』、法研、2007年
宇野重規『保守主義とは何か――反フランス革命から現代日本まで』、中公新書、2016年
――『トクヴィル　平等と不平等の理論家』、講談社学術文庫、2019年
――『日本の保守とリベラル――思考の座標軸を立て直す』、中公選書、2023年
エレンベルガー、アンリ『無意識の発見――力動精神医学発達史』上巻、木村敏、中井久夫監訳、弘文堂、1980年

エンゲルス、フリードリヒ『住宅問題』、村田陽一訳、国民文庫、1974年
オーウェル、ジョージ『一九八四年』新訳版、高橋和久訳、ハヤカワepi文庫、2009年
岡本裕一朗『ネオ・プラグマティズムとは何か――ポスト分析哲学の新展開』、ナカニシヤ出版、2012年
落合陽一『デジタルネイチャー――生態系を為す汎神化した計算機による侘と寂』、PLANETS、2018年
オニール、キャシー『あなたを支配し、社会を破壊する、AI・ビッグデータの罠』、久保尚子訳、インターシフト、2018年
重田園江『フーコーの風向き――近代国家の系譜学』、青土社、2020年
カーツワイル、レイ『ポスト・ヒューマン誕生――コンピュータが人類の知性を超えるとき』、井上健監訳、NHK出版、2007年
梶谷懐、高口康太『幸福な監視国家・中国』、NHK出版新書、2019年
カッシーラー、E『ジャン＝ジャック・ルソー問題』、生松敬三訳、みすず書房、1997年
クリプキ、ソール・A『ウィトゲンシュタインのパラドックス――規則・私的言語・他人の心』、黒崎宏訳、産業図書、1983年
――『名指しと必然性――様相の形而上学と心身問題』、八木沢敬、野家啓一訳、産業図書、1985年
Kripke, Saul A. *Naming and Necessity*, Harvard University Press, 1980.
―― *Wittgenstein on Rules and Private Language*, Harvard University Press, 1982.
ケイン、ジェフリー『AI監獄ウイグル』、濱野大道訳、新潮社、2022年
齋藤純一『公共性』、岩波書店、2000年
佐々木毅『プラトンの呪縛』、講談社学術文庫、2000年
サンスティーン、キャス『インターネットは民主主義の敵か』、石川幸憲訳、毎日新聞社、2003年
シュミット、カール『現代議会主義の精神史的地位』、稲葉素之訳、みすず書房、1972年
ジラール、ルネ『欲望の現象学――ロマンティークの虚偽とロマネスクの真実』、古田幸男訳、法政大学出版局、1971年
鈴木健『なめらかな社会とその敵――PICSY・分人民主主義・構成的社会契約論』、勁草書房、2013年
スタロバンスキー、J『ルソー　透明と障害』、山路昭訳、みすず書房、1993年

ズボフ、ショシャナ『監視資本主義――人類の未来を賭けた闘い』、野中香方子訳、東洋経済新報社、2021年
大黒岳彦『情報社会の〈哲学〉――グーグル・ビッグデータ・人工知能』、勁草書房、2016年
デュルケム、エミール『社会学的方法の規準』、宮島喬訳、岩波文庫、1978年
デリダ、ジャック『根源の彼方に――グラマトロジーについて』下巻、足立和浩訳、現代思潮社、1972年
――『法の力』新装版、堅田研一訳、法政大学出版局、2011年
トクヴィル、アレクシ・ド『アメリカのデモクラシー』第1巻（上）、松本礼二訳、岩波文庫、2005年
――『アメリカのデモクラシー』第1巻（下）、松本礼二訳、岩波文庫、2005年
――『アメリカのデモクラシー』第2巻（下）、松本礼二訳、岩波文庫、2008年
ドストエフスキー、フョードル『カラマーゾフの兄弟』第2巻、亀山郁夫訳、光文社古典新訳文庫、2006年
――『地下室の手記』、安岡治子訳、光文社古典新訳文庫、2007年
トッド、エマニュエル『世界の多様性――家族構造と近代性』、荻野文隆訳、藤原書店、2008年
――『家族システムの起源Ⅰ　ユーラシア』上巻、石崎晴己監訳、藤原書店、2016年
戸谷洋志、百木漠『漂泊のアーレント　戦場のヨナス――ふたりの二〇世紀 ふたつの旅路』、慶應義塾大学出版会、2020年
成田悠輔『22世紀の民主主義――選挙はアルゴリズムになり、政治家はネコになる』、SB新書、2022年
日本財団ジャーナル編集部「潜在的な里親候補者は100万世帯！　なぜ、里親・養子縁組制度が日本に普及しないのか？」、「日本財団ジャーナル」。URL=https://www.nippon-foundation.or.jp/journal/2019/17667
納富信留『プラトン　理想国の現在』、慶應義塾大学出版会、2012年
ハーバーマス、ユルゲン『公共性の構造転換――市民社会の一カテゴリーについての探究』第2版、細谷貞雄、山田正行訳、未來社、1994年
バフチン、ミハイル『ドストエフスキーの詩学』、望月哲男、鈴木淳一訳、ちくま学芸文庫、1995年
バフチン、ミハイル／ドゥヴァーキン、ヴィクトル『バフチン、生涯を語る』、佐々木寛訳、水声社、2021年
ハラリ、ユヴァル・ノア『ホモ・デウス――テクノロジーとサピエンスの未来』上・下巻、柴田裕之訳、河出書房新社、2018年
フーコー、ミシェル『性の歴史Ⅰ　知への意志』、渡辺守章訳、新潮社、1986年

プラトン『プラトン全集』第11巻、田中美知太郎、藤沢令夫訳、岩波書店、１９７６年
古田徹也『はじめてのウィトゲンシュタイン』、ＮＨＫブックス、２０２０年
ヘーゲル、Ｇ・Ｗ・Ｆ『法の哲学』全2巻、藤野渉、赤沢正敏訳、中公クラシックス、２００１年
ボストロム、ニック『スーパーインテリジェンス――超絶ＡＩと人類の命運』、倉骨彰訳、日本経済新聞出版社、２０１７年
ポパー、カール・Ｒ『開かれた社会とその敵　第一部　プラトンの呪文』、内田詔夫、小河原誠訳、未來社、１９８０年
――『開かれた社会とその敵　第二部　予言の大潮』、内田詔夫、小河原誠訳、未來社、１９８０年
本田晃子「革命と住宅」第1回、『ゲンロンβ57』、２０２１年
マルサス、トマス『人口論』、斉藤悦則訳、光文社古典新訳文庫、２０１１年
ムフ、シャンタル『左派ポピュリズムのために』、山本圭、塩田潤訳、明石書店、２０１９年
ラインゴールド、ハワード『スマートモブズ――〈群がる〉モバイル族の挑戦』、公文俊平、会津泉監訳、ＮＴＴ出版、２００３年
Rijmenam, Mark van. "A Short History of Big Data," *Datafloq*. URL=https://datafloq.com/read/big-data-history/
Rouvroy, Antoinette., and Berns, Thomas. tr. Liz Carey Libbrecht, "Algorithmic governmentality and prospects of emancipation," in *Réseaux*, vol. 177 issue 1, 2013.
ルソー、ジャン＝ジャック『ルソー全集』第2巻、小林善彦ほか訳、白水社、１９８１年
――『ルソー全集』第4巻、原好男ほか訳、白水社、１９７８年
――『ルソー全集』第6巻、樋口謹一訳、白水社、１９８０年
――『ルソー全集』第8巻、西川長夫ほか訳、白水社、１９７９年
――『ルソー全集』第9巻、松本勤訳、白水社、１９７９年
――『ルソー全集』第10巻、松本勤ほか訳、白水社、１９８１年
レイ、オリヴィエ『統計の歴史』、池畑奈央子監訳、原書房、２０２０年
ローティ、リチャード『偶然性・アイロニー・連帯――リベラル・ユートピアの可能性』、齋藤純一ほか訳、岩波書店、２０００年

——『アメリカ　未完のプロジェクト——20世紀アメリカにおける左翼思想』、小澤照彦訳、晃洋書房、２０００年
Rorty, Richard. *Contingency, Irony, and Solidarity*, Cambridge University Press, 1989.
ロスリング、ハンス／ロスリング、オーラ／ロスリング・ロンランド、アンナ『ＦＡＣＴＦＵＬＮＥＳＳ——10の思い込みを乗り越え、データを基に世界を正しく見る習慣』、上杉周作、関美和訳、日経ＢＰ社、２０１９年
『岩波　哲学・思想事典』、岩波書店、１９９８年
『世界大百科事典』改訂新版、平凡社、２００７年
『日本国語大辞典』第２版、小学館、２０００－２００２年
『日本大百科全書』第２版、小学館、１９９４年
*Oxford English Dictionary*. URL=https://www.oed.com
*Duden, Deutsches Universalwörterbuch*, Dudenverlag, 2015.
*Большая российская энциклопедия 2004-2017*. URL=https://old.bigenc.ru
*Larousse, Dictionnaire de français*, Éditions Larousse, 1996.

※書籍・版元によって著者名の表記が異なる場合でもひとつの項目にまとめた。

## 英字

### ま



### や



### ら

## な



## は

## さ



## た

## 索引

・以下は本書に登場する人名の索引である。子項目として、本書で言及されている文献・作品を掲載した。
・本文、注で姓のみが記載されている人名についても、原則として姓名を記載した。
・ページによって表記が異なる場合でも一項目にまとめている。
・文献の編者、訳者は割愛した。
・注のみで言及されている場合は、ページ数のあとに「n」を付した。
・文献一覧、書名や単語の一部としての登場は除外した。

### あ

特設ページはこちら

**初出**

**第1部 第1-4章**

「訂正可能性の哲学、あるいは新しい公共性について」

『ゲンロン 12』、2021年

**第2部 第5章**

「ハラリと落合陽一——シンギュラリティ批判」

『文藝春秋』2022年5月特別号（第100巻第5号）

**第2部 第5-7章**

「訂正可能性の哲学2、あるいは新しい一般意志について（部分）」

『ゲンロン 13』、2022年

**第2部 第8-9章**

書き下ろし

いずれも大幅な加筆修正を施している。

表紙・扉イラスト＝100% ORANGE

ゲンロン叢書｜014

# 訂正可能性の哲学

発行日　二〇二三年八月二五日　第一刷発行
二〇二三年九月二五日　第二刷発行

著者　東浩紀

発行者　上田洋子

発行所　株式会社ゲンロン
一四一―〇〇三一
東京都品川区西五反田二―二四―四
WEST HILL 二階
電話：〇三―六四一七―九二三〇
FAX：〇三―六四一七―九二三一
info@genron.co.jp
https://genron.co.jp/

装丁　名久井直子

組版　株式会社キャップス

印刷・製本　株式会社シナノパブリッシングプレス


ISBN 978-4-907188-50-4 C0010

## 小社の刊行物　2023年8月現在

### 『ゲンロン』　東浩紀編
ソーシャルメディアによって言葉の力が数に還元される現在。その時代精神に異を唱え、真に開かれた言説を目指し創刊された批評誌シリーズ。
2420〜3080円。

ゲンロン叢書003
### テーマパーク化する地球　東浩紀
人間が人間であることはいかにして可能か。世界がテーマパーク化する時代に投げかける、渾身の評論集。2530円。

ゲンロン叢書005
### 新写真論　スマホと顔　大山顕
写真は人間を必要としなくなるのではないか。自撮りからデモまで、SNS時代を読み解く画期的な写真論。2640円。

ゲンロン叢書006
### 新対話篇　東浩紀
政治優位の時代に、哲学と芸術の根本に立ち返る対話集。梅原猛、鈴木忠志、筒井康隆ら12人との対談・鼎談を収録。2640円。

ゲンロン叢書007
### 哲学の誤配　東浩紀
韓国の読者に向けたインタビュー、中国での講演を収録。誤配から観光へ展開した著者の思想を解き明かす。1980円。

ゲンロン叢書009
### 新復興論　増補版　小松理虔
震災から10年、福島のアクティビストは何を思うのか。大佛次郎論壇賞受賞作に、書き下ろしを加えた決定版。2750円。

ゲンロン叢書010
### 新映画論　ポストシネマ　渡邉大輔
あらゆる動画がフラットに受容されるいま、「シネマ」とはなにを意味するのか。新たな映画の美学を切り開く。3300円。

ゲンロン叢書011
### 世界は五反田から始まった　星野博美
祖父の手記に綴られていたのは、この土地に生きた家族の物語と、「もう一つの大空襲」の記録だった。第49回大佛次郎賞受賞。1980円。

ゲンロン叢書012
### 中国における技術への問い　宇宙技芸試論　ユク・ホイ　伊勢康平訳
破局に向かうテクノロジーを乗り越える「宇宙技芸」とはなにか。諸子百家と人新世を結ぶ、まったく新たな技術哲学の誕生。3300円。

ゲンロン叢書013
### 観光客の哲学　増補版　東浩紀
新たな連帯のためには「ゆるさ」が必要だ。第71回毎日出版文化賞を受賞した著者の代表作に、新章2章2万字を追加。2640円。

価格はすべて税込みです。